人生悟語

卷二

紅樓悟語

編　　輯　陳小歡
實習編輯　陳泳淇（香港城市大學中文及歷史學系四年級）
書籍設計　蕭慧敏　Création 城大創意製作

「人生悟語」四字由香港著名書法家何幼惠先生題字。何先生為中國書協香港分會執行委員及大方書畫會會長，精於小楷，筆法雅淳秀逸。謹此致謝。

國際統一書號：978-962-937-436-5

出版

香港城市大學出版社
香港九龍達之路
香港城市大學
網址：www.cityu.edu.hk/upress
電郵：upress@cityu.edu.hk

Contemplating Life: Liu Zaifu's Meditation in a New Genre
Volume II: Reflections on Dream of the Red Chamber
(in traditional Chinese characters)

ISBN: 978-962-937-436-5

Published by

City University of Hong Kong Press
Tat Chee Avenue
Kowloon, Hong Kong
Website: www.cityu.edu.hk/upress
E-mail: upress@cityu.edu.hk

Printed in Hong Kong

目錄

序言——「新文體寫作」的意義

劉劍梅

我父親（劉再復）非常勤奮，數十年如一日地堅持「黎明即起」，每天早晨五點便開始寫作。從五點到九點，這是他的黃金時段，創造時刻。數十年的「一以貫之」，使他著作等身，僅中文書籍就出版了一百二十五種（五十多種原著，七十多種選本、增訂本、再版本）。我從讀北大開始，就喜歡他的片斷性思想札記，那時札記發表得並不多，但因我是「近水樓台」，所以還是讀了一些，比如《雨絲集》。出國之後，他思如泉湧，一發而不可收，竟然寫下了二千多段悟語（「獨語天涯」八百多段，「面壁沉思錄」四百多段，「《紅樓夢》悟語」六百多段，「《西遊記》三百悟」三百段，「雙典百感」一百段，各類人生悟語近一百段）。這些悟語，精粹凝煉，語短意長，每一段都有一個文眼，即思想之核。二千多則，可以視為「悟語庫」了。

我稱父親的悟語寫作為「新文體寫作」。所謂新文體，乃是指它不同於當下流行的小品、雜文、散文詩，也不同於隨想錄等文體。雜文較長，有思想、有敍事、有議論，而悟語則只有思想而沒有敍事與感慨。與散文詩相比，它又沒有抒情與節奏。與隨想錄相比，它顯得更為明心見性，完全沒有思辨過程，也可以說沒有邏輯過程。這種文體很適合於生活節奏快速的現代社會。我相信，那些忙碌又喜歡閱讀的智者與識者，肯定最歡迎這種文體，他們在工作的空隙中，在旅途的勞頓中，都可以選擇一些段落加以欣賞和思索，享受其中一些對世界、人類、歷史的詩意認知，達到事半功倍的效果。

我稱這些悟語為「新文體」是否恰當？可以討論。說它是「新」，乃是相對於流行的文體即論文、散文、雜文等，但如果放眼數千年的文學藝術史，我們還是可以發現，這種「思想片斷」的寫作曾經出現過。例如古羅馬著名的帝王哲學家馬可·奧理略（Marcus Aurelius）所寫的《沉思錄》（中文版由何懷宏先生所譯），便是他在軍旅勞頓中的哲學感悟，一段一段都是精彩的悟語。此書影響巨大，千年不衰，早已成為西方思想史上公認的名著。我覺得他寫的正是「悟語」。每一則都有思想，但沒有思辨過程。尼采（Friedrich Nietzsche）和羅蘭·巴特（Roland Barthes）也喜歡採用這種片斷式寫作來表述他們靈動的思想。魯迅的《熱風》，其文字形式正是尼采式的悟語。諾貝爾文學獎評委霍拉斯·恩格道爾（Horace Engdahl）在他的著作《風格與幸福》（中文版由陳邁平先生所譯）中，有一章題為「有關碎片寫作的筆記」，專門論述「悟語」這一革命性文體，談到歷代西方文學家各式各樣的「碎片寫作」。他認為「碎片寫作」是對立於體系寫作的一種寫作。它不求邏輯建構，而是像精靈一樣四處遊蕩，這些表面無序的不連續的文字，「是在無數個體的中心生出來的」。恩格道爾有一段精彩的定義：「碎片寫作的決定可以讓不同思想區域之間的自由移動成為可能。諾瓦利斯（Novalis）談到過『精神的旅行藝術』，在他的筆記裏這種藝術採用永遠處在回到一切涉及精神的事物的返鄉形式。這是一部飛翔着的百科全書。」[1]

儘管悟語寫作、片斷寫作已有前例，但我父親能寫出這麼多的感悟之語，實在不容易。況且他又有新的創造，例如評述中國四大名著的悟語，便有許多新的眼光和新的思路，無論是對《紅樓夢》、《西遊記》的禮讚，還是對《水滸傳》、《三國演義》的文化批判，都可謂入木三分，不同一般。文學評論、文化批判也可通過悟語進行，而且可以超越文本和擊中要害，這的確是一種有意思的實驗。可以說，父親對碎片寫作的思維空間進行了先鋒性的拓展。他認為，在人文科學中，文學只代表廣度，歷史呈現深度，哲學則可代表高度，而碎片寫作也可以在此三維度上加以發展。從廣度上說，以往的碎片寫作多半着眼於人生遭際中的感受，倫理色彩較濃。從孔子的《論語》到奧理略的《沉思錄》以至尼采，皆是如此。但他加以擴展，把碎片寫作運用到文學批評、文化批評、國民性批評和人類性批評。文學批評如對《紅樓夢》中的人物分析；文化批評如〈西遊記三百悟〉講「禪而不相」、「禪而不

1 〔瑞典〕霍拉斯·恩格道爾著，萬之譯：《風格與幸福》（上海：復旦大學出版社，2017），頁76–77。

宗」、「禪而不佛」等；國民性批評，如〈西遊記三百悟〉中的第二百九十八則和二百九十九則尖銳地批判了中國的國民性問題；人類性批評，如〈童心說〉涉及的是普遍的人性問題。從深度上說，悟語的深度來自他對歷史的認知與對世界的認知。歷史有表層結構，也有深層結構。深度主要是呈現於對深層歷史的認知和深層文學的認知。如〈雙典百感〉的第五十六則，揭露《三國演義》維護正統的旗號，實際上漢王朝已日薄西山，奄奄一息，美化劉備與抹黑曹操全是權術（騙人的把戲）。還有〈《紅樓夢》悟語二百則〉的第二百零五則，寫的並非歷史，但把文學的深度揭示出來了。至於他如何把碎片寫作推向哲學，看看〈紅樓哲學筆記三百則〉就明白了，其中每段都有一個小標題——無相哲學、自然的人化、情壓抑而生大夢、叩問人生究竟、色透空也透、立人之道、意象心學、棄表存深、通脫主體論、隨心哲學等——每一題都有哲學感悟，每一段均有所妙悟。在中國寫作史上，如此大規模地通過片斷寫作展示密集豐富的哲學思想，以前還沒有見過。

父親晚年近莊子和禪宗，他對自己在海外近三十年漂泊生活的領悟，以及對中國四大名著的重新闡釋，都採取「片斷悟語」的寫作形式，其實如同一段段「禪悟」，以心讀心，與古典名著裏的一個個靈魂對話，也同時與自己的多重主體對話，捕捉思想的精彩瞬間。他曾經這樣描述自己的悟語寫作：

在我心目中，「悟語」類似「隨想錄」與「散文詩」，有些「悟語」其實就是散文詩和隨想錄，但多數「悟語」還是不同於這兩者。隨想錄寫的是隨感，「悟語」寫的是悟感。所以每則悟語，一定會有所悟，有所「明心見性」之「覺」。隨想錄更接近《傳習錄》（王陽明），悟語更近《六祖壇經》（慧能）。與散文詩相比，「悟語」並不刻意追求文采和內在情韻，只追求思想見識，但某種情思較濃的「悟語」也有些文采，只是必須嚴格地掌握分寸，不可「以文勝質」，只剩下漂亮的空殼。[2]

我個人認為，父親的這種「新文體寫作」，跟他自一九八九年選擇海外漂流的「第二人生」有緊密的關係。這第二人生給他的最大收穫，就是獲得了內心的大自由，身心均得大自在。這種不再被政治權力、國家界限、世俗利益約束的內心大自由，不可能再用學院派的重體系、重邏輯、重理論的文學批評語言來表述，而必須找到實驗性更強、自由度更大的文體來承載他自由的心靈書寫，「悟語」或「碎片寫作」這種文體，給了他一種解放的形式，便於闡發一種屬於他自己的內心真實，而且他在瞬間感悟的真實都是他自身的多重個體的折射，於是，這種「新文體寫作」成了呈現他選擇的徹底的「心性本體論」的載體，如同他所說的：「佛就是心，心就是佛。佛不在寺廟裏，而在人的心靈裏。講的是徹底的心性本體論。慧能

2 劉再復：《天涯悟語》（北京：三聯書店，2013），頁404–405。

的《六祖壇經》說『自性迷，即是眾生；自性覺，即是佛』，所謂『覺』，就是心靈在瞬間抵達『真理』的某一境界，在心中與佛相逢，並與佛同一、合一。」[3]這種「新文體」寫作——碎片寫作、悟語寫作，是對個體「瞬間領悟」、「瞬間覺悟」的記錄，是飛翔的思緒，是流動的靈光，是精神的自由旅行。

卷一至卷四的「劉再復新文體沉思錄」有兩項基本內容。第一部分體現了父親在海外漂泊的歲月裏不停地尋找「家園」及尋找精神皈依的旅程。從前的地理意義上的故鄉消失了，他需要重新定義自己心目中的家園，於是他在碎片寫作中，一邊叩問歷史和家國，一邊叩問「我是誰」；一隻眼睛看世界、看歷史，另一隻眼睛看自我——看被粗暴的時代分割成碎片的自我；他一邊讀生命，另一邊讀死亡；他一邊讀東方，另一邊讀西方；他一方面重新找尋中西方文化相通的精神家園，另一方面又重新組合起一個多重的自我，有矛盾掙扎的自我，有回歸童心的自我，也有不斷超越的自我。這套新文體寫作的第二部分內容是重讀文學經典，也就是重讀中國四大古典名著：《紅樓夢》、《西遊記》、《三國演義》、《水滸傳》。用「片斷悟語書寫」闡釋中國四大古典名著的學者，恐怕父親是第一位，這種讀法既是一種文化批評，又是一種帶有啟迪性的文體創造。無論是討論小說人物，還是討論小說主題、文化內涵，父親其實最重視的還是這些小說塑造的「心靈世界」，以及這一心靈世

3 劉再復：《什麼是人生——關於人生倫理的十堂課》（香港：三聯書店，2017），頁106。

界對中國國民性的深刻影響。我在閱讀父親的這四卷「新文體沉思錄」時，認為父親用「片斷寫作」打破了傳統文學形式的界限，放下散文詩、文學評論、哲學思緒等形式阻隔，融合不同學科領域的特長和內涵，使得不同的表述形式和感悟處於一種自由的不規則、不系統的狀態，讓他的語言在稠密的思想中，撲扇着翅膀在空中滑翔，傳達了他聞的道、悟的道，傳達着普世哲學，也承載着中國當下幾乎喪失的人文精神。

帝王哲學家馬可·奧理略所寫的《沉思錄》已過去近兩千年了，他大約沒想到，今日的世界，人類的生活更為緊張，節奏更為快速，人們更需要這種言簡意繁的文字。我父親的這一新文體寫作，居然在不經意間與現在的微博、微信寫作有了一些外在的聯繫，就像他寫的：「老子所講的『大音希聲』，乃是對語言的終極性叩問。真正卓越的聲音是謙卑的、低調的，甚至是無言的。中國的詩句『此時無聲勝有聲』，乃是真理。最美的音樂往往是在兩個音符之間的過渡，此時沉靜的瞬間可以聽到萬籟的共鳴。」[4] 雖然父親的新文體寫作彷彿是「微言」，可是它讓我們以微見大，感悟生命的終極意義。它既是感性的，又是理性的；既是文學評論，又是文學創作；既是哲學的，又是文學的。它是對概念的放逐，是一種解放了的語言和文學實踐，是一種「心生命」。

4 劉再復：《天涯悟語》（北京：三聯書店，2013），頁352。

香港城市大學出版社的社長朱國斌先生、副社長陳家揚先生，慧眼獨具，深知悟語的價值，支持我父親的寫作試驗，這不僅鼓勵了父親，也鼓勵了我。我一直認為，文章與書籍是人寫的，人性極為豐富，文章也可有千種萬種，不必拘於幾種樣式。碎片式的寫作，悟語的嘗試，肯定也是一種路子。香港城市大學出版社的決定與支持，使我的思想更為開放，視野更加拓展，為此，我和父親一樣，都心存感激。

劉劍梅

二〇一八年寫於香港清水灣

#《紅樓夢》悟語三百零四則

引語

01

十幾年前一個薄霧籠罩的清晨，我離開北京。匆忙中抓住兩本最心愛的書籍放在挎包裏，一本是《紅樓夢》，一本是聶紺弩的《散宜生詩》。

帶着《紅樓夢》浪跡天涯。《紅樓夢》在身邊，故鄉故國就在身邊，林黛玉、賈寶玉這些最純最美的兄弟姐妹就在身邊，家園的歡笑與眼淚就在身邊。遠遊中常有人問：「你的祖國和故鄉在哪裏？我從背包裏掏出《紅樓夢》說：「故鄉和祖國就在我的書袋裏。」

02

故鄉有時很小，有時很大。福克納說故鄉像郵票那麼小是對的，卡繆說故鄉像海洋那麼大也是對的。故鄉有時是沙漠中突然出現的深井，荒野中突然出現的小溪，暗夜中突然出現的篝火；有時則是任我飛翔的天空，任我馳騁的大道，任我索取的從古到今的大智慧。

故鄉故國不僅是祖母墓地背後的峰巒與山崗。故鄉是生命，是讓你棲息生命的生命，是負載着你的思念、你的憂傷、你的歡樂的生命。歌德筆下的少年維特，他的故鄉是一個少女的名字，她叫做「綠蒂」。這個名字使維特眼裏的一切全部帶上詩意，使世俗的一切都化作夢與音樂。維特到處漂泊，尋找情感的家園，這個家園就是綠蒂。正如絳珠仙草——林黛玉是賈寶玉的故鄉，林黛玉一死，賈寶玉就喪魂失魄，所剩下的只有良知的鄉愁與情感的鄉愁。

曹雪芹在《紅樓夢》開篇第一回就重新定義故鄉。他把故鄉推到很遠，推到靈河岸邊三生石畔，推到無數年代之前女媧補天的大空曠，推到超驗世界的大沉寂，推到遙遠的白雲深處和無雲的更深處。由此，我們更感到生命源遠流長，更意識到我們不過是到地球上來走一回的過客。過客而已，漂流而已，不要忙着佔有，不要忙着爭奪，不要「反認他鄉是故鄉」。

03

曹雪芹與荷馬、但丁、莎士比亞、歌德、托爾斯泰、杜斯托也夫斯基等最偉大的詩人作家，就像家鄉的大河，而我一直是在河邊舀水的小孩。如果不是他們的澤溉，我是不會長大的。我的生命所以不會乾旱乾枯，完全是因為時時靠近他們的緣故。出國之後，我一面愈走愈遠，一面則愈走愈近。相對於一些不愉快的往事，愈走愈遠：相對於「家鄉的大河」與童年的搖籃，則愈走愈近。此刻，我已貼近大河最深邃的一角。生命的大歡樂就在與偉大靈魂相逢並產生靈魂共振的瞬間。

04

常常心存感激，常常感激從少年時代就養育我的精神之師，感激荷馬與但丁，感激莎士比亞與托爾斯泰，感激陶淵明與曹雪芹，感激老子與慧能，感激魯迅與冰心，感激一切給我靈魂之乳的從古到今的思想者、文學家和學問家，還有一切教我向生命本真回歸與靠近的賢人與哲人，感謝他們所精心寫作的書籍與文章，感謝它們讓我讀了之後得到安慰、溫暖與力量。還心存感激，感激讓我衷心崇仰的藍天、星空和宇宙的大潔淨與大神秘，感激現實之外的另一種偉大的秩序、尺度與眼睛，還感激從兒時開始就讓我傾心的近處的小花與小草，遠處的山巒與森林，還有屋前潺潺流淌着的小溪和它的碧波。所有這一切，都在呼喚我的生命和提高我的生命，都在幫助我保持那份質樸的內心和那盞靈魂的燈火。

05

在海外十幾年，一直覺得自己的靈魂佈滿故國的沙土草葉和紙香墨香。這才明白，祖國就是那永遠伴隨着我的情感的幽靈。無論走到哪裏，《山海經》、《道德經》、《南華經》、《六祖壇經》、《紅樓夢》就跟到哪裏。原來祖國就是圖畫般的方塊字，就是女媧補天的手，精衞填海的青枝，老子飄忽的鬍子，慧能挑水的扁擔，林黛玉的詩句和眼淚，賈寶玉的癡情與呆氣，還有長江黃河的長流水和老母親那像蠶絲的白頭髮。

06

《紅樓夢》沒有被限定在各種確定的概念裏，也沒有被限定在「有始有終」的世界裏去尋求情感邏輯。反抗有限時間邏輯，反抗有限價值邏輯，反抗世俗因緣法，《紅樓夢》才成為無真無假、無善無惡、無因無果同時也是無邊無涯的藝術大自在，其綿綿情思才超越時空的堤岸，讓人們永遠說不盡、道不完。

有用頭腦寫作的作家，有用心靈寫作的作家，有用全生命寫作的作家，曹雪芹屬於用全靈魂全生命寫作的作家。他用生命面對生命，用生命感悟生命，用生命抒寫生命。大制不割（《道德經》），生命與宇宙同一，生命是世俗的價值尺度難以界定、難以切割的泱泱大制。

07

古希臘史詩所展現的波瀾壯闊的戰爭，不是正與邪的戰爭，無所謂正義與非正義，其勝利者與失敗者都是英雄。這些英雄被命運推着走，而命運的背後是性格。如果荷馬也落入「成者為王，敗者為寇」的邏輯，就沒有這部偉大的史詩。命運性格屬於人，正邪之分則屬於政治理念與道德理念。希臘史詩的大詩意來自生命，不是來自理念。

如果說，希臘史詩《伊利亞德》是剛的史詩，那麼，《紅樓夢》則是柔的史詩。前者的英雄都是男性的粗獷豪邁的英雄，其首席英雄阿基里斯甚至十分粗野，他不懂得尊重對手赫克托爾（特洛伊主將），不懂得尊重失敗的英雄。書中的主要情節——希臘和特洛伊的戰爭，表面上看，雙方為一個美人（海倫）而戰，實際上雙方都把美人（女人）當作爭奪的獵物，對女性並沒有真的尊重。《紅樓夢》則不然，它把女性視為天地的精英靈秀，精神舞台的中心，連最優秀的男子，其智慧也在她們之下。《伊利亞德》是用男人的眼睛看歷史，《紅樓夢》則用開悟的女子眼睛看歷史，林黛玉悲題五美吟，薛寶琴抒寫《懷古十絕》，說明了《紅樓夢》的歷史眼睛是柔性的、感性的、充滿人性的。

08

從荷馬史詩到莎士比亞戲劇，從但丁到托爾斯泰、杜斯托也夫斯基，從《史記》到《紅樓夢》，所有經過歷史篩選下來的經典，都是偉大作者在生命深處潛心創造的結果，因為是在生命深處產生，時間無法蒸發掉其血肉的蒸氣，所以真的經典永遠具有活力，永遠開掘不盡。經典不朽，其實是生命不朽。沒有一部經典是靠社會組織拔高或靠一些沽名釣譽之徒相互吹捧形成的。

《紅樓夢》為我們樹立了文學的座標。這部偉大小說對中國的全部文化進行了過濾，凝結成一部從神瑛侍者（類似亞當）與絳珠仙草（類似夏娃）的情愛寓言開始的文學聖經。這部聖經點亮我的一切，特別是告訴我：文學不是頭腦的事業，而是性情的事業與心靈的事業，必須用眼淚與生命參與這一事業。

09

《山海經》中記載的神話故事，總是讓我們感到太少。那個混沌初鑿的原始時代沒有人去刻意記錄，它的故事自然形成，也與山山水水一樣自然留下，自然地伴隨着一代一代的風霜雨雪積澱在民族的集體記憶裏。因為不是刻意記錄寫作，所以更顯得猶如嬰兒般的純粹。《山海經》特別寶貴，就因為它是中華文化最本真的原果汁、原血液，所以也可以稱《山海經》文化為中國的原型文化。斯賓格勒在《西方的沒落》提出過「偽型文化」的概念，中國文化何時發生「變形」，尚需討論，但《山海經》沒有任何偽形，未曾變質，卻不容置疑。中國的長篇小說《紅樓夢》一開篇就連接着《山海經》，它和《山海經》一樣保持着中國文化的原生態。《三國演義》屬偽型文化，《紅樓夢》則屬原型文化。或者說，《紅樓夢》反映着中國健康的集體無意識，《三國演義》則代表着受傷的、病態的集體無意識。

10

故國幾部經典長篇小說，雖然都有文學成就，可惜《三國演義》太多「機心」，《水滸傳》太多「凶心」，《封神演義》太多「妄心」。唯有《西遊記》和《紅樓夢》總是讓人喜歡，愈讀愈感到親切。《西遊記》具有童心，《紅樓夢》則具有「愛心」。賈寶玉也有孫悟空似的童心，但它經過少女的洗禮與導引，又昇華為大愛與大慈悲之心。因此，《紅樓夢》的精神境界比《西遊記》又高出一籌。中國人的野心展現在前三部長篇中，而赤子之心則在後兩部長篇裏，尤其是在《紅樓夢》裏。中國人有了《紅樓夢》這一偉大的人性參照系，才會警惕《三國》中人和

《水滸》中人。中國人的善良、慈悲、率真、質樸等優秀人性基因，全在《紅樓夢》裏。有《紅樓夢》在，中國人才不會都去崇尚劉備、李逵、武松等變態英雄。因為有《紅樓夢》的亮光在，總有人會從少年時代開始就模仿賈寶玉，以自己的方式和名利場拉開距離。一個民族的民族性格主要是被文學所塑造。可惜以往太多被《三國》、《水滸》所塑造，太少被《紅樓夢》所塑造。

11

把小說當成救國的工具或當成啟蒙的工具，好像是「大道」，其實是「小道」。此時小說的語境只是家國語境、歷史語境，並非生命語境、宇宙語境。文學只有進入生命深處，抒寫人性的大悲歡，叩問靈魂的大奧秘，呼喚心靈的大解放，才是大道。王國維說，《桃花扇》屬家國、政治、歷史，《紅樓夢》屬宇宙、哲學、文學，這一意思也可表述為，《桃花扇》是小道，《紅樓夢》是大道。梁啟超說沒有新小說就沒有新社會、新國家，表面上是把小說地位提高了，其實，他只知小說的「小道」，不知「大道」。大道永遠是生命宇宙之道，不是國家歷史之道。文學的金光大道就在《紅樓夢》之中。

12

王國維一面寫出《殷商制度考》、《殷卜辭中所見先公先王考》、《毛公鼎考釋序》等學問深厚的論文，一面又寫出《紅樓夢評論》、《人間詞話》等精彩文論，前者是知性的成功，後者是悟性的成功。（《紅樓夢》本身正是悟性的成功）前者的考據功夫是有形的，人們容易知其難，後者的感悟功夫是無形的，人們常常不知其更不容易。以《人間詞話》而言，短短的一部詞論中能有那麼多擊中要害的準確詞識，能創立「境界」說並道破中國詩詞上那些真正的精華，能感受到李後主這位小皇帝具有「釋迦基督擔荷人類罪惡」的大慈悲與大氣魄，這是很難的。而他的《紅樓夢評論》道破人間最深的悲劇並非幾個「蛇蠍之人」所導演，而是包括善良人在內的共同犯罪，如此無可逃遁，才是人類的悲劇性命運。這種發現也是很難的，這不僅需要知識，而且需要詩識，需要天才，需要生命深處的內功。表面上看，它是「無心插柳」，實際上是天才的大心靈內修的結果。

13

《紅樓夢》給我們創造了一個詩意合眾國。作為一個中國人，最能感到幸福的，是能與賈寶玉、林黛玉這些詩意生命共處一個詩情國度。「千里搭長棚，沒有不散的筵席」，這一詩意的真理，是從一個名叫小紅的小丫鬟口裏說出來的。《紅樓夢》中連小丫鬟都有禪性語言，更不用說合眾國裏的桂冠詩人林黛玉了。《紅樓夢》中的許多女子生時追求詩意，倘若發現生無詩意，她們也死得很有詩意，尤三姐、晴雯、鴛鴦的死亡行為都是第一流的詩篇。

如果內心沒有音樂，就聽不懂音樂。如果內心沒有詩，就讀不懂詩。生命裏有詩，才有對詩的感覺。歌者與詩人感慨知音難求，就因為內心擁有音樂、擁有詩的人很少。同樣，如果沒有靈魂，就很難讀懂杜斯托也夫斯基的「靈魂呼告」，也讀不懂曹雪芹的靈魂悖論（林黛玉與薛寶釵是曹雪芹靈魂的悖論）。有人閱讀經典是用生命、用靈魂，也有人是用皮膚、用感官，也有人用政治、用市場，後兩者離曹雪芹都很遠。

14 生命是詩意的源泉。所謂「史詩」，重心不是「史」，而是「詩」。其詩意也並非來自歷史，而是來自生命。《紅樓夢》展示了一個歷史時代的整體風貌，又建構了詩意生命的意象系列。曹雪芹以生命方式抒寫歷史，又以生命為參照系批判歷史，讓生命氣息覆蓋整部小說。在歷史家眼中「身為下賤」不值一提的小丫鬟，曹雪芹卻發現其「心比天高」的無窮詩意。一個民族大文化的詩意是否尚存，只有一個尺度可以衡量，這就是生命尊嚴與生命活力是否還在。文化的精彩來自生命的精彩，當負載文化的生命主體變得勢利十足、奴性十足，從腰桿到靈魂都站立不起來時，這個民族的文化便喪失詩的光澤。《紅樓夢》作為詩意生命的輓歌，也給中國文化敲了警鐘。

上篇（寫於一九九五至二〇〇四年）

15

《山海經》是中華民族童年時代集體的大夢。夢見精衛填海，夢見夸父追日，夢見刑天舞干戚，這是最本真、最本然的夢。《山海經》說明，中華民族有一個健康的童年。《紅樓夢》一開始就講《山海經》，就緊緊連接《山海經》。《紅樓夢》是中華民族成年時期的大夢。這是關於自由的夢，關於女子解放的夢，關於詩意生命與詩意世界的夢，關於美麗花朵不要枯萎不要凋謝、美麗少女不要出嫁不要死亡的夢，關於生命按其本真本然與天地萬物相融相契的夢。《紅樓夢》是中華民族現代夢的偉大開端。《紅樓夢》說明，中華民族近代的大夢也是健康的。德國詩人賀德林呼喚「人類應當詩意地棲居在地球上」，中國的偉大作家與德國的偉大詩人，其大夢的內涵相似，都有大浪漫與大詩意。

人類最純的情感保留在音樂與文學中，也可說保留在夢中。正如莎士比亞的《仲夏夜之夢》保留了人類童年天真無邪也無邏輯的夢幻與歡樂一樣，《紅樓夢》保留了中華民族天真無邪、並無可心證意證實證的戀情與人性悲歌。

16

《紅樓夢》中有一個未成道的基督與釋迦，這就是賈寶玉。他兼愛一切人，寬恕一切人。連老是要加害他的賈環也寬恕，連慾望的化身薛蟠也可作為朋友。

上至王侯，下至戲子奴婢，他都以同懷視之。他五毒不傷，對別人的攻擊和世俗的是是非非浮浮沉沉花花綠綠全然沒有感覺。「我不入地獄誰來入？」這對寶玉來說，不是獻身的悲壯，而是天性的坦然。他天生不怕被地獄的毒焰所傷。他敏感的是別人的痛苦、別人的長處和人間的真情感，對別人的弱點和世界的榮華富貴，卻很遲鈍。如果說基督是窮人的救星，釋迦牟尼是富人的救星；那麼，賈寶玉也許正是知識者的救星，至少是我的救星。他幫助我從仕途經濟的路上拯救出來，從知識酸果的重壓下拯救出來，從人間恩恩怨怨輸輸贏贏計計較較的糾纏中拯救出來。

17

賈寶玉的人格心靈何等可愛。在濁水橫流的昔時中國，在老氣橫秋的豪門府第，他的出現，就像盤古剛剛開天闢地的第一個早晨出現的嬰兒，給人以完全清新、完全純粹、完全亮麗的感覺。他的眼睛是創世紀第一雙黎明的眼睛，是人之初第一次完全向宇宙睜開的眼睛。這雙眼睛的內涵讓我激動不已，它所看輕的正是世俗眼睛所看重的，它所看重的正是被世俗的眼睛所看輕的，於是，這雙眼睛常常發呆，常常迷惘。雖然迷惘，卻蘊藏着太陽般的靈魂的亮光。

18

曹雪芹給賈寶玉與林黛玉的前身，命名為「神瑛侍者」與「絳珠仙草」。賈寶玉是賈府中的「王子」，可是對待林黛玉和對待其他女子，卻有「侍者」心態。他和林黛玉的關係位置，是將自己放在低處，放在侍者、僕人的位置，而不是主人、統治者的位置，包括對晴雯等丫鬟也是如此。晴雯本來正是奴婢，正是侍者，可是賈寶玉卻把位置顛倒過來，對她言聽計從。這不是取悅，而是在情感深處看到她比自己更乾淨，自己應當追隨其人格。正因為賈寶玉把自己放在低處，所以他才看出晴雯「身為下賤」而「心比天高」。寶玉看晴雯用的是超勢利、超世俗的「天眼」，是禪宗「不二法門」（無內外，無尊卑）的「佛眼」。

19

賈寶玉一生下來就因為口銜寶玉而讓人視為怪異，離開家庭後走入雲空，也是怪異。真正的個性往往在於忘記自己世俗的位置與角色，只顧觀看與探索，不知自己的來處與去處。然而，他的出走，卻是富有大詩意的行為語言。這是賈寶玉最後的非訴說的聲明。他向人間宣佈，他與那個你爭我奪的父母府第極不相宜，他已沒有力量承受一個個的死亡與墮落。他的出走是總告別，又是大悲憫。他到哪裏去並不重要，重要的是他已逃離污濁之地，虛假之鄉。

賈寶玉居住的父母府第，是豪門貴族府第，而他本身又是府中的第一快樂王子。榮國府雖不是宮廷，但府中佈滿崢嶸軒峻的廳殿樓閣和蓊蔚洇潤的花木山石，還有成群成隊的男僕女婢，卻勝似宮廷。家道中落後雖減少了氣象，但仍不失為鐘鳴鼎食的浮華之家。然而，即使是處於全盛的黃金時代，賈寶玉也不迷戀這個家，胸前的玉石丟失了幾回——他的靈魂早已出走了好幾次。他被視為性情乖僻的異端，實際上心中擁有萬種真摯情思。一個又一個清澈如水的詩化生命在面前毀滅，自己還頂着桂冠如行屍走肉，這還有人的樣子嗎？千里長棚下的華貴筵宴，世人聞到的全是香味，偏是快樂王子聞到朽味與血腥味。一個處於如此環境中的身心怎能不迷惘？怎能不尋求解脱？如果説，林黛玉最後的行為語言是焚燒詩稿，用一把火否定她曾經有過的期待，那麼，賈寶玉則是用一走了之的行為語言否定父母府第內外人們所迷戀與追求的虛幻的天堂。一種真實的行為語言，沒有標點、沒有文采、沒有鋪設，卻否定了一個權力帝國與金錢帝國。《石頭記》的故事，其實是一塊多餘的石頭否定一個慾望橫流的泥濁世界的故事。賈寶玉的出走，乃是走出爭名奪利的泥濁世界，被男人弄成骯髒沼澤的荒誕世界。

20

《紅樓夢》中的諸多人物誰最傻？除了一個傻大姐之外還有一個傻哥哥，這就是賈寶玉。傻大姐是天生的白癡，什麼也不懂。傻哥哥卻有大愛與大智慧。呆中的迷惘，癡中的執着，傻中的慈悲，憨中的悟性，沉默中的逃離家園和告別黑暗，哪樣不是真性情與真靈魂。

「生而不有，為而不恃，長而不宰，是謂玄德」（《道德經》第十章）。在老子看來，人對歷史責任的承擔應是無言的。重擔在肩，不求頌歌伴奏。做了好事，自己不說，只默默獻予，這才算是真的有德。有人掉到水裏，你去救援，只覺得這是應盡的責任，心裏只感到快樂，沒想到光榮，也不覺得是美德，這才算是德行。老子對那種僅以言說去承擔責任的人是不信任的。滔滔不絕，表現的卻是一個淺薄的自己。《紅樓夢》裏的賈寶玉就是一個默默承擔罪責的傻子，他從不宣揚自己做了好事。承擔、獻予、寬厚全是天性。

21

賈寶玉看見金釧兒受辱死了，看見晴雯含恨死了，都是被他的母親逼死的。本該是大慈大悲的母親，本該是滿懷溫情的母親，本該是懷愛天下一切兒女的母親，這回也逼死無辜的孩子。母親也殺人。賈寶玉親眼看到母親也殺人。這是比一切凶殘更令人困惑的凶殘。他絕望了，發呆了，他不能在母親的府第裏再居住下去了。他不能生存在一個連母親也變成兇手的人間。告別故園，告別自己愛戀過的生命和生命的屍首，告別自己滾爬過但有腥味的土地，他遠走了，逃亡了。逃亡者的眼睛永遠帶着大迷惘與大憂傷。《伊底帕斯王》時代的人類不認識自己的母親。所以才有弒父娶母的悲劇，《哈姆雷特》時代的人類認識了自己的母親，但不知道怎麼對待自己的母親，所以才有丹麥王子永恆的猶豫與彷徨；《紅樓夢》時代的人類認識了自己的母親，卻發現母親也是人間的枷鎖與殺手，母性的權威也製造着兒女飽含血淚的悲慘劇。

22

曹雪芹筆下的賈寶玉，歌德筆下的少年維特，菲茲傑德（F. Scott Fitzgerald）筆下的蓋茨比（Gatsby）都是最有人間性情的人物，內心均有大浪漫。賈寶玉為秦可卿之死吐血，為晴雯之死泣祭，為鴛鴦之死痛哭，為林黛玉之死發呆，都是在作詩情女子不要死的大夢，都是《西廂記》等小浪漫不能比的大浪漫。《浮士德》是歌德頭腦（理念）的產物，而少年維特則是歌德生命的產物。賈寶玉、蓋茨比也是生命的產物，所以渾身都是生命永恆的氣息。拿破崙喜歡少年維特，上戰場時帶的是《少年維特的煩惱》，從這裏可以得知這位法蘭西偶像內心也有真性情與大浪漫。

23 林黛玉與賈寶玉的青春之戀，是天國之戀。表面上看，是地上兩個人的相互傾慕，深一些看，卻是天上兩顆星星的詩意情誼與生死情誼。來到人間之前，這對情侶就在天國留下一段以甘露澤溉仙草的初戀故事，降臨人世後，又演出一場傷心刻骨的還淚悲劇。天國之戀不是神話，而是生命深處的心靈之戀。賈寶玉與林黛玉潛意識中都有一種鄉愁，這種鄉愁便是對初戀的記憶。他們第一次見面，一個覺得「眼熟」，一個覺得「見過」，就是這種記憶。他們到達人間的第二次相逢相愛，只是天國之戀的延續。「木石前盟」與「金玉良緣」的區別就在於，一是天國之戀，一是世俗之戀。林黛玉是天真的，薛寶釵是世故的。如果說賈寶玉是亞當，那麼，夏娃是林黛玉，而不是薛寶釵。

24 林黛玉常常落淚。他和賈寶玉的戀情從淺處看是悲切，從深處看則是充實。林、賈的愛情是中國文學中最富有文化含量，也最有靈魂含量的愛情。他們的每次傾吐、每次衝突都可開掘出意義，特別是用詩所作的交流，更是意義非常。《紅樓夢》中最精彩的兩首長詩，一首是林黛玉的《葬花詞》，一首是賈寶玉祭奠晴雯的《芙蓉女兒誄》。林黛玉詠嘆之後，為之「癡倒」、「慟倒」的是賈寶玉；賈寶玉祭奠後為之傾倒的是林黛玉，他們互為知音。這兩首千古絕唱發表時，聽眾都只有一個。林、賈是真正的詩人，他們不知何為社會效應，寧可讓一人之嘖嘖，不求萬人之諤諤。

25 中國的文人畫把不見人間煙火的「逸境」視為比「神境」更高的境界。然而，通常只知道逸境在大自然之中，不知道逸境也可以在人際關係中。《紅樓夢》中的賈寶玉和林黛玉的關係極為密切，但是他們的關係卻有一種看不見又可感覺得到的「逸境」狀態。他倆之間，絕對不議論俗人俗事。不僅放下政治，而且放下社會。世俗的是非究竟，進入不了他們的話題，更進入不了他們的心靈。他們是個體情感中人，不是社會關係中人。他們倆的關係，是無關係的關係。這種關係的「逸境」狀態，是一種萬物本真契入性情的詩意狀態，連爭吵都富有詩意。

26 在《紅樓夢》中，林黛玉是先知先覺，賈寶玉是後知後覺。王熙鳳等雖極聰明，實際上是不知不覺，即永遠未能對宇宙人生擁有根本性的體悟。「無立足境，是方乾淨」，是林黛玉先體悟到的，然後才啟發了賈寶玉。賈寶玉的覺悟是對本真己我的守持。那些勸導他的、熟讀文章經典的賈政、北靜王（水溶）等，誤認為陷入功名利祿世界的自己是本來意義上的自我，認陷阱為大道正道，其實是不知不覺。《紅樓夢》中的人物數百人，屬於大徹大悟的，只有黛玉、寶玉二人。

27

快樂在自然之中，不在意志之中。在哲學上，「自然」的對立項是「意志」。釋迦牟尼永遠微笑着，因為告別了宮廷權力意志，便得到大快樂。莊子發現自然之道，也得大快樂，連妻子死了，也鼓盆而歌。慧能放逐概念，明白四達，贏得大自在，也是大快樂。陶淵明回歸田園後，也有羈鳥還林、池魚歸淵的大快樂，所以他沒有王維、孟浩然式的惆悵。林黛玉與賈寶玉的愛戀過程，是林黛玉的「還淚」過程，還淚中有傷感，也有傷感到極處的大快樂。「還淚」是美，不是苦難。「淚盡」是個悲劇，又是一個大解脱。「人向廣寒奔」，林黛玉最後走出被權力意志戲弄的人間，得的是大自由，可惜《紅樓夢》後四十回未寫出這一層。

28

有對立才有密切。林黛玉動不動就和賈寶玉「吵架」，處處對立，因為她和他最密切。重視他者，才能為愛而焦慮、而死亡。沒有對立，一切順乎自然，固然沒有緊張，但也沒有對他者的承擔。莊子強調自然，要抹掉的就是對立，包括生與死的對立，禍與福的對立等。因此，他對死沒有緊張，更沒有恐懼。莊子説：「其生若浮，其死若休」；「雖南面王樂，不能過也」（《莊子·至樂》）。他的「齊物」思想，包括齊生死、齊浮沉、齊壽夭等，在一切對立中採取逍遙（不在乎）的態度。既然沒有生死的界線，沒有此岸與彼岸的分別，也就沒有辭世的悲傷，所以妻子死了，他照樣鼓盆而歌。賈寶玉對死不是這種態度，他聽到秦可卿死訊時，竟傷心得吐血，聽到林黛玉、鴛鴦死時更是痛哭以至發呆。《紅樓夢》反抗儒教，喜歡莊禪，但與莊子思想並不相等。莊子不相信情的實在，曹雪芹的骨子裏還是相信情是最後的實在。

29

賈寶玉是賈府的寵兒，天生的快樂王子，未受過任何磨難，缺少對血雨腥風的感受。相反，黛玉因母親過早去世，孤苦伶仃，漂流到外婆家後，寄人籬下，被人視為不合群的異端，所以她有「一年三百六十日，風刀霜劍嚴相逼」的憂患之感。這種經歷使她比賈寶玉深刻，因此，她的詩總是比賈寶玉的詩更有深度。

花開花落，似乎很平常，然而，林黛玉卻真正了解它的悲劇內涵。花朵的盛開只是風霜相逼的結果。鮮花在艱難中生根、孕育、萌動、含苞、怒放。怒放的片刻，恰如卡繆筆下的神話英雄西西弗斯，辛辛苦苦把石頭推到山頂，而一旦到達山頂，接下去便是滾落，再接下去又是一番往上推的苦鬥。花的命運也是如此，花開總是緊緊連着花落。可是，落紅化作春泥之後，明年又是一番艱辛，一場掙扎，又是一輪怪圈似的奮戰與毀滅。林黛玉顯然深深地了解人生這種無可逃遁的悲劇性。

30

在「生命—宇宙」的大語境中，人只不過是到地球上走一回的過客，詩人更是永遠的流浪漢，不會有固定的立足之地，不會有終極的凱旋門。林黛玉比賈寶玉悟性更高，她更早地悟到這一點。因此，當寶玉寫下禪語「你證我證，心證意證，是無有證，斯可云證。無可云證，是立足境」時，黛玉立即給予點破：「無立足境，是方乾淨。」林黛玉補上這八字禪思禪核，是《紅樓夢》的文眼和最高境界。無立足境，無常住所，永遠行走，永遠漂流，才會放下佔有的慾望。本來無一物，現在又不執着於功名利祿和瓊樓玉宇，自然就不會陷入泥濁世界之中。這是林黛玉對賈寶玉的詩意提示。男人的眼睛總是被佔有的慾望和野心所遮蔽而狹窄化了，賈寶玉雖然也是男性，但他在林黛玉的指引下不斷地放下慾望，不斷提升和擴大眼界。林黛玉實際上是引導賈寶玉前行的女神。

31

林黛玉真不愧是大觀園裏的首席詩人。她的《葬花詞》，不僅寫出大悲傷，而且寫出大蒼涼。詩中所問，都是摧人心魂的「天問」。「花謝花飛花滿天，紅消香斷有誰憐？」「桃李明年能再發，明年閨中知有誰？」「昨宵庭外悲歌發，知是花魂與鳥魂？」「儂今葬花人笑癡，他年葬儂知是誰？」特別讓人震撼的是問：「天盡頭，何處有香丘？」這是千古絕「問」。天地的始末，生命的歸宿，時間的大空曠，空間的大混沌，全在提問中。林黛玉不僅有陳子昂蒼涼的恢弘，而且還有陳子昂所缺少的蒼涼中的空靈與飄逸。一個弱女子，寫出如此的蒼涼感，這才是生命—

宇宙境界。和這一境界相比，歷史顯得很輕，家國境界顯得很小。李清照的「淒淒、慘慘、戚戚」就是屬於後一種的境界。生命宇宙語境大於家國歷史語境，能在生命宇宙境界中飛馳的詩魂，才是大詩魂。

32

賈寶玉在林黛玉面前顯得很傻很笨，林黛玉的智慧總是高出賈寶玉一籌。但林黛玉卻很愛他，一見如故，一往情深，一路還淚。因為她知道他是一個大愛者，倘若那時基督的名字已進入中國，她一定會知道他就是一個成道中的基督；假如那時她能到西方閱讀文學經典，她也一定會知道他就是尤利西斯似的「偉大的流浪情聖」，從靈河岸邊三生石畔一直漂流到地球東方的情癡情聖。賈寶玉雖然傻，但各種道理一經林黛玉點撥就通。大愛者有慈悲心。仁慈的胸懷，不僅最為廣闊，也最為通暢，慈悲與悟性是相通的，愈是慈悲，愈容易接受真理，愈容易悟道。愛能打通心靈，恨卻只能堵塞心靈。被仇恨佔據的頭腦，最難開竅。

33

說林黛玉「多愁善感」，過於平淡。林黛玉的愁，不是一般的愁，而是愁到骨子裏的幽怨；林黛玉的感，不是一般的感，而是深到骨子裏的傷感。人們都知道林黛玉「愁」，但往往不知她的愁乃是永遠的情感鄉愁。那遙遠的靈河岸邊三生石畔，是她的故鄉，是她和神瑛侍者的「伊甸園」，她和他共享的是甘露灌溉的乾淨歲月，是生命與天地萬物相融相契的澄明時光。現在落到人間，雖然往日的侍者還愛着她，但卻不能整個屬於她，而且這個人間，到處是冷漠與猜忌的目光，她在此處生活太不相宜。愈是感到不相宜，鄉愁就愈深，一直深到無窮無盡處。這種被天國的甘露與現時的淚水浸泡出來又深化到骨子裏的纏綿，是柔美的極致。什麼可以和這種美相比呢？似乎只有柴可夫斯基的音樂才像她。俄羅斯這位天才創造的音樂，是一種純粹的憂傷和刻骨的纏綿，他把人性的至真至柔推向最深處，苦得讓人感到甜蜜，正如林黛玉憂傷得讓人產生一種難以置信的快樂。

34

黛玉在《葬花詞》中說：「明媚鮮妍能幾時，一朝漂泊難尋覓。」最美的花朵，卻最脆弱，最難持久，這是最令人惋惜的。少女之美，是一次性的美，一剎那的美，它是人間的至真至美，也最脆弱，最難持久。感悟到至美的短暫、易脆與難以再生，便是最深刻的傷感。林黛玉是中國最美的生命景觀。她太稀有，太珍貴，根本無法在爾虞我詐的世上存活。這不是個例。蘇格拉底和基督也無法活在他們的時代。一個最善良、最珍貴的稀有生命被釘在十字架上飽受苦難。中國沒有空間可容納林黛玉這種生命景觀，這是為什麼？《葬花詞》寄託着曹雪芹的夢：讓稀有的花朵、少女能夠長久存活，能夠免受摧殘。

35

林黛玉和薛寶釵都很美麗，但薛寶釵在安靜外表覆蓋下，其內心卻積澱着許多世俗的塵土。她能適應世俗社會的規範，但沒有深刻的憂傷，更沒有刻骨銘心的纏綿，可是她活得很好。林黛玉的內心是一片淨土，她的眼淚，全是淨水。她與世俗社會格格不入，世俗的泥濁也進入不了她的內心。她靠自己的憂傷獨撐高潔的靈魂，也呈現出薛寶釵所沒有的純粹的美。然而，世俗社會的殘酷規律是「適者生存」，她終於活不下來，連詩稿也無處存放。

林黛玉並不要求他人像她那樣生活，也不要求他人具有她那樣的詩情詩心，但是他人卻看不慣她，並要求她和他們過一樣的生活，所以嫌她性格過於古怪。也因為她太特別、太精彩，理解她的人也極少。唯一能理解她的賈寶玉成為支撐生命的支柱。柱子一旦不可靠，她就生病、吐血、死亡，生命就整個崩塌。在大宇宙中，地球是稀有的，人類是稀有的，才貌兼備的女子更是稀有，而林黛玉這種女子，又是稀有中的稀有。曹雪芹深知稀有生命的寶貴、艱辛和無盡的詩意，所以他偉大。

36 用世俗的眼睛、庸人的眼睛看林黛玉，永遠看不明白。她的前身是名叫「絳珠仙草」的女神，到人間來只是來「走一遭」，最後還是要回到她的故鄉。不想帶走人間的各種物色，只是到人間走一走，只是到世上看一看，不求什麼。最後她悟到一切皆空，連自己用一生的眼淚所灌溉的情愛也不真實，連那些用心血鑄成的詩稿也是幻象。付之一炬，免得留下欺騙別人。她來到人間一回，雖然也瀟灑，但失望極了，人間真的不潔不淨、無情無義，連賈寶玉也辜負她的眼淚。她真的把一切都看透了，連情愛也看透，不給人間製造任何假像。林黛玉的絕望是對人間世界最深刻的批判。

37

中國文學史上一些精彩的生命，諸如嵇康、陶淵明、李白、蘇東坡、李商隱等，並不是儒家文化塑造的。儒家講究「秩序優先」，並非「個性優先」。秩序優先自有它的道理，但往往給個體生命帶來屈辱。《紅樓夢》中的林黛玉尚「個性優先」，薛寶釵則崇「秩序優先」。人類永恆的困惑，也可說是思慮中最大的一對悖論，是「重天演」還是「重人為」的悖論。前者重自然、重自由、重生命；後者重意志、重秩序、重倫理。中國的莊禪屬前者，儒家屬後者。《紅樓夢》中的林黛玉與薛寶釵是曹雪芹靈魂的悖論，也是人類思想永恆的悖論。林薛之爭，不是善惡之爭，也不是是非之爭，而是曹雪芹靈魂的二律背反。

38

賈寶玉對林黛玉和薛寶釵都有愛意，但對林黛玉的愛中還有敬意，而對薛寶釵雖也彬彬有禮卻無深深敬意。因此，寶玉對黛玉的愛更帶精神性，也更有愛的深度。《紅樓夢》第三十六回有一段話是描述寶玉在內心劃清了他對林、薛的不同感情態度：「……寶釵輩有時見機導勸，反生起氣來，只說『好好的一個清淨潔白女兒，也學得釣名沽譽，入了國賊祿鬼之流。這總是前人無故生事，立言豎辭，原為導後世的鬚眉濁物。不想我生不幸，亦且瓊閨繡閣中亦染此風，真真有負天地鍾靈毓秀之德。』……獨有林黛玉自幼不曾勸他去立身揚名等語，所以深敬黛玉。」「深敬」二字，是理解賈寶玉乃至《紅樓夢》的一把鑰匙。賈寶玉深敬誰？不敬誰？這便是《紅樓夢》的心靈指向。林黛玉實際上是賈寶玉的「精神領袖」，賈寶玉一直被她領着走，以至精神一步一步得到提升。

39

《紅樓夢》中有兩個世界：一是少女構成的淨水世界，一是男子構成的濁泥世界。泥濁世界的主體，什麼也放不下，什麼也忘不了，什麼也想不開。《紅樓夢》的主題歌——「好了歌」，嘲諷的就是這種忙忙碌碌的主體，這是一些在名利場上滾打不休，在仕途經濟路上左衝右突的雙腳生物。他們全都沉浸在巧取豪奪之中，唯有賈寶玉走到濁泥世界之外。可是賈寶玉總是被嘲笑、被訓斥，連慈悲故事也被當作笑話。濁泥中人嘲弄濁泥外人，放不下的人嘲弄放得下的人，這正是從古到今的人間社會。唯有到了《好了歌》，才來了個反嘲弄。

曹雪芹把女子分為未嫁的少女與已嫁的婦女，在兩者之間劃了一條嚴格的界線。女子嫁出之後，便從清澈世界走入角逐權力財力的泥濁世界，身心全然變形變質。因此，曹雪芹拒絕讓自己筆下最心愛的女子出嫁，所以林黛玉、晴雯等未婚前便已死亡。少女要保持自己天性中的純潔本體，就一定要拒絕「男人的問題」，站立在濁泥世界的彼岸。「出淤泥而不染」這一古老的蓮境夢境，被曹雪芹表現得極為動人。

40

《紅樓夢》中的女兒國，立於「大觀園」。大觀，這正是曹雪芹看世界的方式。「先立乎其大者，則其小者弗能奪也。」也可以說，曹雪芹的眼睛是大觀的眼睛，這種眼睛不是「俗眼」，而是「天眼」；不是世俗的視角，而是宇宙的超越視角。曹雪芹用「大觀的眼睛」看人間，不僅看出大悲劇，還看出大鬧劇。「好了歌」就是荒誕歌，就是嘲諷爭名奪利的喜劇主題歌，甄士隱的注解則是主題歌的補充。「世人都曉神仙好，唯有功名忘不了」，「世人都曉神仙好，只有金銀忘不了」，因為這個忘不了，人世間便無休止地演出荒誕劇：亂哄哄你方唱罷我登場。王國維看清了《紅樓夢》的悲劇價值，但沒有看清《紅樓夢》的喜劇價值。也許是看清了，但不道破，特留待後人來說明。

41

《紅樓夢》一開始就介紹主人公的來歷乃是被拋入「大荒山無稽崖」中的一塊多餘的石頭。如果把賈寶玉的名字視為人的象徵，那麼，人一開始就帶有「無稽性」，就身處荒誕無稽的境遇之中。二十世紀的荒誕派小說家、戲劇家發現整個世界都是「大荒山」、「無稽崖」，人是山崖中的荒誕生物，從而叩問人的存在意義。曹雪芹早在二百年前就感覺到，人不僅出身於無稽崖中，而且生活在無稽的鬧劇狀態中：短暫的人生就為功名而活，為嬌妻美妾而活，為金銀滿箱而活。在仕途經濟中，為求一頂桂冠，不僅一身熱汗冷汗，而且一身污泥污水。把有價值的撕毀給人們看是悲劇（魯迅語），把無價值的當作高價值而爭得天翻地覆、頭破血流的是喜劇。《風月寶鑒》的正面是美色，背面卻是骷髏。人們追逐物色美色的遊戲，原來是一場歸結為骷髏的荒誕劇。在名利場中打滾的一部分人類，其所謂進化，乃是「更向荒唐演大荒」的「大荒無稽」進程。

42 耶和華（舊約）講神明意志，尼采講權力意志，叔本華講生命意志（探討意志、慾望、痛苦的出路）。老子講自然，莊子講自然，禪宗講自然。「人法地，地法天，天法道，道法自然」（《道德經》第二十五章），老子把自然看成最高境界，所以對意志保持警惕。所謂自然，就是反意志。《紅樓夢》的哲學基礎是自然，不是意志。王國維以叔本華的慾望——意志論解釋《紅樓夢》，只能說明人對情慾追求的部分，不能說明其自然性靈的部分，即其空靈的、飄逸的部分。而對意志的反抗，王國維只講消極解脫（棄慾出家），未開掘書中積極解脫（詩國中的審美解脫）和自然解脫（回歸生命本真狀態）的思想。

43 賈寶玉最初由一僧一道帶來，最後又由一僧一道帶走。在《紅樓夢》裏，佛、道融合為一。「禪」是佛教最精緻、最精彩的部分。《紅樓夢》浸透了禪性。禪不立文字，這對曹雪芹的啟迪不是不寫文章，而是超越一切狹隘的命名和意識形態，放逐概念，直面生命。而每一個體生命都是多重體、複合體，其命運都具多重暗示，它不是「好人」、「壞人」、「善人」、「惡人」等本質化概念可以描述和定義的。魯迅稱讚《紅樓夢》打破「寫好人絕對好，寫壞人絕對壞」的傳統格局，其所以能打破，就因為放逐了政治權力和道德權力操縱下的機械分類概念。曹雪芹深深悟到禪宗（慧能）的「不二法門」，悟到一切生命個體的人性深處都有佛性因子，因此他看到的是生命的「整體相」，不是「分別相」。

44

在帶有意象組合的中國語言文字裏，「好」字是「女」和「子」二字組成的（女＋子＝好）。在曹雪芹眼裏，女子就是好。尤其是未出嫁、未進入社會的少年女子，更是天地靈秀、宇宙精華。她們就是真，就是善，就是美。可惜，她們擁有的生命時間與少女歲月太短暫，「好」很快就會「了」。《紅樓夢》就是一曲「好了歌」，一曲少年女子詩意青春了結的輓歌，一曲至好至美至真至善至柔的詩意生命毀滅的輓歌。《好了歌》具有多重意義與多重暗示，輓歌僅是其中的一重意義。

45

加拿大女權主義批評家瑪格麗特·阿特伍特在〈自相矛盾和進退兩難：婦女作為作家〉一文中譴責文學藝術評論界的一種數學公式，即「不好／女性」的公式。在這種普遍公式之下，看到寫得不好的作品，就說它是「女人氣」，看到不好的繪畫，就說它是「女畫家」。瑪格麗特竭力翻這個案，竭力謀求建立新的公式：「好／女性」。

瑪格麗特確實指出一種習慣性的偏執，這種偏執連恩格斯也在所難免，他在論述十八世紀的德國散文時就用了「女人氣」一詞進行否定性批評。可惜，瑪格麗特沒有發現曹雪芹，整部《紅樓夢》恰恰確立了一個「好／女性」的公式。漢語中的「好」字，分解開來恰恰是女子二字。《紅樓夢》正是一曲偉大的《好了歌》。人類文學史上，還沒有一個作家如此自覺、如此緊密地把「好」和「女性」融化為一體，而且寫出一部女子的感天動地的讚歌與輓歌。

但是曹雪芹並不是女權主義者。他在「好／女性」的公式下充分發現人性的豐富性與複雜性，女性有無窮的差異，女人氣更有無數的種類。他尊重女性，是人性立場，不是女權立場。而當代的許多女權主義批評家卻常常以意識形態立場取代人性立場，結果把女權主義變成女人統治的歷史主義和專制主義。

46

曹雪芹關於少女的思索，超出前人的水平，不在於他作了「男尊女卑」的翻案文章，而在於它在形而上的層面，把少女放在廣闊的時間與空間中，表現出他對宇宙本體和歷史本體的一種很深刻的見解。在空間上，女子是與男子相對應的人類社會的另一極。只有兩極，才能組成人類社會。然而，在約伯的天秤上，這兩極是永遠傾斜的。在曹雪芹看來，唯有女子這一極才乾淨，才是重心。這一極的少女部分，不僅具有造物主賦予的集天地之精華的超乎男子的容貌，代表着文學的審美向度，而且她們一直處於爭名逐利的社會的彼岸，代表着人間的道德向度。道德不是成熟的假面，而是不知算計、拒絕世故的嬰兒狀態與少女狀態，即人類的本真本然狀態。人類社會一面創造愈來愈多的知識，另一面則被知識所遮蔽而離本真本然愈來愈遠。唯有在少女身上，才保存着人類早期的質樸的靈魂。這一靈魂，才是天地之心。

47

曹雪芹幾乎賦予「女子」一種宗教地位。他確認女子乃是人類社會中的本體，把女子提高到與諸神並列的位置，對女子懷有一種崇拜的宗教情感。——「這女兒兩個字，極尊重、極清淨的，比那阿彌陀佛、元始天尊的這兩個寶號還更尊榮無對的呢！」寶玉把女兒尊為女神，有女子在身邊，他才獲得「靈魂」。他說：「必得兩個女兒伴着我讀書，我方能認得字，心裏也明白；不然我自己心裏糊塗。」賈雨村對冷子興介紹寶玉，說他「其暴虐浮躁，頑劣憨癡，種種異常，只一放了學，進去見了那些女兒們，其溫厚和平，聰敏文雅，竟又變了一個」。賈寶玉原先只是一塊頑石，獲得靈性來到人間之後具有雙重可能，完全可能被濁氣所污染而重新變成冰冷的石頭，然而，林黛玉的眼淚柔化了這塊石頭，讓它沒有走向暴虐而保持溫厚與溫馨。可以說，賈寶玉的心靈在很大的程度上被林黛玉所塑造。和但丁靠着女神貝亞特麗齊的引導走訪地獄一樣，賈寶玉靠着身邊女神的引導，帶着大慈悲，走訪了中國華貴而齷齪的活地獄。

48

《紅樓夢》通過「愛」與「智慧」的視角去發現婦女，所以發現了林黛玉、晴雯、妙玉、鴛鴦等精彩女性。而「五四」則通過「壓迫、反抗、鬥爭」的視角去發現婦女，所以發現了娜拉、發現了祥林嫂、發現了子君。曹雪芹的發現是發現婦女中的少女乃是人上人，即人中最精彩的人；而「五四」則發現「婦女不是人」，是「人下人」，即男人是奴隸，而女人是奴隸的奴隸。《紅樓夢》的發現，是真正的對美的發現。《紅樓夢》的感覺，是更純粹的審美感覺。

49

西方有位哲人説，死亡沒有種類。而曹雪芹卻看到死亡的無數種類和死亡所具有的不同的質。賈敬、賈瑞這些男人的死和晴雯、鴛鴦這些小女子的死是完全不同質的死。晴雯、尤三姐和鴛鴦，都把死亡看得很輕，不怕死，一旦受辱，便不顧一切為守護人格尊嚴而奔赴死亡，或用一把劍，或用一條繩子，斷然把自己了結。她們很像《山海經》時代的英雄，沒有死亡恐懼，或撲向太陽，或撲向大海，決不猶豫。美的死亡是美的最後顯現，它比美本身更美。人們看到的不僅是美的死亡，而且是死亡的美。哲學家或把死亡視為存在後的虛無，或視為虛無後的存在。晴雯等的行為，乃是以死創造了一個虛無後的美麗存在，在「無」中實現「有」，在「死」中實現「美」。

50 日本武士道對自殺有一種特別的見解，它認為這一生命的「總了」可以創造出美的極致，正如櫻花，瞬間的燦爛，卻給世界留下美的永恆。「花為櫻花，人為武士」（日諺），武士們把死的本身作為目的，以至一生都在策劃一種東西，也可說致力於一個目標，這就是死的輝煌。因此，他們不僅沒有死的恐懼，而且像迎接櫻花季節一樣地迎接死的到來。著名作家三島由紀夫在自殺之前，就在《新潮周刊》刊登廣告，徵求有關切腹自殺規則的書籍，認真做了準備。自殺之時，又切實遵守切腹的規定，完全保持了這一傳統行為的形式。他曾對友人說，他要自編一部「死的形式美學」，果然如此，只是這部美學，不是文學語言所書寫，而是行為語言所書寫。

《紅樓夢》中的尤三姐也用自己的行為語言創造了一部美學。尤三姐是瓶烈酒，又是一瓶極純粹的酒，她的自殺，剛烈、莊嚴、乾脆利落，猶如毅然舉起杯盅，把酒潑灑在地，一點也不拖泥帶水。只是她並沒有日本武士那種以「自殺為美」的意識。她的死亡抉擇，只是因為情的幻滅。因此，她也沒有像三島由紀夫那樣，刻意去設計死亡的盛典儀式。但她在瞬間所作的果斷的自我了結，悲憤之情完全壓倒死亡恐懼，也死得如櫻花燦爛，於片刻中給世界留下永恆之美。

51 在主奴結構的社會中，主人要保持人的驕傲不容易，因為他們還必須向更高的主子卑躬屈膝；而奴僕要保持人的驕傲就更難，也很稀少。晴雯所以被曹雪芹讚為「心比天高」，而且被無數讀者所喜愛，就是她身為女僕卻保持了人的驕傲。當寶玉為了一把扇子而有所微詞時，她立即借此警告寶玉：「二爺近來氣大得很，動不動就給臉子瞧。前兒連襲人都打了，今兒又來尋我們的不是，要踢要打憑爺去。就算跌了扇子，也是平常的事。」之後又以撕扇子這一行為語言發出心靈的冷笑，這不僅為自己，也為其他奴僕。這一行為語言告訴寶玉兩點：一是人比物（扇子）貴；二是奴僕不可欺。寶玉當時雖然氣得渾身打顫，但過後卻顯然欽佩她。而她在臨終之前對寶玉所說的一番話「早知今日，何不當初」和贈送兩根葱管一般的指甲，當寶玉要把指甲藏起時，晴雯對他說道：「回去他們看見了要問，不必撒謊，就說是我的。既擔了虛名，越性如此，也不過這樣了。」這是晴雯生命的結束語，告別人間的最後宣言。這些語言，恰恰是教導寶玉要保持人的驕傲的語言。兩根指甲放射的光輝和這席話放射的光輝，不僅穿刺黑暗的王國，也照亮寶玉的靈魂。如果說林黛玉是引導寶玉走向精神高山的第一女神，那麼，晴雯則是第二女神。

52

中國的史書，包括最優秀的史書如《史記》，都見不到偉大的女性。許多美麗能幹的女人，無論是身為皇后還是王妃，往往都是黑暗政治的「替罪羊」，為男人承擔歷史罪惡。從妲己到呂后到慈禧太后均是如此。在史家的筆下，功勞屬於男人，罪過屬於女人，男人創造歷史，女人污染歷史。《紅樓夢》中林黛玉卻一反老調，她所作的「五美吟」，為女人歌功頌德，為西施、虞姬、明妃、綠珠、紅拂等五位「尤物」樹立豐碑，着意翻歷史大案。在她清明的目光中，許多帝王將相，其實都不如一個小女子。陳寅恪先生作《柳如是別傳》，也暗示明末清初的許多大儒名流，其人格卻不如一個妓女。

《紅樓夢》中的「薛小妹」薛寶琴，屬曹雪芹尚未充分描寫、充分展開的人物，但她聰明過人已被賈母所發現，所以賈母格外寵愛她（讓她睡在自己的寢室裏），她作十首懷古絕句，從「赤壁沉埋水不流，徒留名姓載空舟」的調侃開始，質疑男人的歷史業績，但對馬援、張良、韓信、王昭君、楊貴妃等歷史人物充滿同情的理解，用的完全是一雙中性的眼睛。這種眼睛裏沒有功利的雜質，具有一種純粹，一種天然的公平與合情合理，比書齋裏的歷史學家更準確。歷史學家雖有知識，可惜眼睛常常被概念和利益所堵塞而狹隘化了。一狹隘就不合事實，也不合事理，其所謂「史識」，反而不是真見識。

53 拙著《面壁沉思錄》說過：「孟子留給中國人最寶貴的精神遺產是教中國人如何面對苦難、面對幸福和面對壓迫。」苦難中高潔的品格不能動搖（「貧賤不能移」）；富貴安逸中身心不能墮落（「富貴不能淫」）；權勢壓力下則要挺直脊骨和保持人的驕傲（「威武不能屈」）。可是我們當今的中國人好像既不懂得面對苦難，也不懂得面對幸福與壓迫。在繁榮富裕的今天，慾望無限膨脹，讓金錢麻醉全部神經，甚至連做人的心靈原則都沒有；至於在權勢面前，多數的世相是羊相和奴才相。然而，在《紅樓夢》中，我們卻見到了「威武不能屈」的女僕，這就是鴛鴦。當闊老爺賈赦企圖納她為妾的時候，她直面權勢，站立在榮國府的大廳之中當着眾人發出宣言：「就是老太太逼我，一刀子抹死了，也不能從命。」之後又以斷然一死向權勢者發出浩然的抗議。此宣言、此行為、此氣概、此人格、此「不自由毋寧死」的生命景象，正是專制黑暗王國裏一道輝煌的閃電。中國當代知識人有百萬，不知能有幾個人能及這個小丫鬟。

54

《紅樓夢》中的女子一個一個自殺，有的伏劍自刎（尤三姐），有的吞金自盡（尤二姐），有的投井自墜（金釧），有的觸柱自亡（瑞珠），有的撞牆自毀（司棋），有的掛繩自縊（鴛鴦）等。晴雯之死和林黛玉之死，雖不是自殺，但也是被自己的憂鬱與悲傷所殺，其重量也與自殺相等。

曹雪芹筆下這些未被世俗塵埃所腐蝕的少女，都比男性更熱烈地擁抱生命自然，更愛生命本身。她們之中有的也很有文化，但對文化保持警惕，她們不受文化所縛，卻個個為情為生命自然而死。而《紅樓夢》中的男子除了潘又安這個「小人物」之外，沒有一個堂堂男子漢為愛殉身。賈寶玉和柳湘蓮為愛遁入空門，已不簡單。和女子相比，男人在死亡面前，心情要複雜得多。他們有文化，不死的理由也「豐富」得多，包括「天生我材必有用」、「天將降大任於斯人也」等理由，男人總是被慾望所牽制，被功名利祿所誘惑，對世俗世界有太多的迷戀，加上善於用各種主義、理念製造「精神逃路」，自然就不肯輕易赴死，而女子則不同，尤其是少年女子，她們對世界的迷戀往往簡化為對情感的迷戀，對情一旦絕望，就會勇敢面對死亡，該了就了。《紅樓夢》以死亡為鏡，更是照出女子為清、男子為濁的世界真面目。

55

《三國演義》、《水滸傳》、《封神演義》都把女人寫得很壞。《封神》把妲己寫成妖精，把女子的美貌視為罪惡，其「美麗有罪」的理念真是貽害無窮。而《三國》中的女子都是陰謀權術的工具，連最迷人的貂蟬也佈滿心機，奴性完全壓倒人性。更甚者是《水滸傳》，書中的潘金蓮、潘巧雲、閻婆惜等不僅是髒水，而且是禍水；不僅是禍水，而且是禍根；不僅是萬惡之首，而且是萬惡之源。更令人困惑的是，這之前的偉大歷史著作《史記》，也把女人寫得很壞，巨卷中的秦姬、呂后、竇太后等都是一肚子毒水壞水。這些著作都設置一個道德專制法庭，對女子進行殘酷的審判。《紅樓夢》與前人不同的是，它撕毀了這個法庭並批判這個法庭。賈寶玉、林黛玉的觀念行為不符合儒教倫理，但符合個性創造倫理，不合道德專制，卻合道德真情。因此，林黛玉既是「美」的極致，「才」的極致，又是「好」的極致。俄國卓越的思想家別爾佳耶夫在名著《人的使命》中確立「創造倫理」，肯定自由嚮往的合理性，他的思想與曹雪芹的思想完全相通。倘若他讀《紅樓夢》，那他將找到最偉大的例證。

56

《紅樓夢》的人物個個活生生，都不是理念的化身，但是，一些主要人物卻折射着中國諸種大文化的生活取向與精神取向。以女子形象而言，林黛玉折射的是莊禪文化，薛寶釵折射的是儒家文化。賈母表面上是儒家文化，內心深處則不以儒為然，她很會偷閒，很會及時行樂，人情練達又活得瀟灑，心裏深藏着對自由的嚮往，所以她與其子賈政（賈府中的孔夫子）常有衝突，倒是十分寵愛甚至理解孫子賈寶玉。與上述取向不同，王熙鳳和探春倒是有點法家氣概，尤其是探春，一旦讓她「執政」（一度與李紈、寶釵共理家政），便着手改革，做出了興利除弊的事來。她給王善保家的一個巴掌，是典型法家文化的一巴掌。與「參政」一極相反的佛家文化則由妙玉所折射，但是，佛家流派眾多，妙玉崇尚的經典，大約屬於唯識宗。曹雪芹對此宗並不太以為然，所以說她「雲空未必空」。賈寶玉和其他女子形象的文化含量，不僅其他文學作品難以比擬，即使是四書五經也難以比擬。中國文化的大礦藏並不在四書五經中，而在《紅樓夢》中。

57

中國的女人（不是少女）也罷，男人也罷，最後都變得太聰明，變得質樸的東西全然消失。王熙鳳的悲劇就是變得太聰明的悲劇。儘管她很能幹，也很有趣，但不可敬可愛。對於她的死，人間不會痛惜。與王熙鳳相比，賈寶玉、林黛玉、晴雯、鴛鴦等也很聰明，但他們的心靈中卻保留着質樸的東西，這就是生命之初的那一片「混沌」，那一派天真、天籟與傻氣，那一副遠離世故、遠離機謀、遠離偽善的赤子心腸。老子呼喚要復歸於樸，從表層上說，是呼喚從奢華的追求回到簡樸的生活；從深層上說，則是呼喚心靈要回到沒有機謀的狀態，守住質樸的內心。王熙鳳雖聰明，但歸根到底是小聰明。秦可卿臨死之際託夢給王熙鳳，告訴她「盛宴必散」的道理，但王熙鳳不可能對此大徹大悟，因為她只有生存的小技巧與小算計，只知「小道」，不知「大道」。

58

妙玉與林黛玉、晴雯等女子相比，似乎有一層朦朧的包裝，缺乏天真天籟，不如林、晴率性可愛，但她畢竟也是生命一絕。她冷而不冷，熱而不熱，自稱「檻外人」，卻有無限情思，對賈寶玉心存一片暗戀之情。她有「潔癖」，高潔的品性是無可懷疑的，她出身讀書仕宦之家，是個知識分子，也預示着知識分子的普遍命運：檻外的地位是保不住的。你想守身如玉，但強權所主宰的世道人心不允許。最高潔的身軀，最終被最骯髒的蒙面盜賊所姦污。世界那麼大，但不給「檻外人」一點存活的空間。

然而，妙玉總是有一種精神優越感。她把寶玉、黛玉、寶釵請到櫳翠庵品茶，說：「一杯為品，二杯即是解渴的蠢物，三杯便是飲牛飲騾了。」在她的內心裏，不僅是「什麼為品」，而且是「什麼為極品」。她正是一個以極品自居，即自視為人群之極品的人。所以當黛玉隨便問一句「這也是舊年的雨水？」她便冷笑道：「你這麼個人，竟是大俗人，連水也嘗不出來？」沒說上幾句話，就讓人感到她把自己凌駕於他人之上，難怪黛玉在她面前渾身不自在，「不好多話，亦不好多坐」，喝完茶，便約寶釵走了。其實，不僅是妙玉，凡是把自己定位為「極品」的人，無論是定位為道德極品還是學問極品，都是一種居高臨下的專制人格和專制心理，動不動就說別人不行。許多知識分子都有這種壞脾氣。

59 賈寶玉面對晴雯的亡靈，寫了《芙蓉女兒誄》，其面對晴雯的心境，與聶赫留道夫（托爾斯泰小說《復活》的主人公）面對瑪絲洛娃的心境大致相同。儘管瑪絲洛娃當了妓女而晴雯還是一身乾淨，但是賈寶玉與聶赫留道夫一樣，也意識到自己給一個純正的女子造成巨大不幸，負有罪責。聶赫留道夫在瑪絲洛娃面前下跪請求寬恕，而賈寶玉在晴雯亡靈面前也熏香禮拜，抒發一片負疚之情。《芙蓉女兒誄》的悲情痛徹肺腑，感天動地。詩人的悲情與罪感不是留在口裏，而是深深切入了生命。聶赫留道夫的罪感與不安也進入了生命，唯有切入進入生命的痛苦才是具有詩意的痛苦。

曹雪芹通過打開林黛玉的內在生命進入永恆。賈寶玉在創作《芙蓉女兒誄》時也通過打開晴雯的心靈進入永恆。托爾斯泰則通過瑪絲洛娃這個具象，實現了慈悲、仁厚、謙卑這些永恆的情感。他在打開瑪絲洛娃這一生命的瞬間踏入了永恆的天國。抽象的永恆沒有意義，失去當下、失去美麗的個體生命，永恆就失去基石。

人道、人權、自由、解放、烏托邦等很容易變成空話與謊言，就因為在大概念之下沒有對當下個體生命充分尊重與關懷。

60 賈寶玉從哪裏來？到哪裏去？一塊石頭髮源何處，又將被拋向何處？宇宙無終無極，浩瀚中的一粒塵埃，如何考證它的去處？它應當也是無終無極。賈寶玉與甄寶玉，哪個是真、哪個是假？假（賈）的說着真話，甄（真）的說着假話。假作真來真作假，原是無真無假。林黛玉的悲劇是善的結果，還是惡的結果？王國維問：是幾個「蛇蠍之人」即幾個惡人的結果嗎？回答說：不是，是共同關係的結果，是共同犯罪的結果。在「共犯結構」中，所有榮國府的人都在參與製造林黛玉的悲劇，榮國府內外的一些大文化也在參與。連最愛林黛玉的賈寶玉和賈母，也是「罪人」。然而，這是無罪之罪，無可逃遁的結構性之罪。這種罪是惡還是善，應是無善無惡。說無善無惡、無是無非，不是說曹雪芹不知有惡不知有是非，而是說，小說呈現社會人生時，作者超越了是非、善惡等世俗認識的糾纏，不作善惡裁決者，只作冷觀者與呈現者。

61 文學中因果報應的模式，代聖賢立言的模式，都是通過一個情節暗示一種道德原則。《金瓶梅》的色空，是因果報應的色空。西門慶為色而亡，也是一種暗示。這是世間因緣法的暗示。而《紅樓夢》的色空則超越此法，無因無果。它悟到一切都是幻象，一切都會過去，一切都歸於空無，唯有真情真性是最後的實在。《紅樓夢》有哲學感，《金瓶梅》則沒有。

從精神內涵說，《紅樓夢》具有「欲」、「情」、「靈」、「空」四個維度。而《金瓶梅》只有「性」與「情」二維，而且向着「欲」傾斜。在傾斜中雖也暗示「生活無罪」（也可說「慾望無罪」）的意念，但「情」的維度很微弱，「靈」與「空」的維度則幾乎沒有。王國維發現《紅樓夢》的宇宙境界，可惜他的《紅樓夢評論》未充分開掘此境界的內涵，也未充分開掘「靈」與「空」的內涵，反而把注意力放到較低層面的「欲」。這不能不說是王國維「評紅」的缺陷。

62

大作品中，其人物都是一座命運交叉的城堡，其命運總是有多重的暗示。不管是名教中人還是性情中入，都本着自己的信念行事，做的本是無可無不可的事，善惡該如何判斷？名教賦予薛寶釵以美德，但美德也帶給她不幸。她有修養，會做人，什麼事都順着他人，這本是一種善，然而，善也會帶來不善。金釧兒投井死了，這是王夫人的責任。當王夫人訴說此事時，薛寶釵如果不加附和而讓王夫人難受，是不孝；而如果順着王夫人而附和，則是不仁，對死者沒有同情心。賈寶玉也是命運交叉，他是性情中人，愛一切美麗的少女，又特別愛林黛玉。愛得博本是好事，然而一旦博就難以專。林黛玉則只愛一個，專是專深了，可就愛得不博，那麼，到底是「博愛」善還是「專愛」善呢？其實各有各的暗示。賈寶玉性情好，好到無邊就可能懦弱，高鶚寫他反抗不了老祖母和父母親的婚姻安排，導致林黛玉的悲劇命運，未必不妥當。

63 政治閱讀者追究「誰是兇手」，一會兒追到賈政，一會兒追到薛寶釵與王夫人，這種追究全是白費力氣。以往的佛典用因果觀念解釋萬物萬有，世界無非一因緣；今日的「紅學」用階級因果法解釋萬物萬象，又說世界無非一根源（階級根源）。解釋《紅樓夢》的悲劇全用世間法、功利法，非得找出是非究竟不可，就像訴諸法庭，非判個勝負、非查個水落石出不可。可是賈寶玉早已看透這世間法庭，他逃離恩怨糾葛，出家做和尚，身出家，心更出家，而且早就出家。曹雪芹比所有筆下的人物都站立得更高，他用宇宙遠方多維的眼睛看世界。只觀看，只呈現，不作裁決者，不設立任何政治法庭與道德法庭。

64 賈寶玉、林黛玉和大觀園女兒國裏的少女，好像是來自天外的智能生物，美麗的外星人。她們嘗試着到人間來看看玩玩，但是，她們最後全都絕望而返。這個人間太骯髒了！所有的生物都在追逐金錢、追逐權勢，這一群吃掉那一群，竟滿不在乎，甚至還在慶功、加冕、高歌。於是，美麗的外星人終於感到自己在人間世界生活極不相宜。她們在天外所做的夢在地球上破碎了。於是，她們紛紛逃離人間，年紀輕輕就死了。賈寶玉雖然活着，可是眼睛常發呆常迷惘，發呆的內涵大約也是：這個地球怎麼像是地獄？到地球走一回怎麼像是到地獄走一回？

65

賈寶玉原先不徹不悟，喜聚不喜散，喜「好」不喜「了」，喜色不喜空，到了後來，就悟到「了」就好，色即空，人間沒有不散的宴席。能對「了」有所領悟，便有哲學。中國的禪宗，便是悟的哲學。沒有佛教的東來，就沒有禪，就沒有《紅樓夢》。禪宗哲學，正是曹雪芹和古代中國許多聰慧知識分子的世界觀。黛玉死後，寶玉不與寶釵同床而在外間住着。他希望黛玉能夠走進他的夢境。但兩夜過去，「魂魄未曾來入夢」，寶玉為此感到憂傷。夢是幻象，不是色。斷了色，卻斷不了生之「幻象」。斷了塵緣並不等於斷了生緣。這與武士道的「一刀兩斷」不同：武士道斷了色，也斷了空。

人生成熟的過程就是「看破紅塵」的過程，即看破一切色相的過程。把各種色相都看破，把物色、財色、官色、美色、器色都看穿，從色中看到空，從身外之物中看到無價值，便是大徹大悟。《紅樓夢》的哲學要旨就在於看破色相。看破色相，是幻滅，又是精神飛升。活着有無意義？存在有無意義？倘若有意義，這意義便是徹悟，便是對色世界的清醒意識。

66 無求亦就無傷；有所求便有所傷。賈寶玉原來什麼都有，無所需求，也就無可傷害。而他一旦求愛，便被愛所傷。當他失去了林黛玉時，傷心傷感得又癡呆又迷惘。林黛玉也是有所求，熱烈追求知己，反被知已所傷。她求愛求得最真摯、最專一，結果被愛傷得最慘重、最徹底。不僅傷了身體，還傷了靈魂。她最後焚燒詩稿而死，連最真純的詩句也受了傷。

67 當歷史把賈寶玉拋入人間大地的時候，他也許還不知道，這片大地是一片汪洋，他是找不到歸宿的。在汪洋中，林黛玉是唯一可以讓他寄託全部情思的孤島。然而，這一孤島在大洋中是不能長存的。滄海的風浪很快就迫使她沉沒。這一孤島消失之後，賈寶玉的心靈再也沒有地方可以存放。於是，他生命中便只剩下大孤獨與大彷徨，最後連彷徨也沒有，只能告別人間。

68 因為有死亡，時間才有意義。有死亡，才有此生、此在、此岸。假如人真的可以永垂不朽、萬壽無疆，真的沒有死亡之域，那麼，壽命的多寡便沒有意義。因為人的必死性才使生命的短促成為人的遺憾。林黛玉在葬花時意識到生命必死，所以她才有那麼多憂傷和感嘆。如果林黛玉是個基督教徒或佛教徒，大約就沒有這種感嘆。基督教徒彷彿為死而生，即生乃是為死後進入天堂作準備；林黛玉不是為死作準備，所以總是感慨人生的短促、無望、寂寞，沒有知音。林黛玉的骨子裏是熱愛生活的。

69 鴛鴦之死與瑞珠之死表面上都是殉主的忠孝行為，但其實兩人的死亡卻不同質。瑞珠純粹是盡孝，完全屬於「道德死」；而鴛鴦的死，則是情的幻滅，屬情感的「絕望死」。她儘管受賈母的寵愛，但身份畢竟低微，賈母在世，賈赦要她作妾，她還有避風港。賈母一死，她肯定逃不出賈赦的妄心妄為；而她所暗戀的那個人，則只能永遠埋在心底，絕無出頭之日，這樣，還不如以死了斷一切。她的這種悟，通過死前靈魂與秦可卿的魂魄相遇而表現出來。秦可卿此時已不是「蓉大奶奶」，而是警幻仙子，她對鴛鴦說：「因我看破凡情，超出情海，歸入情天，所以太虛幻境癡情一司，竟自無人掌管。今警幻仙子已經將你補入，替我掌管此司，所以命我來引你前去的。」鴛鴦之魂道：「我是個最無情的，怎麼算我是個有情的人呢？」秦氏道：「你還不知道呢？世人都把那淫慾之事當作『情』字，所以作出傷風敗化的事來，還自謂風月多情，無關緊要。不知『情』之一字，喜怒哀樂未發之時，便是個性；喜怒哀樂已發，便是情了。至於你我這個情，正是未發之情，就如那花的含苞一樣，若待發泄出來，這情就不為真情了。」鴛鴦聽了點頭會意，便跟了秦可卿而去。鴛鴦之死，與其說是盡孝，不如說是盡「情」。鴛鴦之情真如含苞之花，而這種含苞待放的感情未被泥濁世界所污染，倒是獲得永遠的真純。她以死及時終了自己的人生，反而保持了含苞的情感美。此時，自我毀滅乃是自我保護，滅乃是不滅，這是另一形式的「生死同狀」（莊子語）。

70 《紅樓夢》人物的死亡，除了如賈母等的「自然死」之外，還有其他幾種不同的情狀。最低級的死亡是「虛妄死」，也可稱為誤死／凶死，如賈瑞的思淫虛脫而死，趙姨娘的中邪而死，夏金桂的誤毒自身而死，這些人都是妄人，死得很慘也很醜。賈瑞死時沒有人樣，「汗津津的，身子底下冰涼漬濕一大灘精」；金桂死時「鼻子眼睛都流出了血，在地上亂滾，兩手在心口亂抓，兩腳亂蹬，話說不出來，只管直吐亂叫」；趙姨娘死時跪在地上叫饒叫疼。「眼睛突出，嘴裏鮮血直流，頭髮披散，而且聲音也暗啞起來：居然如鬼嚎一般。」與「虛妄死」完全不同的是自覺死。這種死亡具有三種不同境界：一是「道德死」，即殉主而死，如秦可卿的丫鬟瑞珠；二是「情意死」，即殉情而死，如晴雯、司棋；其死不是「道德」，而是反道德——抗議道德專制。三是「徹悟死」，即看透人生憂鬱而死，如林黛玉、尤三姐。尤三姐不是殉情，而是「恥情而覺」，有一種看透情的覺悟。林黛玉更是如此，她死時看透一切假像，燒掉詩稿，不僅看透，而且也不給人間製造新的假像。既然稱第一類為「道德死」，第二類不妨稱為「文學死」，第三類則可稱為「哲學死」。最後這兩種死亡都是詩意死亡。依據這種分類，鴛鴦是屬於殉主死，還是殉情死？王熙鳳是屬於自然死還是虛妄死，則必定會有爭論，但把鴛鴦視為殉主死，肯定是荒謬。

71

《聖經》的〈雅歌〉中說：「愛，如死亡一般強。」到底是愛比死亡更強，還是死亡比愛更強，這始終是個爭論不休的哲學問題。說死亡比愛強，這是對的；說愛比死亡強，也是對的，兩個命題都符合充分理由律。我們很難回答這個問題：是茱麗葉與羅密歐的愛戰勝了死亡，還是她與他的愛被死亡所戰勝？從表面上看，曹雪芹的回答是死亡才是最強者，一死什麼都「了」，一死一切皆空，包括愛也是空的。但從深層上看，曹雪芹所經歷、所體驗的愛又是不朽的，他的所有最美麗的人生感慨全在愛之中，他所寫的愛的故事又是天長地久的，而他本身也相信，這些女子的故事是不朽不滅的。閱讀《紅樓夢》，最後會覺得：死亡固然剝奪了林黛玉、晴雯等少女的生命，表現為強者，但林黛玉、晴雯生命終結之後又遠離了死亡，她們的愛仍在生命長河中流動，死亡並未止住這一流動。這，也許正是絕望中的希望。

72

黑格爾認為，死亡是向「土」的要素回歸，死者回到要素的簡單存在之中。林黛玉在葬花時意識到自己將像落花一樣向「土」回歸，賈寶玉不知道能否意識到自己將向「石頭」回歸。能向簡單要素回歸的生命才正常。一些偉人拒絕向簡單要素回歸，所以他們死後就建金字塔、皇陵，幻想回歸到另一天堂。但他們的屍首畢竟也是僵冷的石頭。回歸豪華只是幻象，「復歸於樸」（老子）才真實，才美好。復歸於簡樸的生活不容易，復歸於質樸的內心更難。林黛玉的「質本潔來還潔去」，最難的是回到高潔的心性，回到絳珠仙草那種原始的純樸。

73

形體是暫時的，盛席華宴是暫時的。圓滿與榮耀在時間的長河中留居片刻的可能性是有的，但僅僅是片刻。時間本身是最大的敵人，一切都會被時間所改變、所掃滅，包括繁榮與鼎盛。曹雪芹在朦朧中大約發現了時間深處的黑暗內核，這一內核有如宇宙遠方的黑洞，它會吞食一切。《紅樓夢》寫盡了虛榮人生的荒誕性。人必死，席必散，色必空，也就是最後要化為灰燼與塵埃。明知如此，明知沒有另一種可能，卻還是日勞心拙地追逐物色、財色、女色，追求永恆的盛宴，幻想長生不老（如賈敬），於是，就構成一種大荒誕。夢醒，就是對這一大荒誕的徹悟。

秦可卿死前就有這種徹悟，所以她託夢給王熙鳳，告訴她「盛筵必散」的道理，並警告她「萬不可忘了」。這是秦氏給她曾經寄寓的貴族府第的「盛世危言」，也是給王熙鳳的「喻世明言」，但王熙鳳聽不懂，更不能領悟，所以她最後的下場很慘。秦可卿死時享盡「哀榮」，葬禮有如「鮮花着錦之盛」，王熙鳳死時則淒淒切切，只有被鬼糾纏的恐懼與託孤給劉姥姥的極端淒涼，真是「昏慘慘似燈將盡」。

74

作家李銳發現：中國兩百多年來三個大作家有絕望感。這三個作家是曹雪芹、龔自珍、魯迅。曹雪芹確實感到絕望。他除了看到人性中不可救藥的虛榮與其他慾望乃是空無之外，還看到一切均無常住性，所有的「好」都會「了」，所有的聚都會散，所有嬌豔的鮮花綠葉都會凋謝，所有的山盟海誓都會瓦解。在他的悟性世界中，沒有永恆性，連賈寶玉與林黛玉這種天生的「木石良緣」也非永恆，「天長地久」的願望在他鄉，唯其有限生命的悲劇永遠演唱着。時間沒有別的意義，只有向「了」、向「散」、向「死」固執地流動。曹雪芹從這種流向中感受到一種根本性的失望，也就是絕望。在當代學人們的直線時間觀中，這種流向裏還蘊含着「進步」的意義，於是，他們總是滿懷希望。而曹雪芹看不到「進步」，只看到一切無常無定的變動之後，乃是白茫茫一片真乾淨。然而，曹雪芹也有「反抗絕望」的另一面，他的寫作，他的「花不要謝，少女不要落入泥潭」的夢，便是反抗。

75

《紅樓夢》的人物，最後遁入空門的有賈寶玉、柳湘蓮、妙玉、惜春、紫鵑、芳官等，但「入空」的境界則不同。賈寶玉屬於「大徹大悟」，他經歷情感與心靈的巨大折磨後，悟到一切色相皆是空，即色世界既是泥濁的「有」又是白茫茫一片的大虛「無」，他自己只是色世界中的一個過客和陌生人，因此最後選擇由色入空。而柳湘蓮、妙玉、紫鵑三人，則是「小徹小悟」。他們雖「看破紅塵」，走出世俗泥濁世界，但卻未像寶玉那樣悟到世界的本體就是空無，走入空門仍是對故鄉（精神本源）的回歸。而惜春「入空」則幾乎是「不徹不悟」，她的出家完全是功利打算，屬於「不得已」。且聽她的心裏獨白：「父母早死，嫂子嫌我，頭裏有老太太，到底還疼我些，如今也死了，留下我孤苦伶仃，如何了局？想到：迎春姐姐折磨死了，史姐姐守着病人，三姐姐遠去，這都是命裏所招，不能自由。獨有妙玉如閒雲野鶴，無拘無束。我能學他，就造化不小了。但我是世家之女，怎能遂意。這回看家已大擔不是，還有何顏在這裏。」惜春出家的理由，全是推諉責任及守住面子等世俗理由，而且全是被動的理由，與「悟」沾不上邊。

紫鵑隨惜春進了櫳翠庵，卻比惜春看得透，黛玉死後她對寶玉總是冷冷的，更不必說其他人間熱情。她遁入空門，比惜春更主動、更真實。雖說她的徹悟不能算深，但可算「真」。而惜春仰慕的妙玉，雖如閒雲野鶴，但她的出家也只是因為自幼多病，為了擺脱病魔的糾纏。出家之後，雖極清高，卻沒有寶玉的大慈悲。她只看得起像寶玉這樣的貴族公子，而對劉姥姥，則連她碰過的杯子也趕緊扔掉。曹雪芹評她「雲空未必空」，十分恰當。所以不能算「大徹大悟」。

76 《紅樓夢》對少女的謳歌毫無保留，對少年男子則有很多保留。在那個崇尚名位的社會裏，少年男子即使未婚，也得從小就被訓練成善於追名逐利的社會動物。他們要為踏進仕途之門而準備，接受早已充滿酸氣的人生理念，難以像少女們那樣，天然地站在名利場的彼岸。寶玉出家之前，最後一次給他心靈以沉重打擊的是兩個優雅的貴族少年，一個是與他同名同貌的甄寶玉，一個是他的小侄兒賈蘭。未見甄寶玉之前，賈寶玉滿心希望，以為這個同貌同名的少年一定也與自己同心同質，可以引為知己。哪知道一見面，便發現甄寶玉滿口飛黃騰達的酸話套話，而年紀輕輕的賈蘭則拼命附和，與甄寶玉一拍即合。少年男子尚未進入國賊祿鬼之列，身上就已開始生長濁物的纖維和細菌。少年預示着社會的未來，聰慧的寶玉自然會從他們身上看到無底的泥濁世界的深淵，由此，他更是得及早逃亡。

77

基督教有拯救，所以死亡便失去它的鋒芒；佛教有輪迴，所以死亡也失去它的鋒芒；近代的烏托邦設計倘若有天堂，死亡也會失去它的鋒芒。曹雪芹沒有拯救的神聖價值觀念，也沒有輪迴的確認，警幻仙境也不是烏托邦的理想國，因此，他筆下的死亡仍有各種鋒芒。死亡依然是沉重的，死亡後有大哭泣與大悲傷。《紅樓夢》有慈悲情懷，但無救世情結，說賈寶玉是未成道的基督，是說他是大愛者，不是說他是救世主。所有的眼淚都流入大愛者心中，因此，《紅樓夢》是中國最偉大的傷感主義作品。

78

只要人生存於物質世界之中，他（她）就註定要處於黑暗之中。因為這一物質世界與人性是對立的，它總是要按照自己的尺度來規範人性、剪裁人性。即使這一物質世界是瓊樓玉宇，富麗堂皇得如宮廷御苑，賈元春還是準確地告訴自己的父母兄弟：那是不得見人的去處。宮廷不是人的去處，榮國府、寧國府何嘗就是人的去處？幸而有個大觀園，可讓賈寶玉和乾淨的少女們有個躲藏之所，然而，生活在大觀園裏的林黛玉、晴雯，還是一個一個死亡。人生本就無處逃遁，註定要在黑暗中掙扎。真摯的友情與愛情所以重要，就因為它是無可逃遁的世界中唯一可以安放心靈的家園與故鄉。這一故鄉的毀滅，便會導致絕望。林黛玉絕望而死，是她發現唯一的家園——賈寶玉，丟失了。

79

李澤厚在《論語今讀》中說：中國的「聞道」與西方的「認識真理」並不相同。後者發展為「認識論」，前者則是純粹「本體論」：它強調身體力行而皈依，並不重對客體包括上帝作為認識對象的知曉。因而，生煩死畏，這種「真理」並非在知識中，而在人生意義與宇宙價值的體驗中。「生煩死畏，追求超越，此為宗教；生煩死畏，不如無生，此為佛家；生煩死畏，卻順事安寧，深情感慨，此乃儒學」。[1]《紅樓夢》的哲學觀念偏重於佛家禪宗：生煩死畏，一切皆空，早知今日，何必當初？何必當初把石頭修煉成生命到人間來走一遭，還不如化為石頭回到大荒山中，回到茫茫無盡的宇宙深處。可說《紅樓夢》裏佛光普照。然而，《紅樓夢》在反儒的背後卻有「深情感慨」的儒家哲學意蘊，它畢竟看重人，看重人的情感，把情感看作人生的最後的實在：一切都了情難了。

---

1 李澤厚：《論語今讀》（香港：天地圖書有限公司，1999），頁106。

80

每次閱讀描寫秦可卿隆重的出殯儀式，就想起死的虛榮。人類幾乎不可救藥的虛榮不僅化作生的追逐，也化作死的顯耀。由此，又想起托爾斯泰的《戰爭與和平》。安德烈在奧斯特里茨的戰場上負了傷之後，凝望着高高的天空。天空既不是藍色的，也不是灰色的，只是「高高的天空」。托爾斯泰接着寫道：「安德烈親王死死地盯着拿破崙，想到了崇高的虛榮、生命的虛榮，沒有人能理解生命的意義，他還想到了死亡那更大的虛榮，沒有一個生者能夠深入並揭示它的意義。」然而，曹雪芹揭示了它的意義，這就是虛榮的空無與虛無，如同高高的天空並非實有。曹雪芹描述死者生前生活在大豪華的權貴家族裏，然而，寂寞、虛空、糜爛，沒有意義。與失去生的意義相比，隆重的出殯儀式，更是失去死的意義：屍首還在被利用——被虛榮者製造假像。於是，死的虛榮便有雙重的不和諧。

81

賽珍珠從小生活在中國，並貼近中國社會底層。她敏鋭地發現，中國婦女生活在兩道黑暗之中，後邊是黑暗，這是傳統的輕蔑婦女的理念；前邊也是黑暗，即等待着婦女的是生育的苦痛、美貌的消失和丈夫的厭棄。曹雪芹早已發現這兩道黑暗，而且還發現，天真的少女可以生活在這兩道黑暗的夾縫之中。於是，他一面鼓動少女反叛背後的那一道黑暗，不要理會三從四德的説教，應讀《西廂記》；一面則提醒她們不要走進男人的污泥社會。所以他心愛的女子林黛玉就在這一夾縫中度過，既反叛後邊的黑暗，又未進入未來的黑暗。

82

夢是黑暗的產物。黑夜裏的夢五彩繽紛。白日夢也是在閉上眼睛、進入黑暗之後才展開的。人處於無望與絕望中時，主體的黑暗被一束來自烏托邦的美妙之光所穿透，於是，黑暗化作光明，絕望被揭示為希望。警幻仙境、女兒國，就是烏托邦的光束。曹雪芹在所有的夢都破滅之後還留着這最後的一夢。

中國的夢是現實的。仙境也是現實的，只不過是比現實更美好一些。秦可卿死時寄夢給王熙鳳，林黛玉死後賈寶玉希望她能返回他的夢境，這都是現實的。中國只有現實的此岸世界，沒有西方文化中的彼岸世界。

83

人生很難圓滿。出身再高貴，氣質再高潔，總難免要走進世俗世界。曹雪芹最惋惜的是那些冰清玉潔的少女，最後也得落入男人社會的泥潭。人間的女強人，世俗社會在恭維她，但詩人則暗暗為之悲傷。文學最怕姑娘變成「鐵姑娘」，女人全是「女強人」。女子的強悍與雄性化，足以毀滅文學的審美向度。女權主義於社會學有意義，於文學則危害極大。

84

《紅樓夢》中最多情的女子是林黛玉，但她憂憤而死。《紅樓夢》中最單純的女子應是晴雯，也憂憤而死。《紅樓夢》中最清高的女子應是妙玉，但她被玷污而死。最美的生命獲得最壞的結果，這就是那時的中國社會。黛玉、晴雯、妙玉，都是心比天高的詩化生命。她們追求詩化的生活，並不要求他人也如此生活，可是世俗社會卻看不慣，要求她們如多數人一樣生活，於是，衝突發生。《紅樓夢》正是一部詩化生命在僵化社會中活不下去的悲劇。

《紅樓夢》寫情的美好，也寫情的災難。寶玉滿懷人間性情，他愛一切人，特別是愛至真至美的少女，但一切和寶玉相關的女子，無論是關係深的（如黛玉、晴雯），還是關係淺的（如金釧）都蒙受災難。賈寶玉的大苦悶與大煩惱正是因為他面對人間苦難而愛莫能助。所謂良知，就是意識到他人的苦難與自己相關，即意識到自己對苦難負有責任。寶玉的「發呆」，是意識到責任又不知道怎麼好。

85

林黛玉到人間，只是為了償還眼淚。淚是她的生命本體，也是她的另一形式的詩篇。她的故鄉在遙迢的三生石畔，而不是在中國江南。在人間她是一個異鄉人，一切都使她感到陌生，極不相宜。卡繆《異鄉人》中的莫梭，生活在故鄉也如同異鄉，與社會格格不入。他對周圍的一切，對所謂信仰、理想甚至母親、情人都極為冷淡。他的母親死了，照樣尋歡作樂，滿不在乎。林黛玉對世俗世界也冷漠到極點，但她不同於默爾索，她對情感執着、專注，把真情真性視為至高無上，是一個「情感先於本質」的存在主義者，情感就是她的存在根據和前提，而且也是存在的全部內涵。除此之外，一切都是虛空，一切都無價值，而且可能是負價值。

86

林黛玉為自己舉行了兩次精神祭禮：一次是「葬花」，一次是「焚稿」。兩者既是林黛玉的行為語言，又是曹雪芹的宇宙隱喻。葬花除了行為語言之外，還有精神語言，這就是《葬花詞》，兩者構成悲愴到極點的心靈儀式。這一儀式，是林黛玉生前為自己舉行的情感葬禮，而《葬花詞》則是她為自己所作的輓歌。「焚稿」也可作如是解釋，詩稿如花，焚如葬。葬花只是排演，焚稿則是真的死亡儀式。她是真正的詩人：詩就是生命本身，詩與生命共存共亡，作詩不是為了流傳，而是為了消失——為了給告別人間作證。

87

葬花，是林黛玉對死的一種解釋。她固然感慨生命如同花朵一樣容易凋殘，然而，她又悟到，花落花謝的性質是很不相同的。因此，她選擇一個瞬間及時而死，並選擇「質本潔來還潔去」的潔死，在走入男人世界的深淵之前就死。「潔死」，是對男人社會的蔑視與抗議。既然人生只是到他鄉走訪一趟，既然只是匆匆的過客和漂泊者，怎能在返回遙遠的故鄉時，帶着一身污垢？如果說，賈寶玉還欠着林黛玉的債，那麼，林黛玉則什麼都不欠，也不再欠寶玉的債了（淚已盡了），她真無愧是潔來潔去，來時是玉，去時還是玉。

88

人終有一了、一散、一死。死後難再尋覓，難再相逢，所以相逢的瞬間才寶貴。也正是人必有一了、一散、一死，所以生前對身外之物的追求，才顯得沒趣。生命的瞬間性、一次性，少女青春的無常住性，使情感顯得珍貴，卻為人生注入無盡的憂傷。

林黛玉因為感悟到生命之美的絕對有限，所以很悲觀。她不信任青春，也不信任愛情。在人間，賈寶玉是她「唯一的知己」，這是絕對的「唯一」。但她知道，寶玉雖然愛她，卻不像她只愛一個人。他是個博愛者，僅有的一顆心分給許多女子，即使沒有她，他也還有許多寄託。二十世紀張愛玲寫《傾城之戀》，也表明自己對愛情的不信任。對愛傾注全部生命、全部心靈、全部眼淚卻無法信任愛，這才是深刻的悲哀。

89

青埂峰下的一塊石頭，獲得靈魂之後，不知穿越過多少時間與空間，才來到人間。賈寶玉在本質上是個宇宙的流浪漢。林黛玉告訴他「無立足境，是方乾淨」，乃是對他的根本提醒。接受林黛玉提醒的寶玉，一定會走向與泥濁世界拉開長距離的遠方，沒有人能留住他，薛寶釵的溫馨美貌，襲人的殷切柔情，母親的潮濕眼睛，都不能留住他。他的生命一定要向前運行，在如煙如霧的神秘時空中運行，在絕望與希望的交替中運行，他註定要辜負許多愛他的人，因為除了林黛玉，任何他者的生命都不是他的故鄉。林黛玉的遠走給他留下永遠的鄉愁。此後唯有不斷尋覓，他的生命才不會還原為僵冷的石頭。

90 《紅樓夢》沒有譴責。包括對那個被紅學家們稱為「封建主義代表」的賈政也沒有譴責。對賈母、王熙鳳、王夫人等也沒有譴責。作者以大愛降臨於自己的作品，即使對薛蟠、賈環這種社會的劣等品，也報以大悲憫，諷刺與鞭撻中也有眼淚。大作家對人只有理解與大關懷，沒有控訴、仇恨與煽動。然而，曹雪芹並不迴避黑暗，他揭露、書寫種種人性的黑暗狀態。賈府裏的一群老媽子，嘰嘰喳喳，窺伺大觀園裏的動靜，渴望抓住一對「奸夫淫婦」以立功受賞。只要她們掌握一串鑰匙或一扇門戶，就會利用手中這點最卑微的權力頤指氣使，吆喝擺佈他人。她們也講道德，可惜這是奴才道德。這些人雖處於社會底層，但也是社會黑暗的一角。賈府的專制大廈，也靠她們支撐。

91 無論是現實主義還是浪漫主義都無法說明《紅樓夢》。《紅樓夢》作為偉大的小說，它是一個任何概念都涵蓋不了的大生命、大結構。它是大現實，每一個人物的性格都那麼真實，以至後人無法再造。它是大浪漫，其大憂傷、大性情、大夢境全都超越世間。此外，它又是大荒誕：美好生命沒法活，醜陋生命很快活。

《紅樓夢》的文學方式，不是「聖人言」的方式，而是「石頭言」、「賈雨村言」（假語村言）和所謂「滿紙荒唐言」的方式。作者把自己嘔心瀝血寫成的絕世文章，稱為荒唐之言，不是自虐，而是為了解構聖人的話語權威與自我權威，揚棄濟世色彩與訓戒色彩，使小說滿紙全是個人的聲音，內心的聲音。《紅樓夢》是偉大的文學，又是低調的文學。

92

誤以為宮廷是天堂，便削尖腦袋進入宮廷，忘記宮廷也是地獄。賈元春省親時對着自己的父老兄弟說了一句心底的大實話：宮廷「不是人的去處」。那個地方擁有最高的權力，但也燃燒着最高的慾望和生長着最高的野心。皇帝重臣且不說，連被閹了的太監也慾望燒身。去勢後還是充滿權勢慾，以至形成爭權奪利的「閹黨」，形成魏忠賢一類的畸形統治。閹人尚且如此，更何況其他重臣權貴。沒有一個朝代的宮廷不是佈滿刀光劍影並留下血腥的故事。用男人的慾望眼睛看宮廷是看不清的，賈元春用的是女子的慧眼，於是看出那是一個正常人無法生存的地方。

93

戰爭，是人發動的；歷史，是人推動的。這個「人」，歷來都是男人，至少可說絕大多數是男人。沒有見過女子發動過大規模的征戰，也沒有見過女人自誇是世界的救世主。那些刻意創造歷史，刻意在歷史上立功、立德、立言的都是男子，甚至最重要的歷史書籍也是男子寫的。由此，可見女子乃是歷史中的自然，尤其是少年女子。因此，用女子的眼睛看歷史，便是用生命自然的眼睛看歷史。女子自然的眼睛沒有被野心與慾望所遮蔽，眼光更合人性，也更為中立客觀，更合事理與事實。不會像把持歷史的男人們那樣作假作偽作弊。

94

在榮國府、寧國府金碧輝煌的貴族府第裏，多數人都覺得自己生活在金光照耀的大福地中，唯有兩個人感到不相宜，感到自己是異鄉人，這就是林黛玉和賈寶玉。他們沒有說出「異鄉人」的概念，但有異鄉的陌生感。曹雪芹在《紅樓夢》的第一回中就嘲諷人們「反認他鄉是故鄉」，正是異鄉感。西方文學中的主人公來到地球，感到處處不相宜的，先是歌德筆下的少年維特，然後是卡繆筆下的「局外人」，曹雪芹在他們之前就發現自己是異鄉人，發現自己本是泥濁世界彼岸的異類生命。所謂「異端」，就是異鄉人，就是名利場上的「局外人」。妙玉自稱是「檻外人」，所謂「檻外人」，也就是「異鄉人」與「局外人」，從這個意義說，妙玉和寶玉、黛玉是心靈相通的。即都是無法接受常人狀態、不適合在人類社會生活的人。

95

屈原的《天問》是關於宇宙和關於大自然的提問，而《紅樓夢》的提問則是關於存在意義的提問。它的總問題是：在充滿泥濁的世界裏，愛是否可能？詩意的生活是否可能？倘若可能，詩意生活的前提是什麼？《紅樓夢》中的林黛玉，貴族府第中的首席詩人，在臨終前焚燒詩稿，以其行為語言說明詩意存在不可能。詩意存在的前提是生命自由，但所謂的家園卻沒有自由。林黛玉的悲劇是最深刻的悲劇，造成悲劇的是林黛玉身邊那些朝夕相處的至親者與至愛者，他們每個人都沒有錯，但每個人都有錯。所謂「對與錯」的判斷背後是文化，每個人都是文化載體；這些載體，全是毀滅自由的共謀與共犯。

96

《紅樓夢》不僅蔑視宮廷、功名、金錢，而且對國家、故鄉、愛情、人生等神聖之物也都打了一個大問號。絳珠仙草到人世間走一遭，知道人生沒有意義，但她還是用詩、用愛、用眼淚努力創造意義。結果最後是絕望。眼淚流盡了，愛意消失了，詩稿燒毀了，乾乾淨淨來，乾乾淨淨去，唯一真實的乃是一片白茫茫真乾淨。對人生的叩問彷彿消極，其實也有積極處：人生最後既是空，生前就不必太執着於色。美女、功名、金錢是俗色，典籍、故鄉、國家是雅色。不管是哪種色，最後的實在都是空。

所謂色空，最流行的說法是：色即物質，色空即一切可見的物質現象均是幻覺。然而，我們要問：由色入空，難道僅僅是由物質進入幻覺嗎？其實，所謂色，也可解釋為瞬間。所謂空，也可解釋為永恆。由色入空，便是由瞬間進入永恆。永恆在瞬間中獲得具象性與實在性，呈現為色，而智慧者在色的領悟中感受到永恆的意義，這便是空。天才的特徵大約正是他們能由色悟空又能以空觀色，既能在捕捉瞬間、深入瞬間中感悟到永恆的神秘與浩瀚，又能在浩瀚處看透色的本質。林黛玉便是通過「情」和智慧，由色入空，愈來愈空靈，最後走向「廣寒」的永恆，可惜高鶚的續書未寫出其「空」的極致。

97 《紅樓夢》不僅書寫過去，而且預示未來，它包含着未來的全部訊息。未來，應當是走出泥濁深淵的淨水世界；未來，應當是詩意生命可以自由呼吸、可以自由選擇的逍遙世界；未來，應當是以審美代替專制、代替宗教的詩情世界；無論是民間還是宮廷，該都是「人的去處」（賈元春語）。而未來的文化，也該是用真與美去開闢道路的文化。《紅樓夢》告知人的歷程是從「石」→「玉」→「空」的過程。「石」是靠水柔化、靠水淨化的，所謂「空」，就是懸擱濁泥世界而讓淨水自由流淌的世界。賈寶玉本來是一塊多餘的石頭，獲得靈魂來到人間後身上也有許多濁泥污水，所以老想吃丫鬟的胭脂，但是林黛玉的淚水洗淨了他，使他的「慾」轉化為情，這才是真的玉。唯有真玉，才能與萬物的本真本然相融相契，才不被常人的各種習性理念所隔而讓靈魂完全敞開，才最後進入空的狀態。

98 賈寶玉、林黛玉等，都是到人間來「走一遭」。一遭而已。匆匆一遭之後，該回去的都早早回去了。晴雯作為芙蓉天使回到宇宙中去，林黛玉作為絳珠仙子回到無限中去。唯有不知滿足的男人們還在濁泥世界中繼續爭奪財富和權力。賈寶玉初次見到秦鐘，就為他的秀神玉骨而傾倒，覺得在他面前，自己如同豬狗。可是，天使般的人物卻年紀輕輕就夭折了，過早地消失在縹緲之鄉（消失前還否定自己的本真存在）。潔者遠走，唯有雙腳鬚眉生物還在人間一代一代繁殖，所以濁泥世界愈來愈髒、愈來愈擁擠，人類愈來愈深地被色慾所糾纏和被習慣所牽制。《紅樓夢》暗示人們，人間並非愈來愈有詩意，情況正好相反。

99

大觀園建成時，賈政請了一群文人學士給各館閣命名，卻不得不全部採用賈寶玉的富有新意的名稱而否定清客們的平庸之見。賈政有點詩識。可是，當賈元春省親而比詩時，賈寶玉卻顯得才力不足，幸有林、薛幫忙，才得到貴妃姐姐的誇獎。在濁泥世界裏賈寶玉是第一才子，在淨水世界裏賈寶玉則是最差的才子。兩個世界如此不同，所以賈寶玉傾心於淨水世界，而其他人卻都在恭維泥濁世界，並削尖自己的腦袋往這個世界的小洞裏鑽。賈寶玉了解林黛玉和其他少女，也了解自己。因此，他作為大愛者，其愛從未帶有居高臨下的悲憫，只有仰慕的謙卑。即使對於晴雯、襲人等奴婢少女，也是如此。

100

及時死，果斷「了」，顯示出人對自我生命的一種駕馭力量，這就是「好」，就是「美」。美好既可以表現於生命的生存形式之中，也可以表現在生命的死亡形式之中。一個拔劍自刎的形象和一個跪地求饒的形象自然有美醜之分。死亡形式可以表現為勇敢、崇高、尊嚴和對人生意義的肯定，也可以表現為醜陋、怯懦和對人生意義的否定。該了就了，這就意味着有強大的力量駕馭生命，能把握生，也能把握死。尼采在《查拉圖斯特拉如是說》中講了許多「死得及時」的話，他說：

「我要告訴你們完成圓滿的死亡——這對生者是一種刺激和期望。掌握生命的人，為希望與期望所圍繞，乃能獲得一個勝利的死亡。……凡是願意享名譽的人，必須及時從光榮中離去，學習如何在適當的時候離去。」一個人在最富有韻味的時候，應當知道如何防止自己被品嚐盡。尼采談「及時死」的理由是給世界留下最有韻味的生命印象，尋思的也是片刻的永在。曹雪芹不是理論家，他沒有尼采似的邏輯表述，但他的潛意識顯然與「及時而死」的意念相通。所以他讓自己最心愛的人物秦可卿、林黛玉、晴雯、尤三姐、鴛鴦等都及時而死。除了秦氏，其他的均在未嫁時就死。及時死，便及時從男人世界的糾纏中解脫，便保持了青春生命的永恆韻味。

中篇（寫於二〇〇五年）

101

魯迅的《狂人日記》用狂人的眼睛看世界；曹雪芹在《紅樓夢》用「癡人」賈寶玉的眼睛看世界。眼睛似乎很不同，但都是赤子的眼睛。這種眼睛放下流行的大理念、大概念，從常人的眼光中走出來，反而看到世界的真面目。德國作家君特·格拉斯《鐵皮鼓》的主角奧斯卡·馬策拉特，三歲時自行決定不再生長，便自我摔傷，保持玩鐵皮鼓的孩子狀態。他的智力雖比成年人高出三倍，但始終有一雙兒童的藍眼睛。人們以為他是孩子，一切隱私都不迴避他，於是，他看到納粹極權下德國國民性的種種醜態，也看到種種面具掩蓋下的一個最真實的荒誕時代。賈寶玉的智力比周圍的男性不知高出多少倍，但他寧肯讓人視為「呆子」和長不大（不成器）的孩子，以便用赤子的本真眼睛觀看人間。

102

當年顧炎武滿腔愛國情懷，力倡經世之道，讚賞「清議」（談家國天下事），反對「清談」，認為永嘉之亡、大清之亂，完全是清談的流禍。可惜他太片面，只知「國」，不知「人」，只着眼家國興亡，不重個體生命自由。其實，任何個體生命，既有參與社會的自由，也有不參與社會的自由，即逍遙的自由，這才算具有真的社會自由。赴湯蹈火往往比隱逸山林更具道德價值。但是，如果沒有隱逸山林的自由，就產生不了陶淵明、曹雪芹這樣的大詩人大作家。他們雖未赴湯蹈火，但精神則似山高海深。我們敬重赴湯蹈火的拯救者，也敬重在山水之間領悟宇宙人生的思想者，既尊重清議者，也尊重清談者。既尊重參與的權利，也尊重逍遙的權利。自由的前提大約需要這種「雙重結構」。

103 如果借用《紅樓夢》的語言把世界分為泥濁世界與淨水世界，那麼，王國維肯定是屬於淨水世界。這位老實人是淨水世界裏的一條魚，他無法活在渾水中；可是，從清末民初之際一直到他臨終之前，中國卻是一片渾水。在此渾水中，像王國維這種「呆魚」不能活，其赤子之心很難呼吸，所以他只好自殺。自殺對他來說，是通過絕對手段實現從泥濁世界到淨水世界的跳躍與自救。污泥濁水中，有兩種魚類可以活得很好：一種是泥鰍，一種是鱷魚。惡質化了的社會也是一潭污泥濁水，能在這種社會裏活得好的，也只有兩種人：一種是像泥鰍一樣油滑的聰明人、伶俐人、流氓；一種則是長着堅嘴利牙的惡棍與惡霸。前者在社會中鑽營，後者在社會中稱霸。如果正常人要適應這種社會，就得像泥鰍滿身油滑或像鱷魚滿嘴利牙。

104 俞平伯先生晚年奉勸年輕朋友要領悟《紅樓夢》的哲學、美學，不要作煩瑣考證。他特別推崇「好了歌」。這「好了歌」正是曹雪芹的哲學觀。天下事，人生事，了猶未了。整個歷史進程、人生進程是個無限的永無終了的過程，而人的能力卻是有限的，總有一了的時刻。死就是總了。有限的生命既然不能完成無限的使命，只好該了就了或不了了之。及時了便及時好。了才能空，了才能不隔——不為他物他人所隔、不被自我所隔、不被名利所隔、不被幻象所隔、不被概念語言所隔，這才有自由，才有人性的健康與廣闊。俞先生的考證帶給讀者許多情趣，但他期待聰慧的生命別忘了情趣之外還有極大的人性寶藏。

賀德林在致黑格爾的信中這樣禮讚歌德：「我和歌德談過話，兄弟：發現如此豐富的人性蘊藏，這是我們生活的最美的享受！」[2]歌德是大文學家，他被賀德林所仰慕的不是思辨的頭腦，而是「人性的蘊藏」。作家詩人可引為自豪的正是這種蘊藏，而像歌德的蘊藏如此豐富，卻是極為罕見的。在中國，能讓我們借用賀德林的語言作衷心禮讚的作家，只有一個，就是曹雪芹。我們要對曹雪芹的亡靈說，你在《紅樓夢》中提供如此豐富的人性蘊藏，這是我們生活的最美享受。還要補充說，我們活着，曾受盡折磨，但因為有《紅樓夢》在，我們活得很好。

105

清代的歷史，很多歷史家都記錄過，寫作過，但是如果沒有《紅樓夢》，我們對清代的認識就不完整。這部偉大小說把愛新覺羅統治時代的生活原生態保留下來，也將整個時代的生活風貌和社會氛圍保留下來，還保留得非常完整、非常

2 荷爾德林，戴暉譯：《荷爾德林文集》（北京：商務印書館，1999），頁367。

準確。因為準確完整，所以真實。此外，小說還保留了作者對時代的感受（這是史家辨不到的），有此感受，歷史顯得活生生。概念的東西過眼煙雲，鮮活的生命卻永恆永在。一部作品對一個時代的容納量，《紅樓夢》幾乎達到了飽和狀態。《紅樓夢》真了不起，它超越時代，又充分「時代」。

106 心靈、想像力、文采（審美形式），此三者是文學最根本的要素。《紅樓夢》一開始就批評千篇一律的諸種小說，其致命的弱點是想像力的萎縮，內心維度的失落（包括個體生命價值的沉淪）和審美形式的僵化。《紅樓夢》的偉大，是對這三者的修復與重新建構。所以它擁有屈原《天問》的想像力，又有禪宗的內心深度和明末諸子的個體真性情，而且打破以往的小說格局，把小說敘事藝術推向極致，從而集中了中國文學的所有優越處。《紅樓夢》正是中國近代文藝復興的偉大開端和偉大旗幟。

107 論才氣，李漁有可能成為曹雪芹，但他終於沒有成為曹雪芹，也遠遜於曹雪芹。這原因很多，但最根本的一點，是他的生活太安逸、太精緻（讀讀他的《閑情偶記》就明白），未經歷過曹雪芹那種家道中衰、大起大落的苦難，心靈未受過大震盪與大折磨。磨難可以把作家推向內心，推向生命深處。文學的「殘酷性」常常表現在要求作家要吃盡苦頭之後才能大徹大悟。在此意義上，真作家就像孫悟空，必須經歷煉丹爐的殘酷，才有超凡脫俗的大本領。儘管李漁有很大的創作量，但始終達不到曹雪芹的「質」，始終不能像曹雪芹那樣創造出具有大靈魂、大性情的詩意生命。筆下角色充分的內心化，正是曹雪芹充分內心化的投射。

108 《金瓶梅》作為現實主義作品，相當典型。它逼真地描寫現實生活，十分冷靜。既不煽情，也不作道德判斷，寫的是生活的原生態。現實的人際關係如此實際，如此殘酷，全透徹地呈現於小說文本中。其主人公西門慶，和《水滸傳》中的西門慶不同，他並不被描寫成一個魔鬼，一個壞蛋。在《水滸傳》裏，西門慶與潘金蓮都坐在道德審判台下，在《金瓶梅》中卻不是這樣，兩人皆活生生，都有慾望，都有人性的弱點。作者對其弱點，並不誇張。《金瓶梅》的最後結局是因果報應，用的是世間因緣法，這是它的根本局限。為了給世俗社會心理一個滿足，一個可接受的交代，在現實找不到出路，找不到平衡，就只能仰仗因果報應了。這是世俗大眾的意識形態，《金瓶梅》的作者沒有力量超越這種意識，只好畫蛇添足。這一點，它遠不如《紅樓夢》，《紅樓夢》無因無果，來去無蹤，自成藝術大自在。

109 中國最卓越的詩人陶淵明、李煜、曹雪芹進入寫作高峰時，在世俗世界中都處於零狀態，也就是世俗世界中的一切權力、地位、榮耀都被剝奪或自己放下的狀態。零狀態，不是對前人與自身的否定狀態，而是對世俗負累和世俗觀念的放逐狀態。在物質世界中接近零度的時候，他們卻處於精神的巔峰狀態，邁向藝術世界的最高度。

110 周作人在「五四」時高舉人文旗幟，倡導人的文學。退隱後潛心月作，極為勤奮。但他的散文知識性強，藝術鑒賞力則不高。他可以讚美《兒女英雄傳》的十三妹，卻不會欣賞《紅樓夢》中的「林妹妹」和大觀園中的詩意少女。他罷黜百家，獨尊晴雯，並以詩評說：「皎皎名門女，矜貴如蘭苗。長養深閨裏，各各富姿態。……名花豈不豔，培栽費灌溉。細巧失自然，反不如蕭艾。」一概否定之後，只讚美晴雯：「反覆細思量，我愛晴雯姐。本是民間女，因緣入人海。雖裏羅與綺，野性宛然在。」（《知堂雜詩鈔·丙戌丁亥雜詩·紅樓夢》）他簡單地把大觀園女兒分為貴族女和民間女，只看到貴族女的「富姿態」，未進入她們的內心，不知其內在的豐富世界，主觀地說她們的細巧失自然，真是大錯特錯。周作人讀書破萬卷，可是審美眼睛卻如此粗淺，讀後真讓人感到意外。難怪他在張揚人文思想時，不懂得把《紅樓夢》這部人書作為人文旗幟。

111 托爾斯泰在《復活》的女主人公瑪絲洛娃面前，就像賈寶玉在晴雯的亡靈之前一樣，感到這位落入風塵的女子「身為下賤，心比天高」。曹雪芹和托爾斯泰都有一雙長在心靈裏的偉大眼睛，這種眼睛沒有被蒙上世俗的灰塵，它能穿越人間的各種身障、語障、色障、物障，直接抵達人的靈魂最深處。善的內心，才真的是光芒萬丈。

巴爾扎克還想擠入貴族行列，曹雪芹則不然。他出身貴族，天生帶有貴族氣質，然後又看透貴族，最後則走出貴族豪門。他看透豪門之內那個金滿箱、銀滿箱的世界充塞着物慾、色慾、權力慾，但並不快樂。曹雪芹告別豪門之後再回過頭來看貴族，便進入超越貴族的更高境界。

112

福克納的眼睛與杜斯托也夫斯基的眼睛很相像：眼底留着天生的混沌，接近神性，與理性格格不入。杜斯托也夫斯基《白癡》中的主角梅思金公爵，用癡眼看世界，實際上是用嬰兒的眼睛看世界。常人眼裏的「白癡」，其癡，其呆，其木訥，其實正是眼睛深處還保留着一片未被污染的質樸與高潔。福克納《聲音與憤怒》中的班吉，也是個白癡，小說一開始就用他的眼睛看世界，他的本能，他的沒有理念雜質與世俗偏見的原始眼光，反而照出美國精神世界沉淪的真實。曹雪芹筆下的賈寶玉，也是俗人眼中的白癡、呆子，連他的父親賈政都說他是「無知蠢物」，但他的眼睛最明亮，這眼睛不僅是發現詩情少女至善心性的審美眼睛，而且是正直判斷一切的赤子眼睛。此外，又是空空道人式的俯瞰人間荒誕的神性眼睛。

113

賈寶玉被父親往死裏痛打，打得傷筋動骨，皮破血流。但他被打後除了感激姐妹丫鬟們的關懷之外，沒有訴苦，沒有譴責，沒有控訴，也沒有自憐，沒有常人的「怨」和「畏」，更沒有「怒」和「恨」。他是一個不會產生仇恨的生命，一個不知報復的心靈，所以可稱他為準基督、準釋迦。《金剛經》中載釋迦的前世曾被哥利王砍斷手腳，但他沒有因此產生仇恨。能寬恕一個砍掉自己手腳的人，還有什麼不可寬恕的呢？其實，賈寶玉正是尚未出家的釋迦牟尼，而釋迦牟尼則是出家了的賈寶玉。不過，一個出家之後修成佛，一個則修成文學中佛光四射的偉大靈魂。

114

賈寶玉把與生俱來、價值無量的「通靈寶玉」摔到地上時，稱它為「勞什子」，把常人頂禮膜拜的稀世寶物視為廢物。無論是說出「男人泥作女子水作」，還是說出這震撼賈府的「勞什子」三個字，都屬童言無忌。但一般的兒童少年說不出這種話，因此可稱他的話語是天外語言。這種語言，拒絕迎合大眾意見，拒絕俯就世間的價值尺度。在賈寶玉的頭腦裏，沒有算計性思維，因此也沒有貴賤之分、貧富之分、尊卑之分，更不知道常人朝思暮想的金銀財寶是什麼，為它爭得你死我活又是為什麼？魯迅說王國維老實得像火腿，他投湖自殺，真是傻透了。這位天才傻到什麼地步？傻到「寧為玉碎，不為瓦全」，寧肯死，也「義無再辱」。他所評論的賈寶玉，和他是一路呆物，也是傻透了，他寧肯玉碎，也要向黛玉表明一個情字。他身上的純粹性，正是把情感視為人間唯一的實在，無可爭議，無可妥協。

115

賈寶玉面對世俗世界時，特別是面對一群清客文士，就如同鶴立雞群，清脱，飄逸，氣宇非常。可是一旦面對小女子世界尤其是面對林黛玉時，卻很謙恭，自愧不如。這正是賈寶玉不同凡俗之處：他能發現身邊有一個常人看不見的靈性世界，一個其品格、其智慧、其心性都比自己高出一層的清純世界。這一點對賈寶玉的人生起了決定性作用，使他最終守住了生命的天真天籟而未陷入常人的卑污狀態。能發現身邊有一個他人視而不見、由少女呈現的美好世界，這説明他的眼睛不屬於《金剛經》中所説的「肉眼」，而屬於「天眼」、「慧眼」（《金剛經》界定的五眼是「肉眼」、「慧眼」、「法眼」、「佛眼」、「天眼」）。

116

賈元春被皇上晉封為「鳳藻宮尚書」，還加封為賢德妃。喜訊傳來，寧榮兩府上下裏外，欣然踴躍，言笑鼎沸不絕。對於這等榮華富貴到極點的「大事」，賈寶玉卻無動於衷，心裏只牽掛着受了父親笞杖的朋友秦鐘。「賈母等如何謝恩，如何回家，親朋如何來慶賀，寧榮兩處近日如何熱鬧，眾人如何得意，獨他一個皆視有如無，毫不曾介意。因此，眾人嘲他越發呆了。」（第十六回）在如此光榮的盛大喜慶之中，他是個局外人，難怪人們要説他「呆」。賈寶玉「與眾不同」，這裏僅是一例。賈寶玉之所以是賈寶玉，就因為他不被眾人的習常觀念所糾纏，包括不被眾人以為是天大的功德榮耀所糾纏。眾人關於世界、關於價值的一切認識都在他心中化解，包括皇帝皇妃父母府第至尊至貴的大光環也被化解。一切轟動事件都不能把他拖入眾人狀態，所以他才守住了本真己我的赤子狀態。

117 在神瑛侍者與絳珠仙草相戀的洪荒時代，還有一位後來也通靈的「姐姐」，這就是賈元春。進入人間之後，賈元春成了賈寶玉第一位真正的老師，形同「教母」，情誼非同一般。她被選入宮廷後封為妃子，之後回到賈府省親，看到榮華富貴的極景，竟然也有所心動，遠離了青埂峰下那個本真的自我。書中寫道：「元春入室，更衣畢復出，上輿進園。只見園中香煙繚繞，花彩繽紛，處處燈光相映，時時細樂聲喧，說不盡這太平氣象，富貴風流。此時自己回想當初在大荒山中，青埂峰下，那等凄涼寂寞；若不虧癩僧、跛道二人攜來到此，又安能得見這般世面。」元春省親的瞬間，遙遠的記憶突然閃現，那是大荒山寂寞的記憶，相比之下，她對於能夠享受人間這一番富貴風流，竟產生對癩僧、跛道的感激之情。可見，此時此刻，作為女神的元春也滑到俗人心態之中。相形之下，賈寶玉從未產生過對榮華景象的陶醉。可見，賈寶玉對本真自我的守衛力量比姐姐強得多。有賈元春這一節非本真狀態的暴露，更顯示出賈寶玉靈魂的力度。

118 賈寶玉身上有貴族氣質，有書生個性，又有平民情懷，所以既高貴，又迂腐，又博大。他是性情中人，又是精神中人，而且還是宇宙中人。他大智若愚，大巧若拙，又大制不隔。他的貴族氣質進入到骨子裏，但心胸卻與奴婢相通。他才華很高，但不知其才，總是誇獎別人。有貴族氣，使他不俗；有書生氣，使他不偽；有基督釋迦氣，又使他不隔不傲。所以，可稱賈寶玉為最可愛的人。

119

賈寶玉身在賈府，在精神上並不屬於賈氏家族。他屬於詩人部落與思想者部落，屬於普世性精神家族。從十八世紀到二十世紀，在小說詩文中與賈寶玉屬於同一精神大家族的，有身為作家詩人的賀德林、雪萊、濟慈、普希金等，有身為音樂家的莫札特、蕭邦等，有大畫家梵高等，有身為作品主角的少年維特等。這些赤子家族，都是除了詩和藝術之外，什麼也不在乎的純粹嬰兒。男性之外，屬於這一精神家族的女性則有維珍尼亞·吳爾芙（Virgnia Woolf）和狄更生（Emily Dickinson）等，這些人追求詩意地棲居在大地之上，但缺少詩意的大地並不能珍惜他們。這一部落的天才們使用不同的語言，但發出的聲音都屬天籟，其創造的形式不同，但都如同嬰兒的呢喃。

120

賈寶玉在晴雯死後以《芙蓉女兒誄》作了一次痛哭，詩與淚混合為一的痛哭。祖母（賈母）和鴛鴦死後他又作了一次痛哭，不是哭祖母，而是哭鴛鴦。這種痛哭，不是貴族府第裏公子少爺的聲音，而是本真自我的聲音。賈寶玉並不隸屬賈府，也不隸屬於賈府牆外的社會，而是隸屬於大觀園的女兒國，隸屬於那個不可名、不可道的存在。他的痛哭是一種呼喚，不是呼喚那些被人間概念與人間慾望所編排、所規定的所謂「親人」，而是那些與本真自我息息相通的美麗靈魂。他在呼喚晴雯、鴛鴦的時候，肯定的是人的本真狀態，否定的是賈赦這些侯門權貴的偽善狀態。海德格爾把這種來自天性並向本己自身的呼喚稱作良知，賈寶玉的痛哭正是守衛人類赤子狀態的良知呼喚，在呼喚的同時，他把泥濁世界的主體及其種種戲劇推入無意義。

121 曹雪芹設置心愛的人物，從賈寶玉、林黛玉到秦可卿等，她們來到人間，只是做一次試驗性的人生旅行，都是離開自身的本然狀態，到功利社會與概念社會試走一趟。賈寶玉在試驗性旅行中，心靈依然向宇宙敞開，也向全人間敞開，不分貴賤尊卑地全面敞開，拒絕接受人間的各種分類命名，拒絕鄙薄下層的生靈。所以當他的姐姐賈元春作為王妃回家省親，而父親賈政按習常的概念向女兒稱「臣」時，他無法跟隨父親去稱「臣弟」。總之，在大旅行中，他雖然身到地球並活在社會的等級框架之中，但心靈並未從本真之我那裏逃開。

122 《紅樓夢》第一百一十五回中同貌同名的甄寶玉與賈寶玉的相逢，是續書中最精彩的故事。假（賈）作真（甄）時真作假，哪個是寶玉的真我，哪個是寶玉的假我，哪個才擁有真性情、真靈魂，不難判斷。此處相逢，對於甄寶玉來說，是千載難逢的機會，因為在他眼前這個銜玉而降的賈寶玉，正是他的本真自我，正是那個赤子狀態的、未被世塵污染的、本然的自身，可惜他不僅全然不認識，還覺得這個真我走入迷途，忘了立功立德事業。於是還給了一番勸誡，發了一通「酸論」。一塊石頭，一半化作「玉」，一半化作「泥」。化為泥的部分總是在教訓開導化為玉的部分，這是常見的人間邏輯。

德國現代大哲學家海德格爾曾經斷言，當今人類已不能與本身相逢，即已不能和原初的本真自我相逢。《紅樓夢》的作者在兩百多年前已意識到這一點，其甄、賈寶玉的故事也説明，即使相逢也不相識（如蘇東坡語：縱使相逢應不識）。那個甄寶玉便是當今人類的一個象徵符號，他早已遠離本真的非功名非功利的赤子之我，已深深陷入世俗世界的慣性與習性之中。可是他們卻誤認為這才是正道，而那個守住本來意義的自我反而是走了邪路。這次甄寶玉的表現，説明人類早已不認識自己，完全被自己所造的各種物質、概念和權力結構所遮蔽，離生命的本真本然已經很遠。

123 《紅樓夢》中有三個外貌類似賈寶玉的美少年：水溶（北靜王）、秦鐘、甄寶玉。最後一個不僅同貌而且同名。然而，雖然形似，神卻相去萬里。三個形似者都有一個悔過自新的過程，即開始時都天真爛漫，到了後來才知道仕途經濟乃是根本。甄寶玉見到賈寶玉時發了一通「酸論」，要他淘汰少時的迂想癡情，做一番立德立言的事業（這已是賈寶玉出家的前夕）。而最早勸誡賈寶玉的是北靜王，他在秦可卿的出殯儀式中見到寶玉時雖衷心稱讚，卻對賈政説：「只是一件，令郎如是資質，想老太夫人、夫人輩自然鍾愛極矣；但吾輩後生，甚不宜鍾溺，鍾溺則未免荒失學業。昔小王曾蹈此轍，想令郎亦未必不如是也。若令郎在家難以用功，不妨常到寒第。小王雖不才，卻多蒙海上眾名士凡至都者，未有不另垂青目，是以寒第高人頗聚。令郎常去談會談會，則學問可以日進矣。」最讓人困惑的是賈寶玉平常特別愛慕的秦鐘，在臨終前竟然向鬼判們請求還魂片刻而對寶玉鄭重囑咐：「並無別話。以前你我見識高過世人，我今日才知自誤了。以後還該立志功名，以榮耀顯達為是。」（第十六回）連處於生命最後一刻的知已秦鐘都作如此勸誡，都要他「浪子回頭」，可見賈寶玉要守住本真狀態，拒絕榮耀顯達是何等艱難。

水溶、秦鐘、甄寶玉除了外貌相似之外，還有一個共同點，就是都想拯救賈寶玉。可是，他們想當救主，卻不知道到底誰真的陷入泥濁深淵，誰才應當拯救。他們沒想到，他們面前的那個自稱頑愚也被人視為呆子傻子的人，正是即將出家的釋迦牟尼。對於他們，重要的不是去救人，更不是去救釋迦，而是「自救」。

124

寶玉對府內的幾個「優伶」都有傾慕之情。聽到芳官唱「任是無情也動人」時，癡呆了一陣。遇到齡官在地上寫「薔」字，是她「眉蹙春山，眼顰秋水，面薄腰纖，裊裊婷婷，大有林黛玉之態」，也「癡」看了一陣，「寶玉早又不忍棄她而去，只管癡看」。這是本能的對美的嚮往與傾慕，也正是曹雪芹所說的「意淫」。說寶玉是「天下第一淫人」，其實是說對天下美好女子全都有這種審美態度，並無佔有之念。曹雪芹當時未能使用近代美學概念來描述這種生命現象，但可知道，他所說的「意淫」乃是純粹精神性、審美性的心理活動與感官活動，全是非肉慾、非功利、非算計的真性情。由此，也可說，所謂天下第一淫人，正是對才貌雙全之少女的天下第一審美者。如果說，賈寶玉到地球上來走一回可謂「不虛此行」，那就是他能在人間看到天地鍾靈毓秀所造出來的如此讓人癡迷的生命景觀。

125

老子所說的「復歸於嬰兒」，即返回生命的本真狀態，這是很難的。人類多數是回不去、歸不了的。即使是偉大詩人如李白、杜甫、白居易等也回不去，更不用說施耐庵、羅貫中等了。唯有曹雪芹復歸了，回去了。他寫賈寶玉，把人格亮光投射給賈寶玉，足以證明他的回歸。寶玉的本質是一個嬰兒，一個赤子。他最聰明，又最混沌，最豐富，又最簡單，他是生命的本真存在。他的父親用棍子狠打他，想打破他的混沌以讓他「開竅」，但他始終像莊子所寫的那個不可開竅的混沌。所謂混沌狀態，就是本真狀態。中國文學中最完整的赤子形象就是賈寶玉。曹雪芹通過賈寶玉實現了偉大的回歸。

126

賈寶玉身上有神性，所以他才有廣博地愛一切人寬恕一切人的大慈悲。但他又不是神，所以又有人性，而且有比一般人（包括婢女）更低的侍者（服務員）心態：無事忙的公僕心態。對神是需要敬畏的，但作為人的賈寶玉只獲得

「敬」，未獲得「畏」。沒有人怕他，連小丫鬟都不怕他。他獲得所有不怕他的人深深的尊敬，包括贏得林黛玉內心的愛意與敬意。

127 正如賈寶玉自己所言，他本是一塊頑石。獲得性靈之後來到地球上，其願望是按照自身的本真狀態棲居在地球上，然後自由地展開詩意人生。但是，除了林黛玉和女兒國的幾個性情少女之外，其他人都要他在社會中扮演一種立功立德的重要角色。連他的姐姐賈元春也不得不扮演一個名為「鳳藻宮尚書」的世俗角色。顯耀的角色可以帶來利益，所以世人都要去爭去奪，而賈寶玉偏偏拒絕扮演任何角色。他被稱為無事忙，便是沒有角色但有忙碌的性情中人。

128 都認為賈寶玉有病，都認為賈寶玉迷失，所以才有對他的不斷勸説、提醒、訓誡。在賈政、薛寶釵、襲人及常人眼中，賈寶玉迷失在不知榮華富貴為何物，不能「留意於孔孟之間」，不能委身於經濟之道。然而，在賦予賈寶玉靈性的一僧一道（癩頭和尚、跛足道人）看來，寶玉到世間後已開始「被聲色貨利所迷」，其象徵着淳樸生命的玉石開始中邪，所以「通靈寶玉」開始不靈，唯有喚醒他的記憶，幫助復歸於淳樸，通靈寶玉才會靈驗。兩種價值觀的衝突，是《紅樓夢》的精神框架。賈寶玉的靈魂之路，是從樸出發，進入色而復歸於樸的路。在賈寶玉素樸的眼裏，凡勸他追求功名的，都在把他推出生命的本真本然，這便是讓他去「中邪」。趙姨娘請馬道婆要弄道術讓他中邪，薛寶釵、襲人等的規勸，其實也是讓他去中邪。

129

從詩品上說，《紅樓夢》中詩的極品都出自瀟湘妃子林黛玉之手。從人品上說，賈寶玉卻可稱為極品，可貴的是，賈寶玉從來沒有妙玉似的極品觀念，也不知道何為人品的極致。他的絕對的善，完全出乎於天性。他的極品呈現在他自己無法意識到的平常心、平常事之中。僅從結社比詩一事中就可看出他有怎樣的心靈。每次詩歌評比，他都幾乎名落孫山，不僅在林黛玉之後，也在薛寶釵等眾女子之後。第三十八回中記敘由李紈作評判人，對大觀園海棠社詩人們的菊花詩進行評判排名次，結果筆名稱作「怡紅公子」的賈寶玉所作的兩首（「訪菊」、「種菊」）全不入圍，連史湘雲（枕霞舊友）、探春（蕉下客）也不及，等於最後一名，但他不僅不嫉妒，反而為勝己者拍手鼓掌，口服心服。李紈宣佈評選結果，「等我從公評來。通篇看來，各有各人的警句。今日公評：《詠菊》第一（林黛玉），《問菊》第二（林黛玉），《菊夢》第三（林黛玉），題目新，詩也新，立意更新，惱不得要推瀟湘妃子為魁了；然後《簪菊》（探春）、《對菊》（史湘雲）、《供菊》（史湘雲）、《畫菊》（薛寶釵）、《憶菊》（薛寶釵）次之。」李紈宣佈之後，「寶玉聽說，喜的拍手叫『極是，極公道』。」出自內心喜形於色，為勝利者鼓掌叫好，還稱讚淘汰了自己的評判者「極公平」。這一瞬間，賈寶玉的心靈和盤托出，顯得非常純，非常美。

此時，他的菊花詩雖落後於姐妹們，但其心靈，卻又是一首價值無量、美不勝收的詩，不立文字的精彩詩篇。中國人常常不能為失敗者鼓掌（所以魯迅才倡導要為跑在最後但堅持跑到終點的運動員叫好），也不能為成功者鼓掌，心靈真如「怡紅公子」的並不多。

130 拙著《人論二十五種》描述了「肉人」，這是文子所界定的二十五種人的倒數第二名，排列在「小人」之前。所謂肉人，乃是只有肉沒有靈、只有慾望沒有精神的人。與肉人相對的另一極的人，是只有精神、沒有慾望的人，即被莊子稱為「真人」、「至人」的那一類。賈寶玉雖然具有純粹精神，但不是真人至人，而是性情中人。他有人的真精神，又有人的真情感。這其實更難更實在。賈寶玉被父親打得皮肉橫飛之後，姐妹與丫鬟們去安慰、照料他，他完全忘記肉的傷痛，卻為少女們的關心而感動不已，就像後來的大畫家梵高割了耳朵而不知疼痛，對「肉」缺少感覺，對情卻極為敏感。這種氣質正是詩人氣質。

131 脂硯齋透露《紅樓夢》稿本最後有一「情榜」，以「情情」二字評說林黛玉，以「情不情」三個字評說賈寶玉。情情二字，第一個情字為動詞，第二個情字為名詞；情不情三字，第一個情字為動詞，不情則為動名詞。林黛玉只把情感投注於她專一所愛之人，即情感完全相通、相契、相依、相屬之人，其他人幾乎不存在。而賈寶玉則是個博愛者、兼愛者，他愛林黛玉，也愛一切人，包括薛蟠、賈環等「不情」人。唯能「情不情」才有菩薩心腸，才有基督釋迦胸襟。其實，賈寶玉是先「情情」而後才「情不情」。在他的靈魂層面與情感深處，最愛的只有林黛玉一個人，其次也愛晴雯等「真情」者，心中並無其他「不情」人。在此前提下，他才身不殊俗，關懷人間一切生命，情泛普世。

132 高鶚續《紅樓夢》，有許多可挑剔處，例如最後還讓寶玉妥協到與賈蘭去赴考場，還中了一個中等成績的舉人，等等。儘管如此，但他還是深刻地把握住一個認識：在精神智慧的層面，林黛玉高出賈寶玉一籌，她是指引賈寶玉實現精神飛升的女神。第九十一回（「縱淫心寶蟾工設計　布疑陣寶玉妄談禪」）中，賈寶玉聽了林黛玉關於「原是有了我，便有了人」的一段話之後，豁然開朗，回應了一段衷心敬佩之言：「很是，很是。你的性靈比我竟強遠了，怨不得前年我生氣的時候，你和我說過幾句禪語，我實在對不上來。我雖丈六金身，還借你一莖所化。」這段表白一是承認自己的性靈比林黛玉差得遠，二是說自己雖有菩薩之性，但還是要借助林黛玉這一淨潔的蓮花才得以成道。捕捉林、賈這一精神差別，才可看見林黛玉所呈現的《紅樓夢》的最高境界。

中國的藝術家們常把逸境看得高於神境，因一般神境還有痛苦、憂慮、興奮，還有悲情，而逸境則超越了悲情。但佛家的蓮界，卻又在神境與逸境之上，它既有神境的大慈悲，又有逸境的清雅與淡泊，達到冷觀世界又關懷世界的天地大圓融。賈寶玉原有釋迦、基督的善根慧根，經林黛玉眼淚的滋潤和精神上的點化，便逐步走向佛家蓮界。

133 林黛玉的《葬花詞》和賈寶玉的《芙蓉女兒誄》是中國輓歌史上的千古絕唱，兩者都是詠嘆調，但林黛玉唱低調，賈寶玉唱高調（高昂）。《芙蓉女兒誄》濃詞艷語，近賦；《葬花詞》淡泊自然，近詞。兩者都抒寫色，一寫花色，一寫女色，但《葬花詞》境界更高，其功夫在於由色入空。《芙蓉女兒誄》只是由色泣色，空尚不足。所以前者顯得蒼涼、空寂，後者顯得激越、亢奮。《紅樓夢》因為由色入空，所以成為擁有空靈境界的大悲劇，又因為由空觀色，即用空的眼睛觀看各種色，所以看出色世界的混濁與荒誕，成為大荒誕劇。悲劇喜劇兼備，使《紅樓夢》的內涵豐富浩瀚，他者無可匹敵。

134 歷來的「擁薛」與「擁林」之爭，乃是兩種不同的生命指向之爭。這裏有率真與世故之爭，有重倫理重秩序與重自然重自由之爭，有重儒與重禪之爭。多數的中國人甚至多數的中國女子都無法面對林黛玉，因為她的精神境界太高，高到與世俗世界格格不入。她的「無立足境，是方乾淨」的精神制高點，只有賈寶玉一人可以仰望。說「高處不勝寒」，也只有林黛玉體驗得最為深切。她孤寒到極點，孤寒到從血脈深處迸出「冷月葬詩魂」的詩句，孤寒到預感「人向廣寒奔」的生命結局。這種孤高冷絕的靈魂，也只有賈寶玉才能理解。寶玉之外，其他人可以跟她交往，但無法面對，一面對就會發現自身的鄙俗、世故與蒼白。

135

賈寶玉的生命有一個生長與昇華過程，他開始還迷戀脂粉，迷戀肉的豐美，後來揚棄這些，回歸於赤子。林黛玉的生命則沒有過程，她一到人間，心靈就比賈寶玉冷靜、成熟，一開始就得道。率性之謂道。她的天性率真純潔，直接入道得道，無師自通。（那個名叫賈雨村的所謂「老師」，與道無關，不算「真師」。）她不沾男人泥濁世界，賈寶玉要把北靜王贈送的禮物轉送給她，被她斷然拒絕：「是哪個臭男人摸過的。」林黛玉說此話時不經思索，她好像是個不必思考的天才，天生放逐概念，只用生命的真性真情感知世界、感知人間，其所感所悟皆不同凡響，處處新鮮新奇，所以成了大觀園的首席詩人。中國文化史上，似乎唯有陶潛、慧能也屬於不必思考而能明心見性的生命奇跡。

136

林黛玉身上有一種絕對性與徹底性，也可說是一種純粹性。這種純粹性呈現於人間社會，便是無任何世俗之求、世故之態；呈現於情愛，便是無任何功利之想，無分裂之心；呈現於書寫中，則是無任何權力之影，虛妄之聲。生命中除了詩與愛，不知世間還有何物，除了真性真情，一無所有；除了所依戀的那顆靈魂，一切都不存在。她說「無立足境，是方乾淨」，這正是她自身的寫照：純粹到一切世俗的概念都無法解釋，無法支持。

137 維珍尼亞．吳爾芙筆下的奧蘭多，從十六世紀活到一九二七年，跨越四個世紀，她時而男性，時而女性，開始出現時是個貴族美少年，最後消失時是個三十七歲的女作家。奧蘭多是個詩人，詩沒有時間邊界，詩性沒有生死邊界。吳爾芙本身的人生就只知詩，不知其餘，她投水自殺，但她的詩文卻不會死。吳爾芙生命的純粹性與現實世界的險惡性無法相容。美國把吳爾芙的生平拍成電影，但多數美國人恐怕無法理解她。一個被實用主義覆蓋的國度，很難面對如此純粹的詩性的生命。林黛玉是更早問世的吳爾芙。她只有如蠶吐絲的純粹功能，只有吳爾芙似的純粹感覺，純粹到身上除了詩，什麼也沒有（其愛情，也是詩情）。而世俗世界，什麼都有，就是沒有詩。可惜詩生命太弱小，非詩世界太強大，其悲劇結局就不可避免。

138 林黛玉的「五美吟」和薛寶琴的「懷古十絕」，都翻歷史大案，都對男人構築的歷史提出質疑，思想極為犀利，咄咄逼人，但一點也沒有暴力傾向，不傷害任何一個人，真是境界極高的詩。「詩」的質疑比「論」的質疑更有力量。不過，相比之下，我們會發現，薛小妹的詩還是人間之聲，而林黛玉的詩則是宇宙之聲。所謂宇宙之聲，乃是「此曲只應天上有」，如同天樂。世上常人都讚美西施嘲笑效顰之女，但黛玉寫道：「一代傾城逐浪花，吳宮空自憶兒家。效顰莫笑東村女，頭白溪邊尚浣紗。」這又是天外眼光與天外語言。人間都為西施的美色而傾倒，黛玉卻說，一代美人演完政治戲劇後隨波消失了，只留下永遠的寂寞，而那個被嘲笑的醜女，倒是能在溪邊浣紗直到白髮蒼蒼，永存永在的還是質樸的生命，還是內心那些清溪般的天真。詩歌名句必須有文采，但最要緊的還是該抵達常人抵達不了的境域。

139 用本能（性）閱讀《紅樓夢》，境界最低，可能會導致《紅樓夢》不如《金瓶梅》的荒唐結論。用頭腦（知識）閱讀《紅樓夢》，境界次之，其誤區可能是只知四大家族而不知女兒國。用性情閱讀《紅樓夢》才可把握住《紅樓夢》的基本風貌，進入《紅樓夢》的生命世界，其境界才進入審美層面。用性靈去閱讀，則可把境界推向高峰，把握住《紅樓夢》的精神之核。賈寶玉是一個成道中的基督、釋迦，林黛玉的靈氣從古至今無人可比。跟蹤林黛玉的靈氣、靈性、靈魂，才可能走上《紅樓夢》的最高點。

140 魯迅說過，猴子社會的猴子們，原都是在地上爬着走，如果有一隻猴子率先站立起來，其他猴子就會把它咬死。尤奈斯庫的《犀牛》，寫所有的人都變成了瘋狂的犀牛，若干未能變成犀牛的，反而被視為異類而讓周圍的變形變態者所不容。《紅樓夢》中的林黛玉、賈寶玉其實就是率先站立起來的猴子和拒絕變成犀牛的人，但被世俗社會所恥笑，不僅被視為「蠢物」，還被稱作「孽障」。林、賈私自閱讀討論「會真記」（《西廂記》），在四書五經覆蓋一切的社會中，就如同拒絕爬着走路的猴子，社會豈能容得下他們。

141 俗境，入境，神境，逸境，人文境界由低而高。中國知識人崇尚逸境，把不見人間煙火視為理想境界，但陶淵明獨闢蹊徑，隱逸之所不離「暖暖遠人村，依依墟里煙」，結廬在人境，身心卻進入逸境，所以走上詩歌的精神高峰。佛教進入中國之後，特別是到了禪宗慧能，崇尚的卻是空境，這是比逸境更深廣的蓮界。它把人的逍遙提高到「空」中，連逸境裏的色都沒有，連陶淵明的桃花源都加以揚棄，於是，境界便從淡遠進入空寂。《紅樓夢》中的《葬花詞》境界最高，它在吟色之後揚棄一切外在之境而進入空境。

142 有實才有空。人愈充實愈容易進入空境。精神擠掉物質，智慧達到飽滿狀態之後才能走入空。孫悟空的名字暗示：空是精神主體悟出來的。主體先有精神的高峰體驗，然後才有空的感覺。對於空的最大誤解是以為空乃是精神匱乏與精神空虛。音樂在達到最純粹、最有力的時候，突然中止，這一瞬間的沉默，是充盈的無，是飽和的空，是超越語言概念而對最高精神層次的把握。賈寶玉最後的出走，不是匱乏，而是對人生宇宙領悟到飽和狀態之後的精神飛升。出走的那一刻，他的貴族府第與他生活過的色世界空了，但正是這一刻，他進入充盈的精神狀態。這是由色入空的大飛躍。

143 林黛玉與賈寶玉有一節最深的相互愛戀的對話，卻是無聲的。不能開口，一開口就俗。心靈之戀只可用心靈，使用的語言是純粹心靈性的，精神性的，禪性的，不可立文字，只能以心傳心，所以兩人都沒有說出口，更沒有立下文字，這是心靈之戀的「無立足境」，至深的「情」入化為「神」，至深的「色」入化為「空」。這是第二十九回（「享福人福深還禱福　癡情女情重愈斟情」）所表述的一節：

……即如此刻，寶玉的心內想的是：「別人不知我的心，還有可恕，難道你就不想我的心裏眼裏只有你！你不能為我煩惱，反來以這話奚落堵我。可見我心裏一時一刻白有你，你竟心裏沒我。」心裏這意思，只是口裏說不出來。那林黛玉心裏想着：「你心裏自然有我，雖有『金玉相對』之說，你豈是重這邪說不重我的。我便時常提這『金玉』，你只管了然自若無聞的，方見得是待我重，而毫無此心了。如何我只一提『金玉』的事，你就着急，可知你心裏時時有『金玉』，見我一提，你又怕我多心，故意着急，安心哄我。」

看來兩個人原本是一個心，但都多生了枝葉，反弄成兩個心了。那寶玉心中又想着：「我不管怎麼樣都好，只要你隨意，我便立刻因你死了也情願。你知也罷，不知也罷，只由我的心，可見你方和我近，不和我遠。」那林黛玉心裏又想着：「你只管你，你好我自好，你何必為我而自失。殊不知你失我自失。可見是你不叫我近你，有意叫我遠你了。」如此看來，卻都是求近之心，反弄成疏遠之意。

這段對話既無聲，也無言；既無心證，也無意證；完全是超越語言、超越文字、超越邏輯、超越是非等世俗判斷的心靈交融。林、賈的對話，往往是靈魂的共振，這段心靈的對話，更是靈魂的共振。倘若用「此時無聲勝有聲」的話語來形容林、賈的無聲對話，恰恰比許許多多有聲的對話音強百倍。老子說「大音希聲」（《道德經》第四十一章），曹雪芹則抵達到「大音無聲」。心靈中最深刻的對話反而沒有聲音。

144

林黛玉與賈寶玉來自無數年代之前的大荒山無稽崖。遙遠的三生石畔靈河岸邊才是原初的故鄉。他們來自大自然、大宇宙，生命與自然沒有隔，與宇宙沒有隔，所以容易由色入空，由人間進入宇宙。林黛玉時而問「天盡頭，何處有香丘？」時而說：「人向廣寒奔」，都是生命和宇宙直接相連。賈寶玉也是如此，一聽到「赤條條來去無牽掛」的歌唱，便激動不已。賈寶玉的朋友秦鐘，雖然形如白鶴，可惜心靈與自然與宇宙還是相隔萬里，所以臨終前還是留下「功名」的遺言。其他功利社會中人，生命與大自然、大宇宙之間更是隔着名位、權勢、財富、概念等，所以要回歸本真本然狀態就很難。

145 薛寶釵與賈寶玉關於人品根柢的辯論，其特點是薛寶釵引經據典，打着的是「古聖賢」的旗幟，論證的理由乃是倫理概念，而賈寶玉卻揚棄經典只取古聖賢所說的「赤子之心」，用的是生命理由。這是一場概念與生命的精神較量。薛寶釵仰仗的是聖人，賈寶玉仰仗的是生命本真。賈寶玉與赤子（嬰兒）之間沒有隔，薛寶釵與赤子之間卻有許多障礙，首先是聖人概念的障礙。賈寶玉雖然也欣賞薛寶釵的豐美，但心靈總是難以相通，就因為之間還有觀念之隔。賈寶玉與林黛玉的關係，在靈魂上如同亞當與夏娃的關係，乃是赤子的關係，所以才有其揚棄世俗羅網的心戀。

146 《春江花月夜》是讓人讀後就難以忘懷的情愛詠嘆調，也是青春生命的詠嘆調。腔調是刻意造成的，而詠嘆調則自然、清新、流麗，真從生命中流出。把《春江花月夜》的生命詠嘆，推向巔峰的，是《紅樓夢》中賈寶玉所作的《芙蓉女兒誄》。它是詠嘆調，但因為切入心靈和投入大悲情，便轉入深邃，變成中國文學史上最動人心肺的輓歌。詠嘆調倘若未能切入心靈，就容易變成小浪漫的淺吟低唱。

147 文化跟着人走。中國最優秀的文化彙集在《紅樓夢》之中，曹雪芹的名字走到哪裏，中國的文化精華就會跟到那裏。托爾斯泰即使被流放到中國，俄國最優秀的文化也會跟着到中國。《紅樓夢》這部書常在身上，中國最好的文化就不會離開自己。文化的未來無法知曉，但可預測，千萬年後，只要曹雪芹的名字和書籍在，只要中國人還認它作經典，熱愛它，那麼中國文化就不會沉淪，中國人的精神幸福就還有寄託之所。

148 歷史變成一種原則之後，後人很難感受到歷史傷痕的疼痛，即使歷史化為記憶，這記憶也被抽象化了，很難讓人覺得痛。唯有文學能使人心疼，使人從情感深處感到傷痛。《紅樓夢》讓人痛惜，痛惜那些詩意生命永遠消逝了，不會再度出現。痛惜那些如蠶抽絲的詩人在地球上只生活了一個很短的瞬間，而這一瞬間不能複製，不會再來。二百多年過去了，我們發現大觀園女兒國裏的詩人一個個都是人詩，連不作詩的晴雯、鴛鴦等也是人詩。這些人詩的生命只有一次，在大地上的出現只有一次。在曹雪芹心中和我們心中，歲月的哀傷、歷史最深的悲劇不是帝王將相的消失，而是這些人詩的毀滅。

149 最偉大的文學作品，如《紅樓夢》，既有文采，又有靈魂的亮光。人的感覺器官，不僅可以感受到它的美，而且可以聞到其靈魂的芳香。嵇康雖然消失一千多年了，但我們還可以聞到「廣陵散」的芳香。曹雪芹去世二百多年了，但我們不僅可以聞到賈寶玉祭奠晴雯時的「群花之蕊、冰鮫之穀、沁芳之泉、楓露之茗」的芬芳，而且可以聞到林黛玉提示「無立足境，是方乾淨」的禪味。這禪味，便是靈魂的芳香。功利的感官可以聞到脂粉的「味道」，審美的感官卻可以聞到精神的「道味」。讀林黛玉的詩、聽林黛玉的說禪，都可聞到「道味」。處於人間而能享受心靈的最高幸福，便是能聞到美麗靈魂散發出來的沁人心脾的形上芳香。

150

《紅樓夢》的偉大，是它為文學也為人間確立了一種大精神與大靈魂，這是對人、對生命、對青春、對情愛的無條件尊重，以及對真、對美的無條件景仰，任何政治理由、道德理由、家族理由、國家理由、傳統理由都不可損害這種尊重。它還明顯暗示：追求錦衣玉食，追求榮華富貴，追求金銀滿箱，追求聲色貨利，靈魂就會沉淪，文學也會沉淪。《紅樓夢》精神內涵的縱深度是由此大精神與大靈魂建構的。中國其他長篇小說，都沒有確立這種大靈魂。《三國演義》、《水滸傳》離這種大精神最遠，《金瓶梅》雖然也說情慾無罪，但沒有確立情愛的美與無限詩意。如果能把《紅樓夢》確認為人生的基本精神之源，生命狀態就全然不同。

151

王國維發現《紅樓夢》的宇宙性。可惜他未能對其宇宙境界進行更深的發掘。他評論《紅樓夢》基本上還是用人間角度，即用人間的悲情眼睛來看人間，沒有跳出人間的大框架，因此，他只看到《紅樓夢》的悲劇。可是，悲劇只是《紅樓夢》的一個層面。《紅樓夢》的整體意象不僅是悲劇，它還大於悲劇。曹雪芹的偉大，恰恰是他不僅用人間角度看人間，還用宇宙角度看人間，也只有這種高遠的角度才看到人間生命不僅演出大悲劇，而且也在不斷地演出大鬧劇、大荒誕劇。

152

對《紅樓夢》的閱讀，開始時感到賞心悅目，之後則常有情感起伏，最後則驚心動魄。僅僅空空道人的《好了歌》，就愈讀愈感到震撼。這位「道人」，對人類世界的認識如此清醒，每一句話既像家常的笑話，又像天外的驚雷警鐘。這首歌，是哲學歌，是曹雪芹的「存在論」，它把人類世界的金錢崇拜、權力崇拜、色慾崇拜推向荒誕，推向幻境，推向顛倒夢想，推向無意義。它告示人間：只有從各種色相的包圍中走出來，「存在」之門才能向大宇宙充分敞開。

153

心靈不是社會，不是國家，不是歷史。心靈沒有時間維度，只有空間維度，而且是無邊界的空間維度。心靈的幅度與宇宙同一。文學是心靈的事業。文學所有的要素中，心靈屬第一要素。因此，不能切入心靈的文學，不是最好的文學。《封神演義》雖然情節離奇，但文學價值很低，就因為它與心靈無關。晚清譴責小說雖鞭撻黑暗，但未切入心靈，所以文學價值也有限。《金瓶梅》與《紅樓夢》

的差距，關鍵是心靈切入度的差距，其心靈的粗細之分、深淺之分、雅俗之分，幾乎可以一目了然。

154 但丁的《神曲》，不愧是與荷馬史詩、莎士比亞戲劇並列的文學經典。但經典也有局限，仔細讀《神曲》，就會發覺其中的各層地獄，有許多道德專制法庭。被判為荒淫罪而入地獄的不少是多情婦女。她們有點私情便放入地火中煎烤，這倒是與中國的《水滸傳》的作者思路相通：情慾有罪，生活有罪。經典是整體成就的結果，並非每一細節都是範例，更非每一理念都是真理。與但丁相比，曹雪芹對多情婦女則無條件尊重，他筆下「養小叔子」（焦大語）的秦可卿，不是被送入地獄，而是被送入天堂。

155 《紅樓夢》中的女兒國是現實社會的參照系。有女兒國這面鏡子，才能看清名利國的虛空，煉丹國的荒誕，金銀國的蒼白，才能看清賈珍、賈璉、薛蟠等的花花世界沒有詩意。女兒國是曹雪芹的理想國。這種理想國不同於柏拉圖的理想國，柏氏把詩人逐出國門，因為這是理性的國度、實用的國度，而詩人卻沒有理性也沒有用。與此相反，曹雪芹的理想國，其主體卻是詩人，而且是女性詩人。這個國度，只求詩性，不求理性，只求美，不求用，這是詩意生命自由存在的烏托邦，是守護人類本真狀態的審美共和國。

156 美國有一部《紅》：《紅字》；中國也有一部《紅》：《紅樓夢》。相同點是兩者都揚棄道德專制法庭，支持慾望的權利和呼喚情愛的自由，尊重個體生命超過尊重神靈，尊重性情超過尊重理念。《紅字》是對清教道德專制的批判；《紅樓夢》是對程朱道德專制的批判。但是，《紅字》的女子只有一個，她能守衛情愛秘密，卻未能開放情愛的大門；《紅樓夢》的女子則有一群，而且都在黑暗的鐵門裏放射着情愛的光澤。《紅字》的基點是理念的；《紅樓夢》的基點是生命的。

157 《唐吉訶德》是塞萬提斯（Miguel de Cervantes）的一個大夢，這也許是他童年時代的一個記憶。這位騎士一路打過去，其出發點與歸宿點都離不開他想像中美貌無雙的公主、朝思暮想的意中人：杜爾西內婭·台爾·托波索（Dulcinea del Toboso）。

《紅樓夢》中的賈寶玉，實際也是一個唐吉訶德，潛意識中也是知其不可為而為之。不過，他所戰的風車，是儒教條，是煉丹術，是薩滿教，是假菩薩，是千百年一貫的才子佳人文學模式。而他的出發點與歸宿點也總是和一個名叫林黛玉的心愛女子相關。這一切也是曹雪芹童年、少年時的記憶。人類的精神在深層裏如此相通，真是不可思議。偉大的作家往往得益於對人生人世兩端的捕捉：一是人之初的童年的記憶；二是人之終末日的預感。《紅樓夢》兩者都呈現得極為精彩。

158

夢是潛意識的浮現。《紅樓夢》是中國集體無意識最健康的一次浮現。有意識的敘事只有進入潛意識並呈現為夢，才顯示為靈魂的一角。或者說，集體無意識通過夢才能得到充分展示。《紅樓夢》是中華民族通過詩意個體所作的一次最偉大的夢。荷馬的《伊利亞德》、《奧德賽》，但丁的《神曲》，都進入很深的無意識層面，都接觸到無意識的本原（神話）；相比之下，歌德的《浮士德》意識太強。潛意識的深度是文學的尺度之一。愈是好作品，進入潛意識層面就愈深。《紅樓夢》擁有最強的靈魂維度。它既是文學的座標，也是生命的座標。

159

按照弗洛伊德的說法，文學就是夢。每部文學作品都可視為作家的一場夢。《水滸傳》夢的是窮人翻身做皇帝，《三國演義》夢的是皇統宗室子弟當皇帝，可惜都夢得不健康，都是中華民族經歷了戰亂、飢餓的創傷之後所做的夢。而《紅樓夢》卻跨越創傷地帶，懸擱智慧果，直接與《山海經》的孩子之夢相連。那麼，《紅樓夢》夢的是什麼？可說是「夢夢」，夢的還是夢。《山海經》裏的女媧補天、精衛填海本來就是夢，《紅樓夢》開篇就緊連《山海經》，夢的還是遠古中國人天真的夢，知其不可為而為之的夢。《紅樓夢》的第三十八回說「夢有知」，恐怕是做夢者知其不可能。曹雪芹通過自己的作品表達的正是不可能的理想，這理想是只要花開不要花謝，有花謝便有葬花人的大悲傷。少年女子恰如天地精英凝聚的花朵，也應當只有花開花放而不要有花謝花落。辛棄疾曾經呼喚「春且住」，夢想留住春天。

曹雪芹的夢也是「春且住」的夢，是最真最美的詩意生命不要落入泥潭（不要出嫁）、不要落入死亡深淵的夢。世界上自古到今的作家詩人做着各種夢，但沒有一家像曹雪芹這樣強烈地做着淨水不流入泥濁世界，花朵不進入「香丘」（墳墓）的大夢。

160 曹雪芹建構的世界，由兩個對立的國度構成：一是女兒國，淨水世界；一是荒誕國，泥濁世界。《紅樓夢》既書寫女兒國的毀滅（悲劇），又寫荒誕國的興衰（荒誕劇）。於是，小說成了悲劇與喜劇並置的藝術整體。賈寶玉站立在兩個國度中間，但心向女兒國，憎惡荒誕國。女兒國是非功名、非功利的世界，野心、慾望、權力、功名這些男人追逐的東西進入不了這個國度。詩是這個國度的通行證。荒誕國正相反，重功名、重權勢，生活在野心與慾望之中，權力與金錢才是通行證。賈寶玉的赤子之性是寧為女兒國的侍者與小人物，也不願意充當荒誕國的王子與大人物。所謂女兒國，其實就是詩國。賈寶玉正是詩國的公僕（侍者）。

161 曹雪芹給《紅樓夢》設置了一個「太虛幻境」的故事框架，表面是說天上之境，實際影射人間之境，它暗示人們，你爭我奪的現實世界也是太虛幻境，並非實在。能意識到金錢世界、功名世界、慾望世界乃是太虛幻境，能暗示人們削尖腦袋想鑽入的榮國府、寧國府、金鑾殿也是虛幻之所，很了不起。本是一種幻境，人們卻殫精竭慮地爭個身心俱碎，這便是荒誕。所謂荒誕，正是以幻相為實相的顛倒夢想。

162 《紅樓夢》嘲弄許多宗教。通過趙姨娘的作惡（加害賈寶玉與王熙鳳），嘲弄薩滿教；通過煉丹煉到走火入魔以致吞金服砂而亡的賈敬，嘲弄道教；通過王夫人的手不離珠（唸佛），心性殘忍而嘲弄光吃齋不修煉的假菩薩（佛教），甚至還揭露饅頭庵的黑暗和質疑妙玉的修道形式（「雲空未必空」）。但是，整部巨著從不嘲弄禪宗，而且林黛玉和賈寶玉最深的精神交往，恰恰都在談禪宗。無論是關於「無立足境」的交流，還是關於「瓢之漂水」的討論，都是最深刻的對話，這種對話，不是口頭派對，而是靈魂互證。林賈之戀，是深邃的靈魂之戀，又是一種曠古未有的禪性之戀。

163 《紅樓夢》第五回中警幻仙子所製的十二支曲，從《終身誤》到《飛鳥各投林》，既是「十二釵」女子的命運預告，又是賈府乃至整個人間世界的末日預言。收尾一曲《飛鳥各投林》更是一首末日歌：「為官的，家業凋零；富貴的，金銀散盡；有恩的，死裏逃生；無情的，分明報應。欠命的，命已還；欠淚的，淚已盡。……看破的，遁入空門；癡迷的，枉送了性命。好一似食盡鳥投林，落了片白茫茫大地真乾淨。」這首仙子歌乃是末日歌，整部《紅樓夢》更是末日歌。它展示的人間世界最善良的詩意生命沒有立足之地，最美麗的詩意心靈一個個如「水止珠沉」，最後幾乎主宰門庭的竟是個名叫賈環的「凍貓子」似的劣種，而名叫「巧兒」的還算優良種子的貴族苗裔，只好送到劉姥姥家去苟活。盛宴只是一個瞬間，盛宴之後是末日廢墟。

164 用哲學的大觀眼睛看文學，可見到中國文學多數作品的精神內涵屬於「生存」層面，而非存在層面。卡繆曾說：「哲學的根本問題是自殺問題，決定是否值得活着是首要問題。世界究竟是否三維或思想究竟有九個還是十二個範疇等等，都是次要的。」（《西西弗斯神話》）莎士比亞的《哈姆雷特》，其主人公的主要焦慮是「生存還是毀滅」？是選擇生，還是選擇死？如果選擇生，這生的意義何在？這便是存在問題。如果說，《哈姆雷特》和許多西方經典的基調是生與死的二重變奏，那麼，中國文學的基調則是「仕或隱」、「聚與散」，以及國家「興與亡」的二重變奏。但是，中國也有對存在意義提出叩問的大詩人，如屈原、曹操、李煜、蘇東坡、曹雪芹。屈原自沉汨羅江的行為語言提出的便是自殺問題。然而，真正探討如何詩意地棲居於地球之上的存在問題的是曹雪芹。

165 處於貴族階層中的人不一定有貴族精神與貴族氣質。賈府中的賈赦，純粹是一個滿身朽氣的官僚空殼。而賈珍、賈璉、賈蓉等則幾乎是一些包裝着華貴衣衫的流氓，至於賈環，更是劣種。只有貴族階層中的優秀個體，才能具備貴族氣質與貴族精神。像曹雪芹這樣的優秀者，即使貴族階層崩潰了，他仍然是富足的精神貴族。其精神也超越貴族制度與貴族家庭。貴族精神變成一種審美範疇，就因為這種超越性而成為高雅精神的概述。《紅樓夢》偉大，並不在於它描述貴族家庭的興衰，而在於它一面完全蔑視貴族特權，一面又用高貴的精神審視生命個體，結果它發現許多非貴族家庭出身的個體生命卻擁有貴族精神的內核——具有人的尊嚴感，晴雯、鴛鴦、尤三姐都有人的驕傲，她們均以抗爭與死滅來捍衛自身的尊嚴。

166

貴族出身的作家詩人們，通過不同途徑去體現其脫俗的高貴：有的用心靈的單純去體現，如普希金；有的用品格的高潔去體現，如屈原；有的以精神的雄健去體現，如拜倫；有的用氣質的高傲去體現，如屠格涅夫；有的用道德的完善去體現，如托爾斯泰；有的通過形式的典雅去體現，如高乃依、拉辛；有的用藝術的精緻去體現，如柴可夫斯基等，而曹雪芹則兼有心靈的單純、品格的高潔、精神的雄健、氣質的驕傲、道德的完善、形式的典雅、藝術的精緻，並且還有一樣是特別的，它通過一種對下層詩意生命的肯定與禮讚，呈現出一種既超拔又平等的最優秀的貴族精神。

167 尼采給貴族精神的定義是「自尊」。這是確切的。貴族的一大行為模式是「決鬥」，身為貴族的偉大俄國詩人普希金也決鬥而死。決鬥的行為呈現的精神是：有一種東西比生命更加寶貴，這就是人格尊嚴。但是尼采卻在崇尚貴族時宣揚一種蔑視「下等人」、反對「同情心」的貴族主義。他把人絕對地分為上等人與下等人，認定尊貴者的使命就是向下等人宣戰，同情下等人便是弱者道德、奴隸道德。他反對基督，就因為基督代表着悲憫下層民眾的奴隸道德。而曹雪芹作為貴族，他所作的《紅樓夢》一方面在最完整的意義上體現着人的尊嚴，其主人公賈寶玉作為貴族子弟，他們的內心與世俗的功名功利世界拉開最長的距離，其精神氣質之脱俗、之高貴，超乎一切上等人；但是，他卻又是一個準基督，不僅不蔑視下等人，而且是奴婢的知己、情人與侍者，那些身為下賤的人，他卻看到她們「心比天高」。他兼有貴族的高精神和基督的大慈悲，是人世間內心最豐富、最美麗的「貴族少年」。曹雪芹實在比尼采偉大得多。

168 屈原與曹雪芹，一先一後，形成中國貴族文學並峙的兩座巔峰。他們中間也出現過六朝大謝（謝靈運）、小謝、沈約的貴族文學，可惜這段文學形貴神俗，玩聲律、玩語言、玩形式玩得走火入魔，但精神內涵卻顯得蒼白。而屈原、曹雪芹則是形貴神也貴。屈原以精神的高潔體現貴族精神；曹雪芹以精神的空寂體現更高級的貴族精神。有佛性、有禪性，才有空寂。林黛玉的「人向廣寒奔」、「冷月葬詩魂」，是在人間孤獨到極點之後而產生的空寂。空寂不是牢騷，不是怨怒，而是超越世俗之地而向宇宙深處的飛升，是與常人狀態拉開遠距離後的高度清醒意識。

169 莊子散文與《紅樓夢》都有奇麗的想像力，都是中華民族文學的極品。但兩者相比，莊子骨子裏是冷的，《紅樓夢》則是熱的。莊子缺少曹雪芹那種愛的熱忱。儘管小說中的人物，其情愛都失敗了，但生命的激情還在愛的失敗中，最高的詩意處處與愛的失敗相連。所以曹雪芹滿紙是淚，而莊子沒有眼淚，妻子死的時候也沒有淚。

170 陶淵明因擁抱大自然而獲得解脫，但就境界而言，他還未進入大宇宙。他之前的莊子有宇宙感，但也太沉醉於自然。老子的《道德經》崇尚自然，又有宇宙之聲，不可道之道與不可名之名乃是宇宙的神秘。慧能更是一個奇跡，他的心靈沒有過程，一步就把握事相之核，直達宇宙之心。王國維說《紅樓夢》具有宇宙境界，是自始至終都有一個宇宙語境在，賈寶玉、林黛玉的潛意識中就有一個宇宙在。林黛玉說「無立足境，是方乾淨」，暗示的正是人只有站在比人更高的宇宙高處才能了解自身，她的大化之境不僅是山林田園的自然之境，而且是山林田園之上的無限浩瀚的宇宙之境，比陶淵明的大化更為遼遠。遠到「天盡頭」，遠到有名如同無名的三生石畔與靈河岸邊，遠到女媧補天時的鴻濛之初即大化之始。

171 所謂用全生命寫作，包括投入意識與無意識。天才的創造特點，是無意識的創造，即神的創造與靈感的創造。楊慎說：「莊周、李白，神於文者也，非工於文者所能及也。文非至工，則不可為神；然神，非工之所可至也。」[3]這裏所說的「工」是人為的刻意的努力，而「神」則是自然的無意識的湧流。中國文學家中能「神於文」者的天才除了莊子、李白外，還有曹操、陶淵明、李煜、李賀、蘇東坡等。唐代詩人中，李白與杜甫的區別，李賀與賈島的區別，便是「神於文」與「工於文」的區別。而曹雪芹則是又神又工，既是天才又是嘔心瀝血的巨匠。

172 西晉末年，政治異常黑暗，貴族知識分子紛紛南遷，文化重心也隨之南移。此時，出現中國文學的一次大「玩貴族」的現象。漢賦屬「玩宮廷」，玩出了一番氣象，而六朝的謝靈運、周顒、王融、沈約、江淹、徐陵、梁武帝父子等「玩貴族」，也玩出一番聲色。玩貴族與玩宮廷一樣，都是玩形式。司馬相如的「一宮一商」，到了謝、沈手中，變成「五色相宜，八音協暢」，玩聲律玩得入迷。「貴族」不是不可玩，《紅樓夢》就大有貴族精神，曹雪芹在《紅樓夢》裏寫盡各種文學形式，小說中有詩、有詞、有賦、有誄、有詠嘆調、有散曲，詩中又有五律、七律、

3《總纂升庵合集》（卷二十一），轉引自《中國美學史資料選編》（下冊），頁109。

排律等，形式極豐富。然而，全書最豐富的不是形式，而是靈魂，是情感。《紅樓夢》可說是「富貴」到極點，但這是精神的富貴，極為豐富又極為高貴。

173

《紅樓夢》中有一性情與性靈世界，這個世界未確立之前，人的身體只是女媧捏成的具有人形的一團泥。泥一旦有了性情與性靈才昇華為人。人是歷史積澱的結果，心理則是文化積澱的結果。薛蟠沒有文化，只有慾望。他還只是一團泥，一個慾望體，不是心理存在，更不是精神存在。水溶（北靜王）、秦鐘和甄寶玉，自然是另一種氣象，非薛蟠們可比。可惜表面是玉，內裏還是泥。《紅樓夢》中關於人的問題是石頭要化為泥本體還是化為玉本體的問題。石頭伴隨着水，水可以把石化作泥，也可以把石洗煉成玉。賈寶玉這塊玉，通過林黛玉的水（淚）洗煉而保持玉的光輝。如果沒有林黛玉，賈寶玉就可能變成水溶、秦鐘或甄寶玉，形象還是清清脫脫，內裏卻渾渾濁濁，至少也是一肚子「酸水」（賈寶玉稱甄寶玉說的話是「酸論」）。

174

前文說過，《紅樓夢》的精神內涵有「欲」、「情」、「靈」、「空」四個維度，王國維的「評紅」運用叔本華的學說，太偏重闡釋「欲」的一維。此處還應補充說，《紅樓夢》中「欲」的執着和「欲」的拒絕，其衝突是很激烈的。泥濁世界的主體角色們（國賊、祿鬼、色鬼、名利之徒等）是執着派；賈寶玉和淨水世界的女兒們是拒絕派與反抗派。《紅樓夢》的悲劇正是反抗派歸於寂滅。王國維說「欲」是悲劇之源，把「玉」等同於「欲」，只看到「欲」的執着，未看到「玉」對「欲」的反抗，顯然是偏頗的。

175 「五四」新文化運動發現孔夫子所代表的儒家舊文化扼殺中國人，發現禮教「吃人」，但沒有發現真正可怕的、大量殺傷中國人的美好心性與美好靈魂的文化，是《三國演義》文化與《水滸傳》文化。這兩部所謂典籍，其刀刃伸進了中國人的潛意識深處，把中國人好的基因全都毒害和腐蝕了。「五四」新文化運動發現明末散文與明末三袁的文學思想與「五四」相通，但沒有發現與「五四」新文化靈魂最相通的而且是真正的先驅者是曹雪芹，所以未能把《紅樓夢》作為人的旗幟及婦女、兒童的旗幟。

176 中國文學史寫作者，動不動就說中國古典小說的「四大名著」，把《紅樓夢》和《三國演義》、《水滸傳》同日而語，分不清《紅樓夢》和《三國演義》、《水滸傳》的巨大差別。這種差別可以用天淵之別與霄壤之別來形容，而最關鍵的是《紅樓夢》係生命之書，而後兩者則是反生命之書。曹雪芹在生命之中又發現詩意生命，所以才寫出如此動人的生命讚歌與生命輓歌。而中國人進入《三國》、《水滸》之後，生命便發生全面變質。有人說《三國演義》很有詩意，其實，它恰恰沒有詩意。權謀、心機最沒有詩意。《紅樓夢》中的生命，賈寶玉、林黛玉、晴雯、鴛鴦等最有詩意，因為她們遠離心術權謀。所有的詩意都來自沒有變質變形的生命本真狀態，都來自那種不被污染的質樸的內心。

177 《紅樓夢》與《三國演義》，其精神內涵的對立，是自由心靈與變態心機的對立，兩部小說主題的對峙本身就是中國文化的一大寓言。《紅樓夢》讓人走向嬰兒狀態——即生命的本真狀態，《三國演義》讓人走向狼虎狀態——即人心的黑暗狀態。《紅樓夢》中的女兒國是與「三國」對立的另一種質的精神國度。「三國」所崇尚的是謀略，女兒國崇尚的是詩。詩國全然不知「謀略」為何物，甚至不知「機智」為何物。生活在女兒國中的賈寶玉是一個離「三國」最遠，在心靈上與之對立最深的男性。他拒絕功名、拒絕權力、拒絕世故、拒絕心機，更是拒絕損害他人，整個人生中沒有發出一句傷害他人的話。在《紅樓夢》與《三國演義》中作選擇，其實是在作靈魂的選擇。

178 在《三國演義》中，女子好像是馬戲團裏的動物，全被所謂英雄任意驅使。孫夫人也不過是高級動物與高級工具而已。儘管表演得相當精彩，但畢竟只是美麗的動物。其中令人讚賞不已的貂蟬與《水滸傳》中的女人命運更慘，她們不僅是動物，而且是英雄任意屠殺的動物。潘金蓮、潘巧雲等都是被宰割肢解的動物。唯有《紅樓夢》中的女子，特別是少女，她們才是人，即使被摧殘過，但在摧殘中她們也放射出生命的光輝。《三國演義》和《水滸傳》對女子沒有審美意識，只有政治意識與道德意識。《紅樓夢》對女子卻全是審美，而且審到心靈深處。與《三國演義》、《水滸傳》相比，《紅樓夢》就如佛光普照、陽光普照，這兩種光芒照亮黑暗社會所蔑視的一切：女子、孩子、戲子、尼姑，特別是丫鬟——處於社會底層的奴隸。作者的慈悲心覆蓋一切：它不是歌頌社會光明，而是用光明覆蓋社會。

179 羅素在《西方哲學史》的第二十三章裏專門論述拜倫，並論述貴族叛逆者與農民叛逆者完全不同。他說：「拜倫在當時是貴族叛逆者的典型代表，貴族叛逆者和農民叛亂或無產階級叛亂的領袖是十分不同類型的人。餓着肚子的人不需要精心雕琢的哲學來刺激不滿或者給不滿找解釋，任何這類的東西在他們看來只是有閒富人的娛樂。他們想要別人現有的東西，並不想要什麼捉摸不着的形而上好處。」羅素這一分別如果借用來觀看《紅樓夢》與《水滸傳》倒是很有趣味的。賈寶玉這個貴族叛逆不同於李逵、武松這些農民叛逆。後者沒有形而上的反抗。賈寶玉的反叛，其深刻意義在於他的反叛是比政治反叛、經濟反叛更為深刻的美學反叛。因此，他的目標不是有飯大家吃的經濟平等和低等自由，而是存在方式、思維方式、審美方式的選擇自由，即心靈的高級自由。武松、李逵只有道德意識，沒有審美意識，賈寶玉卻有極高的審美意識。《紅樓夢》的道德法庭（賈政所代表）是被審美法庭審判的劣等法庭；而《水滸傳》中的道德法庭卻是一個比政治法庭還要可怕的、黑暗無所不在的法庭，它把審美法庭壓迫到無處可以藏身。武松、李逵這些政治反叛者同時又是道德法庭中最殘酷的劊子手。因此，《紅樓夢》是爭取生活、追求生活，而《水滸傳》則是宣示慾望有罪、生活有罪。

180 讀了《三國演義》與《水滸傳》，常常覺得中國很奇怪，不僅窮人生活在地獄之中，而且富人也生活在地獄之中。窮人沒有安全感，富人也沒有安全感，甚至帝王將相也沒有安全感。「三國」中曹操多疑，就因為他覺得太不安全。與他同時代的漢獻帝、劉備、孫權，哪個心裏不緊繃一根弦？「三國」中人如此，「水滸」中人也是如此。梁山英雄被逼上梁山，因為山下有一座難以安生的地獄。可是，「替天行道」的旗號一打出來，「劫富濟貧」一旦成為公理，富人也就沒有地方可以安生。那個時代，富人如祝家莊的財主們不安全，而具備萬夫不當之勇的盧俊義就安全了嗎？他在牢中陷入地獄，在牢外何嘗不是地獄。《紅樓夢》雖也展示人間地獄，但也展示地獄中的一線光明，那就是賈寶玉與林黛玉等少女們的生命之光。

181 《水滸傳》的理念，一是造反有理（凡替天行道使用任何手段皆合理），二是慾望有罪，生活有罪，尤其是不給婦女慾望的權利。《金瓶梅》的理念正相反，它是慾望無罪、生活無罪，婦女擁有慾望的權利。林黛玉、賈寶玉欣賞《西廂記》，就因為它展示情愛生活的美好與詩意。《紅樓夢》把少年女子提高到歷史本體的地位，不僅林黛玉是歷史本體，她用詩所評論的王昭君、綠珠、虞姬等女子，也給予歷史本體的地位。歷史的本體不是事件，而是人，尤其是女子，這是《紅樓夢》的歷史觀。

182 文學生存於權力之外。但中國大眾文學卻往往跟着統治者跑，甚至向統治思想低頭。《三國演義》就是一個例證。它既體現皇統（皇統的原教旨），又迎合市場。知識分子俯就大眾而創造的大眾文學，並非民間文學。大眾文學與民間文學是兩個完全不同的概念。民間文學是相對於權力話語空間的一種自由空間，遊俠文學、山林文學均是民間文學。它常常滋養作家的精神創造。《紅樓夢》與其他中國小說不同，它不是來自大眾文學，而是來自個體心靈。曹雪芹生活在貴族與平民之間。《紅樓夢》既是貴族文學，又是民間文學，既是生命個體的孤獨創造，又是相對於權力話語的一種民間寫作。《三國演義》從隸屬於大眾文學的話本演變而成，《紅樓夢》卻與話本完全無關，它拒絕皇統，又拒絕市場（話本必須符合大眾口味才有市場）。

183 《金瓶梅》與《紅樓夢》都寫人性，但前者寫的是粗糙人性，後者寫的是精緻人性。《紅樓夢》即使寫奴婢（如襲人、晴雯、鴛鴦等），其人性也精緻之極。

《芙蓉女兒誄》禮讚晴雯「其為質則金玉不足喻其貴，其為性則冰雪不足喻其潔，其為神則星日不足喻其精，其為貌則花月不足喻其色」。質貴、性潔、神精、貌美，四者兼有，一個丫鬟的人性尚且如此精美，更何況林黛玉等貴族少女。在曹雪芹眼裏，身份有尊卑，人性卻無貴賤，這是他所把握的人性「不二法門」。《金瓶梅》人物最賢惠的是西門慶的妻子吳月娘，她寬厚而不嫉情，能容納西門慶諸多小妾，維持其家庭的「安定團結」，確實不簡單，但其人性，卻只有道德價值，沒有審美價值，「精緻」二字，還是和她連不上，更莫論潘金蓮、李瓶兒等。

184

中國的放逐文學可分為三類：被國家放逐（如屈原、韓愈、柳宗元、蘇東坡）、自我放逐（如陶淵明）、放逐國家。第三種的代表是曹雪芹。在他身上，沒有國家概念，《紅樓夢》的第一回就重新定義故鄉，批評「世人」不知故鄉何處，「反認他鄉是故鄉」。他先放逐國家概念，而後又放逐國家實體，即放逐朝廷。所以才讓賈元春說出宮廷是「見不得人的去處」。至於文化，那就在他身上，但不是國家文化，而是禪宗文化、隱逸文化、自然文化等中國各種文化精華。《紅樓夢》既是個體心靈文化，又是普世文化。他只有文學立場、人性立場，沒有國家立場與民族立場，也沒有家族立場。林黛玉流了那麼多眼淚，沒有一滴是為國家而流的，更不用說一滴血，賈寶玉則身在王爺府，心在女兒國。

185 歷史具有暫時性與積累性兩大特點。文化是積累性的結果。人性是通過文化的積累而形成的。積累才是根本。人離開積累、離開社會就剩下兩條出路：一是退回動物界；二是走向絕對神秘（或宗教）。把《紅樓夢》視為「反封建」，只講到歷史暫時性的一面，而未觸及永恆性的一面。惟其人性（包括潛意識）與現實規範（包括禮教規範）的衝突，才是永恆的衝突。《紅樓夢》寫出被壓抑的真情真性，即找不到出路、陷入困境的真性真情，這才是《紅樓夢》的永恆之源。

186 王國維說「太白純以氣象勝」（《人間詞話》）。氣象，確實可以作為一種文學標尺。然而，李白真正的「勝」處是他的奇麗想像。氣象只是奇麗想像力的表徵而已。李白筆下的氣象乃是自然氣象，而精神氣象則遠不如曹操、李煜、蘇東坡，更不如曹雪芹。精神氣象產生於內心空間，它不是自然圖畫，其恢弘難以察覺，只可感受與領悟，尤三姐、鴛鴦的自殺和林黛玉、晴雯之死，都展現了一番奇麗的精神氣象。

187 《世說新語》不寫帝王功業，只寫日常生活，它記錄了許多逸聞趣事，呈現了許多人物的音容笑貌，從而奠定了中國小說的喜劇基石。《儒林外史》可以說是《世說新語》的伸延與擴大。中國小說有輕重之分，「重」的源於《史記》，「輕」

的源於《世說新語》。《三國演義》、《水滸傳》都太「重」，學得走樣。《紅樓夢》則輕重並舉，而且以輕馭重，有思想又有天趣，極深刻的思想就在日常的談笑歌哭中。

188

如果借用佛教的「大乘」與「小乘」，兩大概念來劃分與描述，「小乘」式作家側重於獨善其身，弘揚個性，追求生命自由；「大乘」式作家則偏重於擁抱社會、關心民瘼，富於大悲憫精神。能兼二者的長處更好，但二者都可能「走火入魔」。前者走火入魔則孤芳自賞、我行我素、冷漠人間；後者走火入魔則以救主自居，把自己的良心標準化和權威化，並以此號令社會。魯迅說自己常在「個人主義」與「人道主義」中起伏，也可解說是在「大乘」與「小乘」的兩種傾向中搖擺。托爾斯泰的晚年二者兼得，既自我完善又關懷民瘼。曹雪芹也是二者兼得的天才：個體自由精神與大慈悲精神全在《紅樓夢》中。

189

立意要緊，立境更要緊。立足於生命語境與立足於家國語境歷史語境，很不相同。在精神層面上，個體生命比一個星球還大，它可以伸延到無限的浩瀚。個體生命不是白駒過隙，它可以進入神秘的永恆。生命與宇宙可視為一個概念的兩面。普世性的寫作離不開家國、歷史題材，但立足之境則一定是「生命—宇宙」語境。文學中的普世理念是「生命—宇宙」語境大於「家國—歷史」語境的理念。王國維說《紅樓夢》不同於《桃花扇》的家國境界，乃是宇宙的境界，就因為它放逐了世俗的故鄉、國家理念，賈寶玉的「出走」便是否定家國而回歸無邊界的感情故鄉，承認有一種比家國更根本、更永恆的存在。

190 曹雪芹出身於漢裔的滿清貴族，他在漢文化中生長，具有漢文化的巨大底蘊，但他的家庭又是滿族皇帝的寵臣，這使他身上又天然地帶有異族的野氣。這種野氣注入漢文化，便產生活力，也產生大氣。《紅樓夢》不僅有佈滿詩意的細節描寫，還有宏大的史詩構架，其內外視野又直逼天地之初，這正是野氣、大氣使然。僅有漢族的文人氣，恐怕產生不了《紅樓夢》。清代的著名文學家李漁，身上就缺少曹雪芹的大氣，只有文人氣，因此，雖有才氣，卻沒有作品的大格局。

191 禪入文學，給文學帶來巨大活力，文學的本性是自由，禪的本性也是自由。禪進入蘇東坡，蘇東坡就不同於韓愈、柳宗元、歐陽修等。受禪影響，就是受自由精神影響。對於文學，禪是偉大的解放力量。如果沒有禪，《紅樓夢》就不能如此徹底地放下偶像，放下概念，放下家國，也不能如此堅定地守持文學的自性（本性），拒絕文學之外的他性——政治性、功利性、黨派性、市場性等。

192 禪宗要打破的我執，是假我之執，並非真我之執。倘若讓慧能來解《紅樓夢》，他要打破的是甄寶玉的世俗妄念之執，而不是賈寶玉的本真之執。賈寶玉的本真狀態，愈執愈好，愈執愈明心見性。賈政痛打賈寶玉，其棒喝的錯誤，是要打垮兒子身上的真我，從兒子身上呼喚出甄寶玉（假我）。秦業痛打秦鐘，也是想打掉真秦鐘，呼喚出假秦鐘。賈政與秦業都是通過專制的手段，強迫自己的子弟按照常人的慾望標準重新編排生命。

193

秦鐘的父親秦業得知秦鐘與智能的情愛信息後，怒不可遏，不僅痛打，而且打得元氣大傷以致死亡。賈政也差些把賈寶玉打死。但是賈政、秦業面對兒子的纍纍傷痕，只有愧對祖宗即沒有培養出光宗耀祖之後代的罪感，而沒有摧殘兒子、破壞後輩心靈的罪感。賈政文化是面向過去、面向門第（祖宗）的文化，不是面向未來、面向生命的文化，他即使把賈寶玉打死，也不會有恐懼感，只有當賈母出現時，他才誠惶誠恐。中國人被科場、官場抓住心靈之後，價值觀念全然顛倒，人類的基本價值觀念——生命擁有最高價值的觀念，全然消失。

194

禪不立文字，其思想卻經得住一千多年的風吹浪打，即經得住歷史的嚴酷篩選，留了下來。它不喧嘩、不膨脹、不自售。但默而不沉，經久而不滅，可見思想的真金子是不怕時間沖洗的。禪宗六祖慧能，一個不識字的宗教領袖，慈悲仁厚，但其心靈的力度卻力透金剛，他拒絕任何偶像崇拜，拒絕進入一切權力構架，甚至拒絕唐中宗和武則天召他入宮的聖旨。賈寶玉的性格雖然至溫至柔，但心靈也有強大的拒絕力量。他拒絕世俗世界關於人生編排的種種認識，也拒絕皇統道統所規定的道路。《紅樓夢》中林黛玉與賈寶玉談禪時，言語很簡單，但意思很豐富又很有內在力量。什麼才可稱為「以心傳心」，林、賈的禪性派對，便是典型。

195

與「空」相對立的概念是「色」。與「色」相連的概念是「相」。「相」是色的外殼，又是色所外化的角色。去掉相的執着和色的迷戀，才呈現出「空」，才有精神的充盈。《金剛經》所講的我相、人相、眾生相、壽者相等，都是對身體的迷戀和對物質（慾望）的執着。中國的禪宗，其徹底性在於它不僅放下我相、人相、眾生相、壽者相，而且連「佛相」本身也放下，認定佛就在心中，真正的信仰不是偶像崇拜，而是內心對心靈原則的無限崇仰。深受禪宗思想影響的《紅樓夢》，其所以有力度，便是它拒絕一切權威相、偶像，包括佛相、道相。賈寶玉說：「這女兒兩個字，極尊貴，極清淨的，比那阿彌陀佛、元始天尊的這兩個寶號還更尊榮無對呢。」（第二回）有此力度，也才有整部巨著的全新趣味：蔑視王侯公卿和醉心於功名貨利的文人學士，唯獨崇尚一些名叫「黛玉」、「晴雯」、「鴛鴦」的黃毛丫頭，以至視她們為最高的善，勝過聖人聖賢。要說離經叛道，《紅樓夢》離得最遠，叛得最徹底。

196

林黛玉與賈寶玉談禪，並借此探情：「寶姐姐和你好你怎麼樣？寶姐姐不和你好你怎麼樣？寶姐姐前兒和你好，如今不和你好你怎麼樣？今兒和你好，後來不和你好你怎麼樣？你和他好他偏不和你好你怎麼樣？你不和他好他偏要和你好你怎麼樣？」面對這一問題，寶玉最好的回答也許是「好就是了，了就是好」，但他還是表白自己專一的戀情。小說文本寫道：寶玉呆了半晌，忽然大笑道：「任憑弱水三千，我只取一瓢飲。」黛玉道：「瓢之漂水奈何？」寶玉道：「非瓢漂水，水自流，瓢自漂耳！」黛玉道：「水止珠沉，奈何？」寶玉道：「禪心已作沾泥絮，莫向春風舞鷓鴣。」黛玉道：「禪門第一戒是不打誑語的。」寶玉道：「有如三寶。」黛玉低頭不語。

這是高鶚續書寫得最好的章段。「弱水三千，只取一瓢飲」，表示一往情深的專一；「水自流，瓢自漂」，表示一切取決於自己，點破的是禪的「自性」要義。最後一個問題是水止珠沉悲劇發生了怎麼辦？寶玉的回答是出家。寶玉最後的結局是歸宿於僧寶、法寶、佛寶，他真的出家了。《紅樓夢》的要點，高鶚畢竟有所領悟。禪宗六祖慧能作為一個不識字的思想家，他實現了另一種思想方式的可能，即揚棄邏輯、實證、概念、範疇而進行思想的可能。這是西方理性思想家難以想像的。慧能不僅實現了思想，而且抵達理性、邏輯無法抵達的地方。林黛玉、賈寶玉談禪時，借禪說愛，把愛推向無限的時間與空間的深淵。愛的過去，是女媧補天混沌初鑿的時刻，是類似亞當、夏娃的神瑛侍者與絳珠仙草的天國之戀時刻，愛的今天，則是「弱水三千，只取一瓢飲」，真正相愛並愛入靈魂的只有一個。這種愛不能實證，不能分析，其情意的遙深、悠長、厚重，邏輯無法描述，理性概念無法企及。

197 《紅樓夢》中有一個奇女子，名為平兒，她口中沒有禪，腦中可能也沒有禪，恐怕壓根兒不知什麼叫做禪。然而，禪卻在她的潛意識中，在她的骨子裏。她沒有任何我執與他執，也非逆來順受，天生能以平常之心去接受生活和接受命運。所有的女子都可能嫉才或嫉情，她卻沒有。作為賈璉之妾，她與最難相處的王熙鳳相處得很好，連王熙鳳都服她。這一切都不是刻意安排，而是寬容的天性與平常的心性使然。她身處人際關係之中，又抽身於關係之外，遠離人間那些根深蒂固的無休止糾纏，也遠離狹隘，遠離嫉妒，遠離心機，遠離善惡好壞判斷的世俗法庭，理解一切人與厚待一切人，包括丈夫外遇，王熙鳳暴跳如雷時，她也以平常心對待。她身處俗境卻心創奇境，這奇境便是人際關係中的禪境。因此，平兒也可算是《紅樓夢》諸多生命奇觀中的一絕。

198 《紅樓夢》的永恆性來自人性，不是來自民族性、階級性、時代性、黨派性等。作家的基本立足點立於人性，立於生命，才能永久。但人性不是概念，不是普遍性範疇，而是個案。人性通過個案而呈現。所以人性難以用善惡、是非去裁判，只能通過無概念的性格、命運去呈現。說《紅樓夢》無是無非、無善無惡，便是說，它充分人性，充滿性格，又全是個案。用階級性或普遍性等概念去分析，註定是徒勞的。概念用得愈重，離《紅樓夢》就愈遠。

199

孔子的《論語》是言論集，沒有文學審美價值。但它卻開闢了中國文學的兩個傳統：第一個是家國關懷。第二個是仕途經濟。把家國關懷表現到極致的是杜甫。「國破山河在，城春草木深。感時花濺淚，恨別鳥驚心。」這是關懷美的極品，但是，孔子的第二個傳統卻帶來功名心，杜甫的詩是儒者詩，正面是家國關懷，負面則是太多不得志的焦慮，總是放不下「致君堯舜上」的抱負和功名心。儒者詩雖有家國關懷，卻缺少個體生命關懷。《紅樓夢》則質疑儒家意識形態，全是個體生命關懷，呈現的是個體生命美的極致。它創造的生命系列，尤其是女子詩意生命系列，全在家國關懷與仕途經濟的彼岸，然而，中國的自由精神，卻是從這一彼岸開始發生。

200

《紅樓夢》與明末的散文相比，都有真性情，但明末散文的性情止於性情，而《紅樓夢》則從性情進入性靈。不僅性情豐富，性靈更豐富。林、賈兩個主角雖屬癡絕，卻並非癡迷，兩個都以天生的靈性拒絕落入迷途，其悟性、靈性旁人難以企及。《紅樓夢》中的性情與性靈之間有一中介，這是大自然與大宇宙，性情超越世俗世界進入宇宙才產生性靈。與《紅樓夢》相比，《金瓶梅》缺少性情向性靈的昇華，李漁也沒有，兩者都太沉迷於感官世界的快樂，走進去而出不來，更是飛升不起來。《紅樓夢》與《金瓶梅》的區別，不僅有雅與俗的大區別，還有天與地的大區別。

201 《史記》中的史傳，帶有很大的文學性，它的成功，使後人產生一個大誤解，以為文學可以塑造歷史，甚至認為文學應以塑造歷史時代為基本使命。其實，文學只可塑造心靈，不可塑造歷史。即使描述歷史，也是在塑造心靈。離開歷史，文學還是文學，離開心靈，文學就不是文學。《紅樓夢》雖寫歷史，其實是借歷史而抒寫心靈，它的無限之美在於描述了詩人、詩情與詩心。

202 中國的史書《資治通鑒》及二十四史，是沒有詩的歷史，與文學無關。《史記》則有詩意，特別是其中的人物傳記，更有詩意。但《史記》沒有史詩意識，也沒有史詩構架，因此它終於沒有成為史詩。史詩的重心是詩，不是史。《紅樓夢》顯示了這個重心，它把生命詩化，把歷史審美化。它尊重一切詩意的生命存在，既有宏偉的史詩構架，又有細部的詩意描寫，既有外在的宇宙視野，又有內在的大觀視野。曹雪芹和司馬遷都有不幸的個人遭際，但司馬遷把此遭際僅上升為個人發憤意識，而曹雪芹卻上升為宇宙意識，使作品超越了社會形態。發憤，可成為一種動力，但也可能變成一種情緒而失去冷靜與冷觀。司馬遷是史學家，曹雪芹是文學家，但曹雪芹對人生對世界的觀察比司馬遷更冷靜。這種冷靜使他產生空空道人的冷觀，冷觀下才看出世界的鬧劇。因此，不能只把《紅樓夢》視為愛情悲劇，還應視為叩問存在意義的生命史詩。

203

原創的文學本是一次性的。正如不可能兩次涉足絕對相同的一條河流，創造性經驗更是一次性，不可能遺傳，不可能複製。《紅樓夢》更是一次性的，這是曹雪芹不可複製的人性經驗與審美經驗。因此，從嚴格意義上說，續寫《紅樓夢》不可能。高鶚所作的只是知其不可為而為之，其精神不簡單。他通過《紅樓夢》頭幾回的命運預告硬是續了下來，可謂續書大才。續中有許多精彩篇章，但也有不少敗筆，其中最大的敗筆是讓賈寶玉與賈蘭一起奔赴科舉考場，還中了舉。賈寶玉可能會有妥協，但這種妥協已越過其精神邊界，高鶚把常人指向的可能性放到寶玉身上，以為寶玉也可能從本真自我那裏突然溜到常人那裏，結果損害了這個赤子的純粹性。

204

《紅樓夢》續書最難把握的應是主要人物的結局。賈寶玉、林黛玉應到哪裏去？是消失在現實世界中還是返回遠古家園或到另一超驗世界中？如果是回到靈河岸邊三生石畔，林、賈會不會有另一種形式的相會？而最重要的是他們告別人間返回故地時，心境會是怎樣？是痛哭（如續作所寫，林黛玉唸着「寶玉、寶玉，你好……」）還是愉悅？陶淵明告別官場回到田園農舍時有一種回歸故鄉的大快樂（「羈鳥戀舊林，池魚思故淵」）。林黛玉、賈寶玉告別泥濁世界，返回絳珠仙草與神瑛侍者初戀時的故鄉就僅有苦痛嗎？如果林、賈有「哪裏自由，哪裏就是故鄉」的意念，他們走出人間應有比悲傷更複雜的情感。按照曹雪芹在第七十六回的預告，林黛玉的最後結局是「冷月葬詩魂」和「人向廣寒奔」。這個結局雖有死亡的冷寂與孤寒，但即便如此，其狀態也未必只有眼淚或拉奧孔式的恐懼。她抽離人間時雖然絕望，但可能也有最終擺脫蛇身糾纏的愉快。這蛇，不是世俗意義上的蛇蠍之人（壞人），而是社會關係共同編織的巨大繩索。

下篇（寫於二〇〇七年）

205

寫作，有的是為了立功立德，有的是為了立言立名，有的是為了製作一把鑰匙去打開榮華富貴的大門。而最高境界的寫作，是為了消失。林黛玉的《葬花詞》，是最感人的傷逝之詩。她寫這首詩，就是為了消失，為了給生命的消失留下一聲感慨、一份見證、一種紀念。曾有一個生命如花似葉存在過，她也將如花凋殘，如葉消失，為了紀念這一存在的消失，她才寫作。消失的歌，唱過了；消失的方式，準備好了，那是簡樸乾淨的還原：「質本潔來還潔去」，沒有奢望，沒有遺囑，只留下一個曾經發生過的高潔的夢。「為了忘卻的紀念」（魯迅語）是痛，「為了消失的紀念」是更深的痛。消失不是目的，不是世俗的有，但它合更高的目的——澄明充盈的無。曹雪芹著寫《紅樓夢》也是為了消失，為那些已消失的生命留下輓歌，為將消失的生命（他自己）留下悲歌。

206

溪壑分離，紅塵遊戲，真何趣？名利猶虛，後事終難繼。（第五十回）

這是元宵節遊戲中，史湘雲編的燈謎，實際上是一首牌名為《點絳唇》的詞，讓人猜一俗物。李紈、寶釵等都不解，倒被寶玉猜中是「猴子」。眾人問：「前頭都好，末後一句怎麼解？」湘雲道：「那一個耍的猴子不是剁了尾巴去的」？連一俗物都可作如此藝術提升，連一燈謎都寫成真詩真詞，每一精神細節都如此精緻而有詩意，這便是文學作品「質的密度」。這部巨著永遠說不盡的原因也在於此，既有廣度、深度，還有密度。這則謎語，除了把猴子用詩語準確地描摹之外，還把《紅樓夢》的哲學觀與人生觀也表現出來。曹雪芹觀物觀人觀世界是莊子的《齊物論》和禪宗的不二法門，是把握整體相而揚棄分別相，所以不喜歡紅塵遊戲中的「溪壑分離」。而在人生觀中則斷定名利乃是幻象，它只有暫時性而無實在性與永恆性，所以是「後事終難繼」。寫小說只講故事只鋪設情節容易，但創造這種詩意的精神細節卻有很大的難度。

207

貴族府中的富貴人並非人人都貴族化，其精神氣質、風度形態可謂千差萬別。倘若加以區別，大約可分為四類：一是形貴神俗，如王熙鳳、王夫人姐妹等；二是形俗神貴，如尤三姐等；三是形神俱俗，如賈赦、賈璉、賈蓉、薛蟠、賈環、趙姨娘等；四是形神俱貴，如賈寶玉、林黛玉、秦可卿、史湘雲、妙玉、李紈、三春姐妹等，賈母也屬於此。如果以此尺度劃分，有些人物可能會有爭論，如賈政，有人會把他劃入「形貴神俗」，也有人會把他劃入「形貴神貴」。我替他作了辯護，是認為他雖是賈府中的「孔夫子」，父權專制的體現者，但其品質及道德精神仍可界定為高貴者，不像他的兄長賈赦，身內身外皆是一大俗物。薛寶釵也是如此，雖然她老是勸戒寶玉要走仕途經濟之路，但她畢竟滿腹經綸，氣質非凡，也屬形神俱貴之人，不可輕易把她劃入「封建」俗流。曹雪芹的美學成就，是塑造了一群形至貴神也至貴的詩化生命，為人間與文學大添光彩。

208

中國門第貴族傳統早就瓦解，滿清王朝建立之後的部落貴族統治，另當別論。雖然貴族傳統消失，但「富貴」二字還是分開，富與貴的概念內涵仍有很大區別。《孔雀東南飛》男主角焦仲卿的妻子蘭芝，出身於富人之家但不是貴族之家，所以焦母總是看不上，最後還逼迫兒子把她離棄。《紅樓夢》中的傅試，因受賈政提攜，本來已發財而進入富人之列，但還缺一個「貴」字，所以便有推妹妹攀登貴族府第的企圖。第三十五回寫道：「那傅試原是暴發的，因傅秋芳有幾分姿色，聰明過人，那傅試安心仗着妹妹要與豪門貴族結姻，不肯輕易許人，所以耽誤到如今。且今傅秋芳年已二十三歲，尚未許人。爭奈那豪門貴族又嫌他窮酸，根基淺薄，不肯求配。那傅試與賈家親密，也自有一番心事。」

曹雪芹此段敍述，使用「暴發」一詞，把暴發戶與貴族分開。暴發戶突然發財，雖富不貴，還需往「貴」門攀援，然後三代換血，才能成其貴族，可見要做「富」與「貴」兼備的「富貴人」並不容易。賈寶玉的特異之處，是生於大富之家，卻不把財富、貴爵、權勢看在眼裏，天生從內心蔑視這些耀目耀世的色相。他也知富知貴，但求的是心靈的富足和精神的高貴。海棠詩社草創時，姐妹們為他起別號，最後選用寶釵所起的「富貴閒人」，寶玉也樂於接受。他的特徵，確實是「富」

與「貴」二字之外，還兼有「閒」字。此一「閒散」態度便是放得下的態度，即去富貴相而得大自在的態度。可惜常人一旦富貴，便更忙碌，甚至忙於驕奢淫逸，成了慾望燃燒的富貴大忙人。

209

秦可卿的乳名為「兼美」，歷來的讀者與研究者都知道她身兼黛玉與寶釵兩種美的風格。其實，兼美正是曹雪芹的審美情懷與美學觀，而兼美、兼愛、兼容則是曹雪芹的精神整體與人格整體。無論是黛玉的率性、妙玉的清高，寶釵的矜持、湘雲的灑脫、尤二姐的懦弱、尤三姐的剛烈、晴雯的孤傲、襲人的殷勤，各種美的類型，都能兼而愛之。除此之外，對於薛蟠、賈環等，也能視為朋友兄弟，更是難事。人類發展到今天，多元意識才充分覺悟。但在二百年前，曹雪芹早已成為自覺。曹雪芹是中國「多元主義」的先知先覺。《紅樓夢》不是宗教，但有宗教情懷，這種宗教情懷便是兼美、兼愛、兼容的大寬容與大慈悲。

210

數千年中國文學史上有兩個最偉大的「藝術發現」者：一個是陶淵明，一個是曹雪芹。兩人的發現有一共同點，都是在平凡中發現非凡，在平常中發現非常。一個在身邊的日常的田園農舍裏發現大自然的無盡之美；一個在身邊的日常的貴族府第中發現小女子甚至是小丫鬟的無窮詩意。兩位天才都在常人目光所忽略之處發現大真大美大詩情。這兩項發現，與愛因斯坦發現相對論一樣，具有劃時代的意義。

211 一九二九年清華大學為王國維樹立碑石，陳寅恪先生在其所撰的碑文中用「自由之思想，獨立之精神」十個字概括王國維的人格主旨。如果按照陳寅恪先生的語言方式讓我們在曹雪芹的碑石上概括《紅樓夢》的精神主旨，也許可用「尊嚴之生命，詩意之生活」來概述。曹雪芹顯然有政治傾向，也必定熟悉宮廷裏的血腥鬥爭，但他超越了政治理念和政治話語，不把《紅樓夢》寫成政治小說，而賦予小說以個體生命的旋律，叩問生命存在的意義，在此主旋律之下，《紅樓夢》表達的便是兩大主題：一是追求生命的尊嚴；二是追求生活的詩意。後者便是德國詩人兼哲學家賀德林的那一著名提問：人類如何能夠詩意地棲居於大地之上。而只有這樣的主題才經得起歲月急流的沖洗顛簸。處於最堅固最黑暗的封建王朝專制眼皮下，卻最有力量地寫出千古不朽的偉大作品，這原因不能歸結為「勇敢」，而是他的天才選擇：從基調、主題到筆觸。

212 讀了《紅樓夢》第五十四回「史太君破陳腐舊套」，便知賈母倘若年青，也是大觀園女兒國的灑脱女子。她聽了女説書人講了《鳳求鸞》的故事之後，批評道：「這些書都是一個套子，左不過是佳人才子，最沒趣兒。把人家女兒説的那樣壞，還説是佳人，編的連影兒也沒有了。開口都是書香門第，父親不是尚書就是宰相，生一個小姐必是愛如珍寶。這小姐必是通文知禮，無所不曉，竟是絕代佳人。只一見了一個清俊的男人，不管是親是友，便想起終身大事來，父母也忘了，書禮也忘了，鬼不成鬼，賊不成賊，那一點兒是佳人？便是滿腹文章，做出這些事來，也算不得是佳人了……」賈母所要破的陳腐舊套，首先是才子佳人的舊套。把文學理解為只是子建文君這類淺薄的故事，的確水準太低。賈母這一文學觀，在第一回小說的開篇就已揭示，石頭在與空空道人的對語中就嘲笑「歷來野史」、「風月筆墨」，特別指出「佳人才子」等書千部共出一套，且其中終不能不涉於泛濫，以致滿紙潘安、子建、西子、文君……

小孫子（寶玉）和老祖母（賈母）共破熟套老套，這是值得注意的情節。《紅樓夢》的基調是輕柔的，但其文化批判的鋒芒卻處處可見。這種鋒芒是雙向的：一面指向「文死諫」、「武死戰」的皇統道統文化和「仕途經濟」的功名文化；一面則指向淫穢污臭、壞人子弟的庸俗文化及才子佳人的陳腐文化。上層文化和下層文化的糟粕老套，曹雪芹都給予拒絕。要說「文化方向」，曹雪芹所呈現的路徑，才是真方向。

213 《儒林外史》的開頭，先寫王冕隱逸拒仕的故事，還有一點放任山水的清潔情懷。《三國演義》和《水滸傳》裏則只有抱負與野心，沒有美好情懷。《紅樓夢》之美是它不僅揭露了泥濁世界的黑暗，而且呈現了人間最美好最有詩意的大情懷。賈寶玉的慈悲情懷如滄海廣闊，如太初本體那樣明淨。而其他少女林黛玉、妙玉、湘雲、香菱、晴雯、鴛鴦，乃至寶釵、寶琴等，都有各自的高貴情懷，這些情懷或呈現於詩，或呈現於歡笑，或呈現於歌哭，或呈現於傷感，或呈現於怨恨，都讓人看到黑暗地獄中的一線光明，也都讓人感到人有活着的理由。《紅樓夢》中的少女，每一美的類型，都是一種夢，一卷畫，一片生命景觀。賈寶玉對人間的依戀，便是對這些生命風景的依戀。

214

中國人到了唐代，才真正把「國」看得很重，「國破山河在」的沉重嘆息也因之產生。相應地，作家文人也把功名看得很重。到了《紅樓夢》時代，賈政等仍然把國視為天，把家國之事視為「頭等大事」。自己的女兒（元妃）省親，簡直是天搖地動，因為這不僅是家事，而且是國事。然而，賈寶玉對此無動於衷。而晴雯之死，他卻視為「第一件大事」。第七十七回寫寶玉知道晴雯被逐後喪魂失魄，回到怡紅院時的情景是：「……一面想，一面進來，只見襲人在那流淚，且去了第一等的人，豈不傷心，便倒在床上，大哭起來，襲人知道他心裏別人猶可，獨有晴雯是第一件大事。」賈寶玉把晴雯放在價值塔上的最尖頂，把晴雯視為第一等人，把晴雯被逐視為第一件大事，這是《紅樓夢》的價值觀，把個體生命看得比家國更重的價值觀。賈政父子兩代人的衝突，不是封建與反封建的衝突，而是重個體還是重家國的價值觀念的衝突。曹雪芹很了不起，他在二百多年前就把五四運動旗幟上重個體重自由的內容率先在小說中有聲有色地展示於天下了。

215 漂亮並不等於美。長得漂亮的男子女子很多，但能稱得上美的並不多。王熙鳳長得漂亮，但不能算美。倘若不漂亮，賈瑞就不會那樣死追她。形貴神俗之人不能算美。所謂美，是形貴神也貴。林黛玉、晴雯顯得美，就是形神兼備。《紅樓夢》塑造了一群至情至性也至美的人，其外貌超群出眾，其內質又超凡脫俗，內外皆有熠熠光華，才、貌、性、情之優秀集於一身。兼美之名屬秦可卿，其實，黛玉、寶釵、湘雲、妙玉等女子都是稀有的兼美者，個個都結晶着大自然與大文明的精萃精華。最美的黛玉，不僅具有傾城之貌，而且擁有詩化的內心，她是至美的花魂，又是至真的詩魂，至潔的靈魂。王熙鳳缺少這種內在光彩，只能稱作漂亮女人。

216 蘇東坡到了晚年，其大觀眼睛愈加明亮，在此宇宙的「天眼」下，「人」為何物也愈清楚。因此，便有「茫茫太倉中，一米誰雌雄」的詩句（寫於一〇九七年）。此詩說，在茫茫大千茫茫宇宙中，人不過是微小的一粒米，不過是萬物萬有生生滅滅中的一粒沙子，在此語境下，決一雌雄爭一勝敗究竟有多少意義？蘇東坡的太倉境界到了，《紅樓夢》發展到極點，成為小說的基本視角。

用洞察天地古今的「天眼」看世界日夜忙碌的人，一個個只是天地一沙子，滄海一米粒，星際一塵埃。曹雪芹也把主人公界定為悠悠時空中的一石頭，而且是多餘的石頭，連補天的資格也沒有的石頭。因為有這一界定，所以他通靈幻化進入人間之後，雖然聰慧過人，但不與人爭，不與鬼爭，不與親者爭，不與仇者爭，不進入補天隊伍，也不加入反天隊伍，自然而生，欣然而活，坦然而為。

217 人類在生存壓力愈來愈重的時候，其生存技巧也隨之發達發展，而生命機能也會在對環境的適應中增長增進，王熙鳳的算計機能（機心）就生長得超群出眾。但《紅樓夢》的主人公賈寶玉，他自始至終沒有常人常有的一些生命機能，例如，他沒有嫉妒的機能、沒有恐懼的機能、沒有貪婪的機能、沒有虛榮的機能、沒有作假的機能、沒有撒謊的機能、沒有設計陰謀的機能、沒有結黨營私的機能、沒有奉迎拍馬的機能、沒有投機倒把的機能，甚至沒有訴苦叫疼和說人短處的機能。賈府上下的常人（黛玉例外）都笑他傻，笑他「呆」，笑的恐怕正是他的身心缺少這些機能。美國的大散文家愛默生說，個性比智力更高貴。賈寶玉的個性，天地間沒有第二例，也不可能出現第二次。他的個性是種心靈的本能，不必學、不必教而形成的至真至善的本能。《石頭記》中的石頭，是通靈的磁石，其磁力又是心靈的磁力，至真至善的磁力。因此，賈氏這座貴族府第中所有美麗的心靈都向他靠近。這種靠近不是世俗的對貴族榮華的攀援，也不是對翩翩公子形體的傾慕，而是被心靈的磁力所吸引。曹雪芹通過這部偉大小說所創造的心靈磁場，不僅被書中的詩意生命所環繞，也被我們這些異代讀者所環繞，千萬年之後，人間美好的生命還會向它靠近。

218 柳湘蓮、蔣玉菡、馮紫英等，有的是戲子，有的是商客，有的是閒士，都是社會的「邊緣人」，人世間的浪子。在貴族豪紳眼裏，他們都是不可交往的三教九流之輩。可是，身處貴族社會中心位置的賈寶玉，不僅沒有瞧不起他們，而且和他們結成深厚的情誼，敬重他們，關懷他們，把他們引為知己。俗語說，物以類聚，人以群分，可是賈寶玉不接受權力操作下的分類，他不是「有教無類」，而是有情無類。真情所至，類別全消，完全打破中心人與邊緣人的界線，化解尊卑概念，心靈覆蓋全社會。這種「不二法門」與「不二情懷」被理解為「同性戀」，實在是對悲情與世情的褻瀆。

219 對曹雪芹，我總是心存感激。如果不是他的天才大手筆，我們可能永遠不會知道人間有賈寶玉這樣一種至善心靈，這樣一種至真品格，人的性情性靈之美可以抵達到這樣的水準。這是屬於宇宙最高層面上的心靈與品格。無機謀的思想、無摻假的心性、無做戲的情感、無偏邪的目光、無虛妄的目的、無計較的頭腦、無嫉妒的胸懷，每一樣都找不到它的開始與結束，但可以見到它活生生的形態與光澤。人類無法理解和無法保存這種心靈和品格，說明世界有着巨大的缺陷。他的生身父親不知道他的價值，不知道他的出走是喪失一位怎樣高貴的兒子，而如果再把這種心靈與品格視為「廢物」與「孽障」，那更是人類世界的一種恥辱。

220

林黛玉、賈寶玉既是詩人，又是哲人；既有形而下生活，更有形而上思索。他們的生命富有詩意，正是基於此。他們與王熙鳳的生命質量之別，也在於此。這種抽象區別如果用具象語言表述，便可以說，王熙鳳等只知「味道」，不知「道味」；而林黛玉、賈寶玉則不知「味道」，而知「道味」，其精緻的心靈對於「道味」有特殊的敏感。味道是色，是香味色味，是感官享受、是生存意識；道味則是空，是莊禪味、釋迦味，是存在意識。王熙鳳只知輸輸贏贏，不知好好了了；而賈寶玉、林黛玉則不知浮浮沉沉，只知空空無無。《金瓶梅》、《水滸傳》、《三國演義》中的人物，全是一些只知「味道」不知「道味」的角色，這些小說沒有形而上維度。

221

賈寶玉與《卡拉馬助夫兄弟們》（杜斯托也夫斯基）中的阿寥沙神形俱似，都極善良、單純、慈悲，都像少年基督。但是，其深層心靈的方向卻不同。東正教以苦難本身作為苦難的拯救，靈與肉絕對分開，其拯救便是通過肉的受罪達到靈魂的昇華；或者說，是通過肉的淨化達到神的純化，從而在受難中得到崇高的體驗與純潔的體驗，因此，磨難是快樂的，苦也是甜蜜的。賈寶玉則不承認苦難的合理性，更不是禁慾主義者。他愛少年女子，不僅愛她們的性情，也愛她們的身體，是靈肉的雙重欣賞者。他不斷追求新的精神境界，但不是通過肉的淨化，他自稱「淫人」，實際上又與世俗的淫蕩內涵相去萬里。他是一種面對「肉」而不肉化的奇特生命，也是一種把審美等同於宗教的地上「聖嬰」。從文學形象而言，阿寥沙顯得更為「崇高」，但賈寶玉比阿寥沙，顯得更有血有肉，而且也更富有人性的光彩。

222

賈寶玉本是天外的「神瑛侍者」，來到人間後，屬於天外來客。在天外，在雲層之外，他更靠近太陽，更靠近星辰，也被多重光明照耀得更加透明透亮。他沒有吃過蛇蟲爬過和被現代理念嫁接過的果實，沒有呼吸被塵土與功名污染過的空氣，身上帶着宇宙本體的單純，因此，來到地球之後，他便給人一種完全清新的感覺。這種清新，是太極的明淨，是鴻蒙的質樸，是混沌初開的天真。老子所說的「復歸於樸」，「復歸於嬰兒」，在曹雪芹看來，便是復歸於類似賈寶玉這種天外來客的本真狀態。

223

賈寶玉的兼愛，是情，又是德，更是一種慈悲人格。他的高貴、高尚、高潔舉世無雙，但他並不要求自己和他人淨化生命或聖化生命。在他的潛意識裏，大約明白，要求淨化生命就是剝奪慾望的權力與生活的權利。因此，當秦鐘與智能兒偷情被他「抓住」時，他沒有譴責，只是開一個善意的玩笑而已。品格高尚的賈寶玉是一個至善者，但不是一個道德家，更不是道德法庭的判決者。應當尊重聖人，可惜中國太多高唱「存天理、滅人欲」的聖人，太多道德裁判者。在這些裁判者的眼中，情愛有罪，慾望有罪，生活有罪，而開設宗教、政治、道德法庭，剝奪生的權利與愛的權利，卻沒有罪。

224

古希臘時代的藝術家對人的完美形體有一種衷心的迷戀，所以才創造出維納斯、大衛等千古不朽的雕塑。賈寶玉也有希臘藝術家的慧目與情結，他對人的完美體態也有一種癡情的迷戀，所以才為秦可卿、秦鐘姐弟而傾倒。但他全身心投入與全身心迷戀，實際上是完美形體與完美性情和諧為一的青春之美。林黛玉、晴雯、鴛鴦便是這種和諧的化身。因此，當鴛鴦隨同祖母的逝世而自殺時，他真正痛惜並為之痛哭的是青春之美的喪失。因為有愛入骨髓的迷戀，才有痛徹肺腑的悲傷。

225

莎士比亞筆下的哈姆雷特是宮廷王子，曹雪芹筆下的賈寶玉是貴族王子，兩者都有焦慮。哈姆雷特所焦慮的，一是復仇，二是重整乾坤。賈寶玉卻遠離這兩項焦慮，他從根本上不知復仇為何物，天生不知記恨與仇恨。他更沒有改造乾坤的念頭，完全拒絕「治國平天下」的立功立業抱負。但他也有高貴的焦慮，這就是個體生命為什麼屢遭摧殘？天大地大怎麼就保護不了那些弱小的美好生命？

晴雯被逐之後，寶玉發出痛徹肺腑的大提問：「我究竟不知道晴雯犯了什麼彌天大罪？」這是寶玉發自靈魂深淵的「天問」，也是曹雪芹在整部《紅樓夢》中的最根本的焦慮：一個美麗、善良、率真的女子，一個在貴族府第裏服侍主人、整天忙忙碌碌的生命，她沒有傷害任何人，也沒有向社會謀求任何權力與功名，更沒有貪贓枉法或擾亂人間秩序，卻招引出如此無端的敵視，以致被剝奪愛的權利與生的權利，偌大的世界不給她半點立足之所，這是為什麼？寶玉的天問，是對人類世界的質疑與抗議。可惜，他是一個比哈姆雷特更猶豫更沒有行動能力的貴冑子弟，連哈姆雷特身上的佩劍都沒有。

226 專制，與其說是制度，不如說是毒菌。中國男人身上佈滿這種毒菌，所以到處是專制人格。連反專制制度的戰士也帶着專制人格，於是一旦贏得權力，又是新一任暴君。甚至知識人與道德家也不例外，韓愈的文章寫得好，但他作為一個大儒，身上也有這種毒菌。佛教文化作為外來文化傳入中國，皇帝尚能接受，但他卻不能接受，刻意加以打擊排斥，比皇帝還專制。「五四」反舊道德，不得不拿韓愈開刀，因為他是文學家，又是道統專制者。曹雪芹塑造一個沒有任何專制毒菌的人格——賈寶玉人格。他是離專制最遠的靈河岸邊人，是連進入補天隊伍都沒有資格的大荒山人，是天生帶着天地青春氣息、黎明氣息的自然人。因此，哪怕對加害過他的趙姨娘，也從不說她一句壞話。寶玉疏遠趙姨娘和一些小人，是出於本能，不是仇恨。

227 老子說「大制不割」，大生命一定是完整的。人之美首先是完整美。即使形體有殘缺，但靈魂應是完整的。一旦戴上面具，哪怕半副面具，人格就會分裂。《三國演義》中的一些主要人物，如劉備、曹操、孫權、司馬懿，都是極善於戴面具的英雄或梟雄，都很會裝。裝得愈巧妙，成功率就愈高。連諸葛亮也戴面具，也很會裝，他哭周瑜就裝得特別像，其謀略是完整的，其人格是破碎的。《紅樓夢》中的主要人物賈寶玉和林黛玉，以及晴雯等，都是完整人、真實人，情愛雖失敗，但很美。

高級的文化是超越任何權力分割和世俗分類的文化。它高於政治文化與道德文化，對人不作政治分類與道德分類，因此，它才徹底地打破紅與黑的界限和尊卑、貴賤、內外等區別。《紅樓夢》正是這樣一種文化，它致力於對生命整體的把握，拒絕對生命進行權力分割與權力運作，拒絕割裂生命「大制」的任何理由。

228

《紅樓夢》不僅有詩的無比精彩，還有人的無比精彩。宇宙雖大，物種雖多，最美的畢竟是人。可惜人類中精彩者太少。古今中外，有哪部著作像《紅樓夢》彙集這麼多精彩生命而構成燦爛的星座。黛玉、寶玉、晴雯、湘雲、寶釵、妙玉、元春、探春等，哪一顆不輝煌，即使有黑點，哪一顆不燦爛。林黛玉之死，讓我們感到星辰殞落，山川減色；晴雯之死，讓我們感到人間已耗盡了幾個世紀真純的眼淚；尤三姐一劍自刎，又讓我們感到大地灑盡高貴的鮮血。在這些星光般的詩意生命之前，權力微不足道，財富微不足道，功名微不足道，賈赦等「世襲的蠢貨」更微不足道。

229 《三國演義》中的主要英雄，一個個都有治國平天下的抱負，一個個都覺得可以佔地為王、奪冠為帝，全是一些高調的生命存在；《水滸傳》中的英雄，也都覺得自己不僅武藝超群，而且都在替天行道，連沒有文化的李逵也口口聲聲要奪皇帝的「鳥位」，充滿豪言壯語，也全是高調的生命存在。唯有《紅樓夢》的賈寶玉是低調的生命存在。他沒有任何立功立德的宣言，也沒有改天換地的吶喊，更沒有拯救世界的妄念。他只想過自己喜歡過的生活，只希望生活得有尊嚴有詩意。他沒有任何先驗性的生活設計和預設性的反叛。他對傳統理念的一些非議與質疑，都是生命的自然要求，他的言行挑戰了舊秩序，但他並不是反封建的戰士。

230 無論是在屋裏與小丫鬟廝混，還是在家中與姐妹們戲笑，還是在詩社中與才女們比詩賽詩，或者在學堂裏打鬧，甚至在寺廟裏的一夜時光，賈寶玉都充分地享受生活；或者說，都活得很充分、很自在。似乎只有他，才真正了解青春的短暫，生命的一次性與片刻性，才真正了解應當熱烈擁抱當下，擁抱生活。但是，和薛蟠、賈璉等兄弟哥兒們不同，他又不安於世俗的快樂。在他的意識或潛意識裏，大約知道僅僅滿足於吃喝玩樂，不過是高級動物的生活。人的生活確實離不開這一面，但是，人也可以跳出這一面，可以跳出物質的牽制，可以跳出財富、功名、色慾的限制，儘管常常跳不遠或跳出後又跌落，但有跳出的意識，才有別於動物，才有另一種質的生活。寶玉既快樂又苦惱，那苦惱的一面便是想跳出又佈滿障礙。

231

第三十九回的回目叫做〈村姥姥是信口開合　情哥哥偏尋根究底〉，說的就是寶玉的認真勁。劉姥姥胡謅一個標緻姑娘在雪地裏抽柴的故事，還說祠堂裏為她塑了像。他聽了之後竟信以為真，按劉姥姥說的地點去找祠廟，想見見這個小姐，結果只見到一尊青臉紅髮的瘟神。賈寶玉沒有泛泛的戀情、泛泛的悲情，也沒有泛泛的世情。他有真切的情愛感、真切的友誼感、真切的生活感，而且還有真切的關懷。他知道泛泛之情，口蜜心疏，便是世故。

真的性情總是認真的，並非泛泛。哪怕對一個不熟悉的小丫鬟，哪怕只有一次偶然的相逢，他也不會敷衍。他知道敷衍便是作假。

232

林黛玉、薛寶釵、史湘雲、探春、李紈，還有賈寶玉，他們組織海棠社，作詩寫詩，都是為詩而詩，即只有詩的動機，沒有非詩的目的與企圖。這些詩人們寫詩全都如同春蠶吐絲，除了抽絲的本能之外，沒有非絲的絲外功夫。詩的動機及做詩進入非功利的遊戲狀態，這正是天才狀態，也正是康德所說的「不合目的的合目的的性」。海棠社的詩人們給後人留下啟迪：詩意生活和詩意寫作，最重要的是首先要有詩的動因。有詩的動因，有蠶的純粹，才有做詩的大快樂。

233 王熙鳳是《紅樓夢》世界裏的第一女強人。她的強是因為她具有男人性。第五十四回（〈史太君破陳腐舊套〉）特別穿插一個小情節，讓兩位女說書人講了一個金陵男生赴考遇佳人的故事，此生的名字也叫做「王熙鳳」。說故事時鳳姐也在場，但她並沒有不高興。強勢性格與超人才幹使她扮演雄性角色，這本無可非議，但他卻因此陷入男人的泥濁世界，相應地，便進入你爭我奪的絞肉機，絞殺別人，也絞殺自己。

在男人的泥濁世界裏，女子要佔上風，必定要比男人更用心機，因此，不可能用原心靈去生活，只能用尖嘴尖牙尖爪去拼搏。婚後她第一次變性，成了「死珠」（賈寶玉語），掌權後第二次變性，成了狼蛇。變性後的女強人比男強人更凶狠更惡毒，這是宿命。她的鐵爪殺死了賈瑞與尤二姐。所以瀟湘館鬧鬼時最害怕的是她——女強人在機關算盡之後變成最膽小的人，這也是宿命。

234 中國女人，尤其是中國的世俗女人，可以面對薛寶釵，但不敢面對林黛玉。薛寶釵世故，善於應付各種關係，又可以贏得賢慧的美名。面對她，不僅不會感到壓力，反而會感到欣慰。而林黛玉卻純粹真實得令人不安，尤其是她心靈巨大的文化含量和她背後深刻的精神性，更是靈魂水平的座標。面對她，等於面對魂的高尚，情的高潔，詩的高峰。面對她，不免要感到生命的蒼白、庸俗和生存技巧的醜陋。所謂「高處不勝寒」，在這裏也可以解釋為面對精神高山不免要產生羞愧感與恐懼感。

235

賈環為賭輸了錢而哭，作為兄長的寶玉如此教訓他：「大正月裏，哭什麼？這裏不好，到別處玩去，你天天唸書，倒唸糊塗了！譬如這件東西不好，橫豎哪一件好，就捨了這件取那件，難道你守着這件東西哭會子就好了不成。你原是要取樂兒，倒招的自己煩惱，還不去呢！」

禪講自性、自救，要緊的是自明，即不要自己陷入無謂的煩惱中。寶玉開導賈環，一席平常話，卻是至深的佛理禪理：世界那麼大，那麼廣闊，任你行走，任你選擇，條條大路通羅馬，這路不通那路通，南方不明北方明，沒有什麼力量能堵死你。天地的寬窄，道路的有無，完全取決於自己，人生的苦樂也取決於自己，煩惱都是自尋的。

236

賈寶玉作為「人」活在人間之後，一直帶有「天使」的特點（他本就是天使，隨身而銜着的寶玉就是物徵）。所以他不食人間煙火，不知天下大事，完全沒有人間生物的生存技巧和策略，也不懂得説那些人們滾瓜爛熟的謊話、大話、套話、廢話和髒話，更不知人們追逐的權力、財富、功名的重要。他唯一敏感的是生命之美與性情之美，是靈魂天空中那種種奇麗的、如同天外雲霞的景觀。更有意思的是，他有一種超人間的天賦價值尺度，這一尺度打破了世俗的等級之分，凡是生命，凡是美，他都一律尊重與欣賞。其他一切尊卑標準、成敗標準、得失標準全都進入不了他的眼睛與心胸。

237 賈寶玉厭惡任何關於仕途經濟、求取功名的勸戒，哪怕這種勸戒是最溫柔的聲音，是來自才貌雙全的少女薛寶釵之口。他不能容忍自己走到發着臭味酸味腐味的科舉場裏去鬼混，去在那裏裝模作樣地做着沒有靈氣的文章，然後又用這些文章去換取一頂無價值的烏紗帽。他比誰都清楚，這將導致生命在垃圾堆裏活埋的災難。這位來自靈河岸邊的貴族子弟，習慣呼吸大自然的清新空氣和少年生命的青春氣息，來到人間走一回，當然不會愚蠢地爭奪一頂八股編製而成的虛假桂冠。《紅樓夢》續作者最大的敗筆是讓寶玉走進了科場，還莫名其妙地中了舉。

238 《紅樓夢》第九回寫賈寶玉忽然上書房，其父賈政竟火上心頭，冷嘲熱諷起自己的兒子：「你再提『上學』兩個字，連我也羞死了。依我的話，你竟頑你的去是正經。看仔細站腌臢了我這個地，靠腌臢了我這個門。」說得很絕，罵得很尖刻徹底。

賈寶玉有善根、有慧根、有靈性、有悟性，既聰明又善良，什麼問題都沒有。但在賈政看來，他的問題很大很嚴重。只知詩詞，不知文章，只重自由，不愛事功，完全沒有豪門遺風。因此不僅處處看不順眼，而且還把他往絕處罵，往死裏打。賈寶玉，一向與世無爭，與國無涉，與人無傷，但變成巨大的「問題人物」，難以生存。明明是人類精英，在一部分人眼裏，卻是廢物蠢物，這正是人類社會的一種巨大荒誕現象。

239

孔子喜歡「剛毅木訥」性格的人（如顏回），而不喜歡「巧言令色」之徒。然而，「剛毅」與「木訥」二者兼而有之卻不容易。《紅樓夢》中的迎春十分木訥，可是剛毅全無，結果成了賈府第一懦弱者。而探春卻剛毅有餘而木訥不足。她是興利除弊的幹才，鋒芒畢露，但也未免過於精細，性情中缺少一點必要的「混沌」。惜春貌似剛毅木訥，可是她的木訥不是憨厚，而是冷漠。賈府中人物數百，真正能稱得上剛毅木訥者的，只有賈寶玉一人。他木訥得讓人稱作呆子，自始至終不失憨厚。而他的剛毅不是形剛而是神剛，其絕對不入國賊祿鬼之流的人生信念植根於心底，一點也不動搖，但因為形態太柔，常被人誤解，以為他是個弱者。

240

任何典籍經書，都是人寫的，而不是神作的。即使是佛經、《聖經》也是人寫的。把釋迦基督的原始話語變成人的紀錄，這中間至少要削弱原創思想的一半；而從紀錄到整理成籍，又可能再丟失其半；再從印度傳到中國，從梵文譯成中文，其原意又可能再減其半。所以讀經典，無須尋章摘句，只要捕捉典籍的基本信息。因此禪不僅要破我執，去我相，而且要破法執，去法相，掃法塵。賈寶玉厭惡經書教條，其實是天然地拒絕法執，把八股文章、陳腐説教視為遮蔽心性的法塵。第八十一回寶玉對黛玉説：「還提什麼念書，我最厭惡這些道學語。更可笑的是八股文章，拿他誑功名混飯吃也罷了，還要説代聖賢立言，好些的不過拿些經書湊搭還罷了，還有一種更可笑的，肚子裏原沒有什麼東西，東扯西扯，弄得牛鬼蛇神，還自以為博奧，這哪裏是闡發聖賢的道理？」寶玉在他「看破紅塵」之前，就「看破法塵」。讀書能看破書塵法塵，才算真能讀書。

241

在大觀園裏負責買辦花草、年已十八歲的賈芸，是個乖覺的伶俐人。比他小四五歲的寶玉，見到他長得出挑，就説了句「倒像我兒子」的笑話，賈芸敏鋭地抓住這句話順杆而爬，居然要拜認寶玉為乾爹。為了往豪門門縫裏鑽，竟如此縮小自己與矮化自己。對於賈芸這種行徑，常人只會覺得噁心。寶玉也知道他的心思，雖未應允，但也不傷害賈芸，只説「閒着只管來找我」。此時寶玉本可以嘔吐訓斥，本可以得意揚揚，但他卻以平常心看待這一世相。不驚也不喜，不寵也不拒，既不引為親信，也不踢上一腳。沒有眾生相，也沒有貴族相，只有大悲憫之心。菩薩難當，便是面對君子容易，面對小人（遠小人）很難。賈寶玉的慈悲人格是理解一切人性弱點的菩薩心腸。

242 寶玉的困境可視為現代基督、現代釋迦的困境。他擁有絕對的善，善根慧根植於內心最深處，卻被視為禍根。他愛父親，但父親不愛他；他愛兄弟，但兄弟（賈環等）不愛他；他愛作為奴隸的少女們（丫鬟），但被他所愛的都跟着倒霉；他沒有任何邪念，但被視為色鬼淫人。至善被視為「孽障」，至慧被視為「呆子」，至情被視為「至淫」。如果有十字架，首先想把他送上十字架的是他的父親、兄弟和姨娘。他誰也不得罪，卻無端得罪許多人。他在晴雯被逐後，發出「晴雯到底犯了什麼滔天大罪」這一悲天之問，那也是他自己心靈困境的吶喊。

當今世界縱橫複雜的人際關係，被更加膨脹的慾望變成無所不在的絞刑十字架，想關懷人間的現代基督，一旦進入關係網絡，不僅救不了他人，反而會變成他人眼中的孽障和絞殺的對象。這就是現代基督的困境。

243 賈寶玉到地球上來一回，對人間滿意不滿意？如果返回青埂峰下靈河岸邊，如果讓他再來人間走一回，肯不肯？實際他已作了回答。第三十六回中，他說：「自此不再託生為人了。死了隨風化去，了無痕跡，死時只求有些女人的眼淚的送別。」

黛玉去世前，賈寶玉就決定不再託生，更不必說黛玉去世之後。到「地球」來一回，對於寶玉來說，也許正是到「地獄」來一回。地獄中固然有少女們呈現的天堂之光，讓他享受了生活，但他也看到，這個人間，豪門不得安生（他親眼看到父母府第裏一個接一個的死亡），寒門不得安生（他到過晴雯家，連那個嫂嫂也使他害怕），佛門不得安生（妙玉的下場就是鐵證），還有那個讓人嚮往讓人削尖腦殼往裏鑽的宮廷大門，也不得安生（元春就説那不是人的去處）。地球雖大，但安生無門。原來，這個有山有水的大地並非門門通向天堂，而是門門為地獄敞開。

244 寶玉隨祖母到寧國府，在秦可卿臥室裏，於唐伯虎《海棠春睡圖》畫下眼餳骨軟，入睡入夢。這是《紅樓夢》的夢中之夢，可謂大夢中的小夢，但又是極重要的夢。在夢中寶玉見到警幻仙境。寶玉和秦可卿這一節情事，在俗人眼裏簡直是不堪的偷情。但在曹雪芹筆下，卻寫成寶玉邂逅仙子，詩意綿綿，有如曹子建的《洛神賦》，是詩人與女神的邂逅。這裏除了具有想像力之外，在審美形式上又是化腐朽為神奇，化俗為雅，以最典雅的筆觸去駕馭最世俗的情節。無論讀者如何好奇地猜想世俗場景，也無法破壞這幅生命相逢的至美圖畫。這幅圖景，不宜用「心比天高」去描述，卻可用「情如天高」去形容，是《紅樓夢》情感宇宙化的一個極好例證。

245 在賈寶玉的主體感覺中，宇宙的存在只是為了滿足人類愛美的天性，而少女的存在，即宇宙精華的存在，又只是為了確認美的真實和滿足他愛美的眼睛。

於是，太虛幻境、大觀園便是他的宇宙，他的審美共和國。黛玉、寶釵、晴雯、湘雲等女子就是他的星空、黎明與雲彩。他生來沒有世俗的焦慮，唯一焦慮只是星空的崩塌，黎明的消失，雲霞的潰散。因此，每一個少女、每一個姐妹的死亡出嫁都會讓他傷心至極，不知所措。他的癡情，既是細微的人間之情，又是博大的宇宙天性；他的審美觀，既是生命觀，又是宇宙觀。

246

寶玉和妙玉都是人之極品。但寶玉比妙玉更可愛，這是因為妙玉身為極品而有極品相，而寶玉雖為極品卻無極品相。妙玉雲空而具空相，寶玉言空而無空相。一有一無，一個有佛的姿態而無佛的情懷，一個有佛的情懷而無佛的姿態，境界全然不同。

妙玉與黛玉都氣質非凡，都脱俗。不同的是黛玉脱俗而自然，而妙玉雖脱俗卻又脱自然，言語行為都有些造作。因此，她雖在庵中修道，卻不如黛玉未修而得道。「率性謂之道」，果然不假，真正得道的還是率性的黛玉，而不是善作極品姿態的妙玉。

247

《紅樓夢》中的少男少女，多數是「熱人」，極少「冷人」。其中第一號熱心人當然是賈寶玉，而薛寶釵卻被視為「冷人」（第一百一十五回）。其實，她的骨子裏是熱的，內心是熱的，但她竭力掩蓋熱，竭力壓抑熱，只好常吃「冷香丸」。林黛玉也吃藥，但絕對不會吞服冷香丸，即便心灰意冷，也掩蓋不住身內的熱腸憂思。黛玉任性而亡是悲劇，寶釵壓抑性情而冷化自己也是悲劇，甚至是更深的悲劇。《紅樓夢》中真正可稱為「冷人」的，恐怕只有「惜春」。她過早看破紅塵，過早在自己心中設置防線。尤氏稱她：「可知你是個心冷口冷心狠意狠的人」，她也不否認，只回答說：「不作狠心人，難得自了漢。」如果說，薛寶釵是「裝冷」，那麼，惜春倒是「真冷」，徹頭徹尾、徹裏徹外的冷。所以她的心，只有煙塵，只有灰燼，沒有光焰，沒有和暖氣息。而薛寶釵雖然有時也冒出煙塵與灰燼，但畢竟還有冷香丸控制不住的生命亮光，所以才能「任是無情也動人」。

248

林黛玉與王熙鳳都是極端聰明的人，但林黛玉的聰明呈現為智慧，而王熙鳳的聰明則呈現為機謀（「機關算盡」）。如果說王熙鳳兼得三才：幫忙、幫閒、幫凶；那麼，林黛玉則兼有三絕：學問、思想、文采；也可說是史、思、詩三者兼備。王熙鳳沒有學問，也無文采，一輩子就寫過一句詩（「昨夜北風起」）。至於思想，更是了無蹤影。心機、主意、權術等雖多思慮，卻非思想。要是讓她與林黛玉談歷史、談禪、談詩，她只能是一個白癡。所以儘管機關算盡、聰明絕頂，處處盛氣凌人，卻不敢面對林黛玉豐富無比的內心。林黛玉是大觀園詩國裏的首席詩人，文采第一，而其學問，與「通人」薛寶釵不相上下。寶釵特別擅長於畫，黛玉則特上她性情上的癡絕，便構成最美最深邃的生命景觀。

別擅長於琴。至於思想，其深度則無人可及，也不是寶釵可及的。有此三絕，再加

249

探春是寶玉姐妹中最有才幹的人，但寶玉對探春的「改革」（整頓大觀園）卻頗有微詞。他說：「這園子也分了人管，如今多掐一草也不能了。又觸了幾件事，單拿我和鳳姐姐作筏子禁別人。最是心裏有算計的人，豈只乖而已。」（第六十二回）寶玉極少發泄不滿，這裏的不滿是美和功利的衝突。探春只想到花草的「經濟價值」，想到稱斤論兩賣園裏的花草可以賺錢。寶玉則把花草視為「美」，視為可以觀賞之物。一個想到「利」，一個想到「美」。所謂「美」，乃是超功利，難怪寶玉要批評探春了。寶玉與探春的區別是他完全沒有探春式的算計性思維，或者說，「算計」二字是寶玉最大的闕如。他一輩子都不開竅，便是一輩子都不知「算計」，一輩子都不知何為「吃虧」，何為「便宜」，何為「合算不合算」，難怪聰明人要稱他為「呆子」、「傻子」。探春要稱他為「鹵人」（第八十一回）。但是，不可以對春玉之爭作善惡、是非、好壞的價值判斷，不能說探春「不對」，因為她要持家齊家，肩上有責任，而寶玉則純粹是「富貴閒人」。不過，文學藝術世界天然是屬於賈寶玉的。這個世界是心靈活動的世界，它不追求功利，只審視功利。

250

儘管寶玉與探春性情有很大差別，儘管寶玉也知道探春的缺點，但是探春遠嫁時，他還是傷心傷情，大哭一場。第一百回寫道：「忽然聽見襲人和寶釵那裏講究探春出嫁之事，寶玉聽了，啊呀的一聲，哭倒在炕上。唬得寶釵襲人都來扶起說：『怎麼了？』寶玉早哭的說不出來，定了一回子神，說道：『這日子過不得了，我姐妹們都一個一個散了！林妹妹是成了仙了。大姐姐已經死了，這也罷了，沒天天在一塊。二姐姐呢，碰着了一個混帳不堪的東西。三妹妹又要遠嫁，總不得見的了。史妹妹又不知要到哪裏去。薛妹妹是有了人家的。這些姐姐妹妹，難道一個都不留在家裏，單留我做什麼。』」在寶玉的情感系統裏，戀情大於親情，但兩者都是真的。戀情是真的，親情也是真的。秦可卿、晴雯、鴛鴦之死讓他痛哭，姐姐妹妹的分別也讓他痛哭。寶玉的人性是最完整的人性。連悲情也很完整。有真性情難，有完整的真性情更難。賈寶玉既不仕，也不隱，沒有中國傳統男人的生存目的和人生框架。情、生命個體的存在與快樂，就是他的目的，他的框架。他厭惡「仕途」，反感儒家意識形態，但傷別探春的親情，骨子裏卻是儒家深層的心理態度。賈寶玉非常特別，所以無論是儒是易是道還是釋，哪一家文化理念都不能完全涵蓋他。

251

王熙鳳與妙玉相比，精神氣質差異很大。王熙鳳可以成為秦可卿的知己，卻很難成為妙玉的知己。一個是俗世界的頂尖人物，一個是雅世界的雲端人物。在精神層面上，妙玉自然要比王熙鳳高尚高貴得多。但是，在人性底層，其複雜多姿卻不是雅俗二字可以概括的。俗人也往往有雅人所不及之處，這不是指王熙鳳比妙玉能幹百倍千倍，而是說，即使在心靈層面，王熙鳳也並非一無可取，例如對社會底層的鄉村老太太劉姥姥，就沒有淨染之辯，沒有勢利之心。她熱情地確認這門窮親戚，並引見給賈母。而妙玉卻從心底裏把這個農家老婦視為髒人。她對賈母那麼殷勤，卻把劉姥姥喝過的杯子視為髒物，立即扔掉。清高中不免顯得勢利。可見，王熙鳳的人性底層並不全黑，妙玉並不全白。人的豐富往往在這種細部上顯現。對待劉姥姥一事，令人反感的不是王熙鳳，而是人之極品妙玉。

252 一個心愛生命的死亡，對另一個生命造成的打擊是如何沉重，用語言很難表達。晴雯之死，對賈寶玉的打擊何等沉重，難以表達。賈寶玉儘管寫出《芙蓉女兒誄》，也只能表達傷痛之萬一。語言很難抵達終極的真實，也很難抵達情感最後的真實，所以林黛玉才說「無立足境，方是乾淨」。對於林黛玉的死亡，賈寶玉就無法再用語言表達了。高鶚沒有讓寶玉寫輓歌是聰明的選擇。此時的至哀至痛只有無言才是至言。只有「無」才能抵達「有」的最深處，或者說，只有無聲的行為語言才是表達傷痛的最深邃語言。賈寶玉最後的出走，是比《芙蓉女兒誄》更深更重的哀輓。正如他第一次見到林黛玉時，便認定為靈魂早已相逢，至情無法言傳，只有把與生俱來的玉石砸在地上，以此行為語言表達自己與黛玉無分無別。行為語言是「無」，又是「大有」。

253 寶玉有一種特別的記憶，其「忘」與「不忘」皆不同凡俗。他被父親打得頭破血流，幾乎置於死地，但沒有怨恨，依然孝順父母，至死不忘父母之恩之情。最後離家出走，還不忘在雲空中對父母深深鞠了一躬。

「恩」不可忘，「怨」卻不可不忘。這是寶玉的記憶特點。人生坎坎坷坷，恩恩怨怨，腦中的黏液只有黏住美好情感的功能，沒有黏住仇恨的功能，這是寶玉的記性與忘性。有這種記憶特性，才有大愛與大慈悲，也才有內心的大空曠與大遼闊。

254 寶玉敬重黛玉，把她視為先知先覺者，所以黛玉悟道所及之處他雖尚未抵達，卻不會因此而抱愧。第二十二回寶玉回答不了黛玉的問題後獨自沉思：「原來他們比我的知覺在先，尚未解悟，我如今何必自尋煩惱。」黛玉問他：「寶玉，至寶者是『寶』，至堅者是玉。爾有何貴？爾有何堅？」寶玉答不出來，黛玉只開玩笑，並不替寶玉回答，但她以自己有始有終的愛情和人生證明自己是至貴者與至堅者。她比寶玉不幸，但比寶玉更高貴更有力量。她的行為語言回答了人的至貴至堅並非來自門第，也非來自財富、功名、權力，而是來自心靈的自我徹悟，即自貴自堅。高貴與否完全取決於自身。是貴是賤，操之在我；為玉為泥，也操之在我。在賈府裏，最高貴最有力量的人並非貴族王夫人、薛姨媽等，而是女奴隸晴雯與鴛鴦，她們正是寶玉心目中的「寶玉」。晴雯、鴛鴦等卑賤者最終變成至貴至堅者，也是取決於她們自己。

255

賈寶玉與林黛玉都是率性之人。「率性謂之道」，他們無師自通而活在道中，便是由於率性。一旦率性，便無面具、無心術、無媚俗之心。可是，與他朝夕相處的襲人卻如此勸說寶玉：「……第二件，你真喜歡讀書也罷，假喜也罷，只是在老爺跟前，你別只管批駁消謗，只做出個喜讀書的樣子來，也教老爺少生些氣，在人前也好說嘴。」（第十回）襲人居然勸寶玉要學會偽裝，她知道情意很重的寶玉捨不得她贖身返家，便要求他答應三點要求，其中「做樣子」的一項，對於一個赤子是最難的。做樣子，裝扮出另一副面孔，便是心術，便是俗氣。錢鍾書先生在〈論俗氣〉一文中說，愚陋不是俗，呆板不是俗，愚陋而裝聰明，呆板而裝伶俐才是俗。晴雯與襲人都「身為下賤」，但晴雯不會裝，所以高貴；襲人會裝，還教寶玉裝，所以庸俗。襲人因為有「術」的堵塞，便永遠無法悟道入道，永遠是個不知不覺者。但人間的荒誕現象之一，是不覺不悟者總要教導大徹大悟者，或者說，是小聰明總要指揮大智慧。

256

賈寶玉作為貴族社會的「富貴人」與「中心人」，卻和薛蟠、蔣玉菡、馮紫英等「俗人」、「邊緣人」及錦香院妓女雲兒一起在馮家聚會飲酒作曲，他居然還當令官。酒後情慾翻動，薛蟠唱的又俗又「黃」：「女兒悲，嫁了個男人是烏龜；女兒愁，繡房竄出個大馬猴。」眾人都要罰他酒，但寶玉笑道：「押韻就好。」比誰都寬容「開放」。他自己唱的：「女兒悲，青春已大守空閨。女兒愁，悔教夫婿覓封侯。女兒喜，對鏡晨裝顏色美。女兒樂，鞦韆架上春衫薄。」俗中透雅，有分有寸，毫無狎邪氣味。身為貴族公子，豪門後裔，卻沒有架子，自然而然地和三教九流交朋友，而且非常真誠。更寶貴的是戲笑作樂中，並不胡作非為，寫詩作詞也守持心靈原則。寶玉這番表現，正符合嵇康所說的「外不殊俗，內不失正」。他尊重一切人，包括妓女與大俗人。寶玉的行為語言正好說明：慈悲沒有邊界。

257 賈、林的情愛因為太深太重，所以言詞無法把握，兩人一談就吵就鬧就崩就落淚。面對「愛」這種異常豐富的現實存在物，概念註定沒有力量，語言註定無法抵達它的深淵。禪宗的不立文字（放下概念）和以心傳心的方法，的確是最聰明的方法。面對宇宙整體，面對心靈整體，尤其是面對戀情這種無形的整體，愈是急於把握，急於表達，就離真實愈遠，離本然愈遠，其宿命總是誤解與爭吵不休。「愛」與「道」一樣，只能模糊把握，難以明確把握，正如道不可名不可言說，「愛」也無法訴諸分析與邏輯。關於愛的誓言與許諾往往都離性情的核心很遠而變成空話，其原因也許就在這裏。

258 林黛玉雖有智慧，卻沒有起碼的生活常識。她活在世俗社會中卻完全不知道怎樣活法。作為一種特殊的生命，她面對生活的唯一觸角，是心靈。除了心靈功能之外，似乎沒有別的功能，連頭腦的功能也沒有。她好像是一個不必用腦的詩人，寫詩做詩只憑心靈直覺一揮而就，對外部事件的反應也只憑心性「一觸即跳」。她的心靈之精緻，舉世無雙，但只有心思、心緒、心境，完全沒有心機、心術和心計。她的任情任性耍脾氣發脾氣，也只是心靈的自我煎熬和自我掙扎，並非算計他人的心術。對於《紅樓夢》人物，理解林黛玉最難。林黛玉所呈現的《紅樓夢》之道，乃是無謀、無術、無生存技巧的生命大道。

259

在偌大賈府的上上下下，除了賈母特別憐愛之外，林黛玉幾乎是貴族府第的異端。多數人不喜歡她。她的超群才情，詩國裏的眾詩人是知道的，但是她的無比高潔深邃的心靈，卻只有寶玉一人能夠理解。她不像寶釵那樣會做人，那樣善於遊走於人際之間，林黛玉從根本上就不懂「做人」，不管是在意識層面還是潛意識層面，她都全然沒有做人的技巧和策略。她是一個只能在天際星際山際水際中生活，而不宜於在人際中生活的生命，從根本上不適合於生活在人間。她到世間，是為情（還淚）而來，為情而生，為情而抽絲（詩），為情而投入全部身心，唯有她，才是真正的徹頭徹尾、徹裏徹外的孤獨者。

260

在潛意識層，林黛玉的鄉愁，是重返三生石畔「伊甸園」的鄉愁，是絳珠仙草與神瑛侍者獨往獨來的記憶。她嚮往的「潔」，是伊甸園時代的無為無爭與無垢，是只飲甘霖露水不食人間煙火的高潔高高潔。西方的《聖經》沒有亞當、夏娃「返回伊甸園」的情節與經驗，只有荷馬史詩之一的《奧德賽》告訴人們，回歸原始家園是一個非常艱難的過程，需要戰勝各種誘惑與恐懼的旅程。林黛玉的回歸，也是內心的憂鬱與煎熬。最後她放下世俗世界的一切，包括她的詩稿——連最後一點世俗的立足之境也還給人間，做到「質本潔來還潔去」。

261 林黛玉給賈寶玉一種最根本的幫助，就是幫助寶玉持守生命的本真狀態。她是寶玉的人生嚮導，也是守護女神。守護的是寶玉的自然生命。如果沒有林黛玉而只有薛寶釵，如果發生影響的只有後者，那麼，寶玉可能會丟失那份從天外帶來的天真與「混沌」，進入常人秩序的編排邏輯之中，變成只會說「酸話」的「甄寶玉」。石頭不是鋼鐵，它是脆弱的，它可能變成玉，也可能化成泥。賈寶玉顯然感受到林黛玉的內心呼喚，所以格外敬重她。

幫助乃是互動。賈寶玉也給林黛玉許多啟迪。他確認所有的人都有一份尊嚴，應當無條件地尊重這種尊嚴。不僅人才天才有尊嚴，非人才非天才也應有尊嚴；不僅詩人有尊嚴，非詩人也應有尊嚴。他崇敬黛玉，但也不薄寶釵和其他小女子，態度有別而尊重不二，這正是寶玉人格。

262 魯迅先生評《紅》時說：「悲涼之霧，遍被華林，然呼吸而領會者，獨寶玉而已」。這一界說，就感知黑暗和罪責承擔來說，確乎如此。賈府中沒有別人能像寶玉那樣（包括林黛玉）感受到那麼多死亡的痛苦，承擔那麼多好女子毀滅的罪責。所有死去的那些女子，從秦可卿到晴雯、鴛鴦，都是他生命的一角。然而，就「悲涼」而言，真正感到人間的大悲涼的是林黛玉。她父母雙亡，寄人籬下，身世本就悲涼，加上她的心思高到極點，情愛深到極點，卻沒有人能夠了解，除了賈寶玉，幾乎所有的人都把她視為異端怪種。但又是寶玉這個知己，最後在婚事中讓她走向更深的絕境。她既是「癡絕」，也是「孤絕」；既是「悲絕」，又是「涼絕」。其《葬花詞》正是悲涼的絕唱。唯有她，才最深地體驗到人間的寒冷與悲涼。

263 妙玉在《紅樓夢》眾女子中氣質非凡，沒有任何罪、任何「問題」，只想過自己願意過的生活，她雖然過於清高，但沒有侵略性，進攻性。但這樣一個知識女子，卻被社會所不容，隱居在隴翠庵裏仍不安寧，最後還是被盜賊所摧殘。她受難之後，與她素不來往的賈環拍手稱快，幸災樂禍，也折射了社會對她的不容。妙玉到底犯了什麼罪？她犯的是魯迅所說的那種莫須有的「可惡罪」、「可厭罪」、「特異個性罪」、「不入俗罪」。獲此罪者，無可辯解，無處哭訴，只能默默承受。許多獨立的知識人被權貴所不容、被社會所不容、被身處的時代所不容，犯的正是妙玉似的無名之罪。

264 探春的親生母親是趙姨娘，並非王夫人，因此她的親舅舅是趙國基，並非擔任高官的王子騰。可是，當趙姨娘讓她去禮待親舅舅時，她卻大哭大鬧，顛倒親緣：「誰是我舅舅？我舅舅年下才升了九省檢點，那裏又跑出一個舅舅來？我倒素習按理尊敬，越發敬出這些親戚來了。」（第七十三回）只認王舅舅，不認親舅舅，趙姨娘固然是混帳東西，但畢竟是自己的親娘。親娘親舅是天鑄的事實，事實總歸是事實，王子騰雖然身居高位，但不能因此就否認趙國基是自己的親舅舅。這種顛倒太悖情理也太勢利。連趙姨娘也說她：「你只顧討太太的疼，就把我們忘了」，「如今沒有羽毛，就忘了根本。只揀高枝飛了。」真說對了，我們不可因人廢言，包括趙姨娘之言。像探春這種性情，寶玉絕對不會有，儘管趙姨娘加害過他，但他從不說一句姨娘的壞話。翻遍全書，也找不到一句對趙姨娘的微詞。寶玉與探春，不僅有性情之別，還有心靈之別。

265 老年人像孩子，內心守持一片天真天籟，顯得可愛。反之，如果少男少女活像老人，內心一片枯枝冷葉，則顯得可怕。《紅樓夢》中的惜春，就是太少年老成，身內身外均有一種可怕的成熟，尤其是那種珍惜自己羽毛的精明老練，更讓人害怕。尤氏和她爭論一場後又氣又好笑，因向眾人道：「難怪人人都說這四丫頭年輕糊塗，我只不信。你們聽剛才一篇話，無原無故，又不知好歹，又沒個輕重。雖然是小孩子的話，卻又能寒人的心。」眾嬤嬤笑道：「姑娘年輕，奶奶自然要吃些虧的。」惜春冷笑承認道：「我雖年輕，這話卻不年輕。」一個年輕少女，卻言語老氣，心思老成，應對老道，的確很不可愛。在賈府貴族女子中，惜春是一個心理年齡最老的人，她的祖母（賈母史太君）在她面前，顯然年青得多。這種世故少女，在西方現代文學中也有。納博哥夫（Nabokov）筆下的洛麗塔就是著名的一個。這個年僅十二歲的姑娘，老練得驚人，心理年齡比她的五十多歲的情人亨伯特老得多，因此也圓滑得多。納博哥夫似乎在警告美國：你雖年輕，但太實用主義，當心你會喪失從歐洲帶來的天真浪漫。洛麗塔雖世故，卻還有一股小巫似的情慾，而惜春卻完全是個冷人。少女過早衰老的青春，讓着雪芹惋惜嘆惜，所以給她命名為「惜春」。

266

紫鵑對賈寶玉總是冷冷的，有所防患，刻意不讓寶玉靠近。她把身心全部投給黛玉，寶玉也知道她是黛玉的知己與投影，因此，紫鵑的態度與話語總是強烈地刺激着他。第五十七回，紫鵑本意是想試探寶玉對黛玉的情感，但說得太絕，便引起寶玉的大悲傷。紫鵑說：「姑娘……大了該出閣時，自然要送還林家的，終不成林家女兒在你賈家一世不成？……所以早則明年春，遲則秋天，這裏縱不送去，林家必有人來接的了。前日夜裏姑娘和我說了，叫我告訴你，將從前小時玩的東西，有他送你的，叫你都打點出來還他！他也將你送他的打點在那裏呢。」這麼一說，寶玉便發呆不知所措了。給寶玉最大的打擊，也是最大的挫傷，並非是父親無情的棍棒，而是晴雯這些知己的失落，是黛玉對他的冷遇，是紫鵑的一聲「別靠近」的警告。寶玉這種特殊的挫折感，可引伸出政客與詩人的基本分別：對於政客，被敵人打敗最傷面子；對於詩人，被朋友知己遺棄，最傷自尊。屈原的《離騷》那麼傷感，正因他是被兄弟所拋棄（他把楚懷王視為兄弟），而不是被敵人所打擊。

267 《紅樓夢》描寫隆重的葬禮，但從不寫隆重的婚禮。按照寶玉的人生觀，女人出嫁並非好事，這是女子從淨水世界走到泥濁世界的開始，也是生命敗謝的開端。寶玉說：「（女子）嫁了人，不知怎麼就變出許多的不好的毛病來，雖是顆珠子，卻沒有光彩寶色，是顆死珠了。」（第五十九回）

曹雪芹有幾次描寫婚禮的機會，迎春出嫁、探春出嫁、湘雲出嫁、寶琴出嫁等，但他都不寫。如果寫起來，寶玉又會有另一番傷感，在他的潛意識世界裏，這是少女從此喪失本真狀態，其心底的大悲憫，語言很難表述。青春永在，少女永存（不要出嫁），是《紅樓夢》諸夢中最深的癡夢。在此夢裏，包含着曹雪芹一種非常清醒的大思想：中國少女一旦出嫁，勢必進入嚴酷的倫理系統，勢必喪失個體生命的獨立自由而成為男人的附屬品。即使丈夫憐愛，嚴酷的公婆也會剝奪其青春的活力。西方的女子出嫁後命運不同，獨立性未必喪失，所以她們大約不會對曹雪芹的「死珠論」產生共鳴。

268 兩百年前，曹雪芹就通過《紅樓夢》唱出《好了歌》——人間爭奪權力、財富、功名的荒誕歌，就道破人類不知停止的貪婪慾望，就說出了那麼深刻的貧富懸殊的不公平。也就是說，在兩百年前，曹雪芹對世界的認識和對人性底層的認識就如此深刻。這真是奇跡。《好了歌》的時代至今沒有結束，歌中所指出的荒誕戲劇不僅沒有完了，而且愈演愈烈。人們愈「好」，愈不知「了」。愈是擁有權勢財勢，慾望就燒得愈旺。《紅樓夢》既是生命的輓歌，又是人類末日的序曲。

賈寶玉作為貴族子弟，他的特別處正是看穿「世人」所追求的一切（金銀、嬌妻、功名等）並不高貴。《紅樓夢》的基調不是「憂國」，也不是「憂世」，而是憂生，和《桃花扇》、《水滸傳》、《三國演義》的基調全然不同。憂世是家國群體關懷，憂生則是個體生命關懷。《好了歌》是憂生歌。正方向憂的是「好」——女子、女兒這些詩情生命太易「了」；負方向憂的是「好」——色相、色慾這些慾求妄念太難「了」。

269 在基督的眼中，世界並不是「太虛幻境」，而是上帝創造的實在；人生也並非「太虛幻境」，而是上帝安排的實在。在釋迦（佛家）的眼中，世界與人生倒是太虛幻境，沒有實在性。《紅樓夢》受佛教的思想影響很深，整部小說都在暗示：無論是大觀園內或大觀園外，都是真太虛，沒有實在性。一切如夢如幻，轉瞬即逝。權力是太虛，財富是太虛，功名是太虛。但是，來到人間的過客們（寶玉、黛玉等）卻也發現詩國，發現淨水世界。世界中的眼淚，人間中的真情誼，又非虛非假。倘若全是假，全是太虛，為什麼又要思念它、呈現它、描述它。曹雪芹畢竟是人，不是佛，他的內心有矛盾、有彷徨、有解不開的世界之謎和人生之謎。真真假假，虛虛實實。《紅樓夢》即便是人文科學著作，也無法提供世界與人生最後的謎底。

270

柳湘蓮在尤三姐拔劍自刎後，知道自己犯了致命的錯誤。在江津渡口上，他遇到道士，便仰首問道：「此係何方，仙師何歸？」道士笑道：「連我不知此係何方，我係何人，不過暫來歇腳而已。」這番話，令柳湘蓮大徹大悟，他拔出劍來，斬斷煩絲，隨道士遠行。

道士所說的話，可視為曹雪芹人生觀的要義：人到地球走一回只是到地球上歇腳而已，用現代學術語言表述，人生只是一種暫時性存在，瞬間性存在，過客性存在。確認這種存在形態之後，「我是何人」即扮演何種世俗角色便不重要。道士的話啟迪我們：角色的意義並非人生的意義，「我是誰」的問題不可由世俗的理念和編碼來規範與確定。大道士也不可能用他者的命名來界定自己。他的回答便是角色的空化無化。曹雪芹也是經歷了世俗角色的空化才能創作出《紅樓夢》之無上境界。

莎士比亞筆下的奧賽羅，他一旦發現自己誤殺妻子，便立即拔劍飲恨自刎。西方許多「大丈夫」和貴族王侯，可以寬恕別人，但不能寬恕自己。中國的士大夫甚至普通百姓，似乎正相反，總是能寬恕自己，但不能寬恕別人，「恕道」只歸自己。但《紅樓夢》中的柳湘蓮，他發現自己誤解了尤三姐之後，也不能原諒自己。他斷髮出家，了結情緣，固然受到道士的啟迪，但也因為無法寬恕自己。巴金在《隨想錄》中說他曾經寫過文章批判胡風，此事別人可以原諒自己，但自己無法原諒自己。能正視自己的錯誤與罪責，才有生的嚴肅，情的真摯。

271 《風月寶鑒》暗示：軀殼再美也要化作骷髏。色是暫時的、虛幻的、表像的。人死後什麼也沒有，唯「無」是真的，唯活着時所感悟的宇宙本體是真的，唯太初的單純是真的。還有，「骷髏」也是真的。

肉體變成骷髏，看得見；靈魂變成骷髏，看不見。人們常說：人死了，靈魂還在。以為這是正題。其實反題更真實、更普遍：靈魂先變成骷髏而後才是肉體變成骷髏。即神死先於形死，心死先於肉死。拼命追求王熙鳳的賈瑞，在《風月寶鑒》面前，不知骷髏的暗示，終於無法自明與自救，死得很慘。薛蟠、賈環、賈蓉、賈赦等「行屍走肉」者，其肉還在，其靈早已成了骷髏，只是他們不可能意識到這一層。骷髏是「此在」的參照系，《寶鑒》中有這一面在，我們才知道另一面——色的真相。活人如果明瞭骷髏的真實，存在的清明意識就會產生。

272 禪的棒喝痛打的首先是教條主義，是經院哲學，是種種對本本和權威的執着。它的思想方式是避開語言概念直達心靈的一種方式。胡塞爾的現象學也是懸擱概念而探究事物本相的方式。人的心性很容易被概念所遮蔽所覆蓋，知識愈多，遮蔽層與覆蓋層愈厚。二十世紀的讀書人紛紛變成概念生物，也是因為在概念的包圍中迷失與變異，賈寶玉喜歡詩詞而不喜歡經濟文章，乃是拒絕天性被概念所覆蓋所抹煞。這也說明，禪已進入寶玉生命，他不僅破了我執（完全沒有貴族子弟相），而且破了法執，沒有被經濟文章的正統法規所掌握。「至人無法，非無法也。無法而法，乃為至法」。寶玉可算是領悟到生命至法的至人。

273 東西尋求，內外尋覓，求道覓道。到底道在哪裏？我喜歡莊子的回答：「道在瓦罐瓶杓中。」面對瓦罐瓶杓尚可悟道，更何況面對碧空之廣、滄海之闊、宇宙之渺遠。處處有道，時時可以悟道，道就在日常生活中，就在眼前，就在附近，就在身邊。秋花秋葉在秋風中飄落，多麼平常，林黛玉卻悟出《葬花詞》那一篇生滅「大道」。而賈寶玉，面對齡官在地上書寫一個「薔」字，看得發呆，此一瞬間，哪裏僅僅是驚訝於癡情，他悟到的應是天地間的根本，時空中的永恆，陽光下最後的真實了。晴雯臨終前留下的那一片指甲，有如《卡拉馬助夫兄弟們》小說中那棵拯救靈魂的「葱」，它除了激發賈寶玉寫出了《芙蓉女兒誄》的千古絕唱，一定還給寶玉留下永遠的良心的鄉愁。

274 各種宗教、哲學都有其徹底性。基督教主張愛一切人，包括愛罪人，愛敵人。佛教主張尊重一切生命，包括非人的虎豹魚蟲。禪更徹底，不樹偶像，不立文字，不崇尚經書典籍，只相信覺悟的一刹那、一瞬間。「千經萬典，不如一點。」無數說教，不如明心見性、大徹大悟的那一時間點、質變點，即所謂「夢裏尋他千百度，驀然回首，那人卻在燈火闌珊處」。千部經書，萬部典籍，不如悟到真理的那一片刻。禪宗實際上是以「悟」替代「神」的無神論。所以它才說悟即佛，迷即眾。

寶玉和寶釵關於人品根底的辯論中，寶釵引了許多聖賢之語，但寶玉答道：「……什麼『古聖賢』，你可知道古聖賢說過，『不失其赤子之心』。」寶玉在這裏擁有哲學的徹底性，他穿越聖賢的千經萬典，穿越萬水千山，穿越覆蓋層，直達深淵之底，只取一點，就是不失赤子之心，就是保存生命的本真狀態。喪失人生之初純樸的內心，還有什麼聖賢可言，寶玉與黛玉談禪時也說：「弱水三千，只取一瓢飲。」千經萬典中只取一點明澈的真理。這種徹底性，是老子、莊子、慧能的徹底性，也是曹雪芹哲學的徹底性。

275 賈敬只求「術」，不求道，只求末，不求本，對煉丹術走火入魔，最後吞砂過量而身亡。求道而不「知道」，既是悲劇又是荒誕劇。老子所說的「復歸嬰兒」，賈敬就是煉一千年丹也復歸不了。

賈敬求道而離道很遠。王夫人則唸佛而離佛很遠。金釧兒跳井而死，是她逼死的，但她不敢面對罪惡，卻要利用菩薩來掩蓋自己的罪惡。手中的佛珠沒有一顆連着誠實。佛早已進入寶玉的心靈，卻從未進入她的心靈。慧能的心性——自性本體論（明心見性），正是看透人間有太多假菩薩：只有菩薩相，沒有菩薩心。所有的道，無論是宗教之道、哲學之道，還是文學之道，未能切入心靈者，皆非大道與正道。

276

日本大作家三島由紀夫把他最不喜歡的文章稱作「娘娘腔」，而歷來評論家把「女人氣」也視為敗筆。如果這是強調寫作的力度，守護文章的骨骼，倒是沒什麼可非議的。但是這種比喻在骨子裏深藏着對女子的蔑視。《紅樓夢》發出另一種相反的信念，敲下另一種警鐘，這就是小心「男子氣」的污染。在寶玉眼裏，男人世界是泥濁世界，「男人氣」往往連着泥濁氣、銅臭氣、方巾氣、功名氣，甚至是霸氣、酸氣。王熙鳳有男人氣魄，可是也染上男人的霸氣，結果變得心狠手辣，一副鐵石心腸。探春想作一番男人的事業，結果也染上男人世界的勢利毒菌，連自己的親舅舅（趙國基）都不認。在寫作生涯中，女作家有氣魄自然好，但不可染上「男人氣」，一有這種泥濁氣息，則陷入功名深淵，喪失女作家的柔性魅力。女作家雄性化，只會埋葬文學的審美維度。

277 《水滸傳》的主人公兼主要英雄，如李逵、武松等，均有兩個特徵：一是不近女色；二是善於殺人，尤其是善於殺女子。《紅樓夢》的主人公，也是另一意義的英雄賈寶玉則有兩個相反的特點：一是近女色；二是不傷人，更不傷女子。中國文化呈現於小說中的天差地別，僅從這一分殊，就可知大半。

278 通過寫女子而呈現人的高貴，西方文學早已有之。希臘悲劇中的《特洛伊婦女》就是傑出的例證。它呈現的是亡國之後宮廷女子不屈的人格與生命的尊嚴，希臘的軍隊可以消滅一個國家，但消滅不了一群女子的高貴本性。中國最早注意到這一戲劇的是周作人，他讚美此劇代表他在美學上的深度。而在中國，女子顯示高貴的作品很少。《杜十娘怒沉百寶箱》及《聊齋志異》中的《細候》等作品雖有，但無法與《紅樓夢》相比。林黛玉、妙玉其高貴不必說，就連晴雯、鴛鴦、尤三姐也極高貴，也有不可征服的生命尊嚴。貴族少女「質如日月」，平民少女的丫鬟「心比天高」。《紅樓夢》的女子與希臘女子精神中都有一種「硬核」：如同鷹鷲（遠離家禽）的貴族精神。所謂貴族精神，其對立項，不是平民精神，而是奴才精神。

279 影響中國歷史最大、最深刻的，不是革命，不是戰爭，而是文化。換句話說，革命與戰爭的影響是一時的，文化的影響才是久遠的。禪文化帶給中國歷史的大變動是真正的大變動。把禪劃入一種學派、一種教類，太貶低禪。它是一種大文化、大世界觀、大方法論。《紅樓夢》最精彩地體現這種世界觀。它否定爭名奪利的存在方式，否定向物慾、向權力傾斜的世界圖式。它是人生本真本然的文化導向。你可嘲笑這只是夢，但無法否認它確立了大靈魂的座標，確立了賈寶玉式的非功名、非功利、非算計的立身態度。

280 說生命在進化是對的，說生命在退化，也是對的。就精神生命而言，曹雪芹和他的靈魂投影賈寶玉顯然覺得生命在退化。他在與寶釵的辯論中說：「既要講到人品根抵，誰是到那太初一步地位的？」在寶玉看來，人的品性誰也不及天地草創之初即《山海經》時代的水準，也就是說，人離太初愈來愈遠，其品性也愈來愈醜陋。他和老子一樣，是生命退化論者。（老子復歸於樸、復歸於嬰兒的命題，正是建立在退化論之上。）在賈寶玉來看，儘管產生無數古聖賢教你怎樣生活，怎樣生長進步，但人類的生命怎麼也不及太初的單純與質樸。人一面在學知識，一面在脫離生命之初的本真本然。林黛玉對寶玉的啟迪，是呼喚他向原生命靠攏，向生命本真靠攏。寶釵的呼喚與黛玉相反：黛玉呼喚他走向生命，寶釵呼喚他走向功業。兩者雖然都有理由，但曹雪芹顯然認為，功業派生功名的爭奪，它可能腐蝕品性，所以他讓自己的人格化身賈寶玉，把最深的愛投向林黛玉。

281

《紅樓夢》不僅有「親愛」之情，而且有「親親」之情。親愛之情是賈寶玉和林黛玉、薛寶釵、晴雯等女子的情感糾葛；親親之情則是賈寶玉與祖母、父母及兄弟姐妹的血緣眷戀。兩者都有大溫馨。與西方的個體本位文化相比，中國文化固然較少對個體生命權利的支持力量，但是這份深厚的人際溫馨則是西方文化的闕如。《紅樓夢》所以經久不衰，不僅被少男少女所愛悅，也為其他成年的天下父母所愛悅，就因為它除了有戀情之外，還有一份濃厚的親情。《紅樓夢》雖然厭惡儒家的治國平天下之思，卻有儒家的親情意識。除了戀情、親情之外，賈寶玉還有一份很真的世情。他在府內尊重丫鬟戲子是世情，在府外與邊緣人柳湘蓮、蔣玉菡、馮紫英等交往也是世情。他的戀情有「癡」之美，親情有「憨」之美，世情有「誠」之美，三者相通的是真之美。

282

歷代官修的歷史都是權力的歷史，也都是勝利者的歷史，男人的歷史，大人物的歷史；少有失敗者的歷史，女人的歷史，兒童的歷史。這是史書的老人化、男人化與權力化。《紅樓夢》不刻意書寫歷史，但它留下的歷史卻是最真實的歷史，這是女子、兒童、心靈的歷史，是非權力化非老人化非男人化的歷史。在《紅樓夢》中我們看到的歷史，才是歷史的真相與真髓。一萬年、十萬年之後，要了解十八世紀的中國，最可靠的版本不是官修「二十五史」和各種歷史教科書，而是《紅樓夢》。曹雪芹是清代歷史乃至中國歷史最偉大的見證人與呈現者，他不僅見證歷史的表層，而且見證歷史的深層。

283 德國哲學家謝林（Schelling）說藝術勾銷時間。但他沒有說，藝術可以勾銷空間。不論是文學還是藝術，其永恆性都是站立在空間向度上，而不是站立在時間向度上。也就是說，在人的內心深處與人性深處，時間沒有意義，一瞬間與一萬年沒有區別。對於作家，不僅是萬物皆備於我，而且是千秋萬代皆備於我。真正的詩人把王朝的更替不當作一回事，也把家國一時一地的分別推向無意義。唯一有意義的是捕住瞬間，深入瞬間，通過瞬間而抵達時空的無限。《桃花扇》與《紅樓夢》之境界的重大區別就在於此：《桃花扇》執着時間，執着於一朝一夕之事；《紅樓夢》則勾銷時間，放逐時間，把生命的血脈與宇宙本體互相連結，把小說的語境推向無限。

284 明末散文抒寫個人日常生活確有真情真性。它的功勞是告別唐宋八大家那種與國家權力合謀的思路，把文學內涵的重心從家國情懷轉入個人情懷。它的缺點是其散文均未切入大靈魂、大關懷，所以顯得太輕。《紅樓夢》則承繼其長處，把真性情的抒寫推向極致，又在性情中切入大靈魂與大悲憫。於是，它除了具有明末散文的人性氣息之外，還有橫貫天地古今的神性氣息。它不僅高於歷史，高於道德，也高於性情。所以它抵達宗教般的天地大境界，但又不是宗教，或者只能說，它是把審美推向天地境界的另一類質的「宗教」，沒有偶像、沒有崇拜，但有對真與美之神仰的「宗教」。說《紅樓夢》是文學聖經，其中的一項意義也在於此。

285

詩人的氣質差別很大，李賀與賈島在詩歌史上都似鬼才，但兩者氣質迥然不同。李賀雖家道中落，但畢竟出身於皇族（遠支），身上還有貴族氣，天然地看淡功名。所以他的詩，很有天地宇宙的渾然大氣。「遙望齊州九點煙，一泓海水杯中瀉」，「骨重神寒天廟器，一雙瞳人剪秋水」，「眼大心雄知所以，莫忘作歌人姓李」，隨手拈來，句句是氣宇非凡，不同凡響。賈島與之相比，氣與質都顯得微弱。賈雖善於經營技巧，善於推敲詞句，但缺少李的恢宏，顯得匠氣有餘，大氣不足。《紅樓夢》中的詩，尤其是其代表作《葬花詞》、《芙蓉女兒誄》等，詞采斐然，但沒有匠氣，倒是有李賀的貴族氣與「眼大心雄」的非凡氣。從精神氣質上說，曹雪芹與李賀相同，與賈島卻相去很遠。

286

文學最根本的要素之一是想像力。文學的特殊功能可說是對人類想像力的極限進行挑戰，也可說是對人類的心靈深度的極限進行挑戰。卓越的作家在挑戰面前不斷轉換視角。中國的詩人屈原、李白、陶淵明、蘇東坡、曹雪芹等都展示了想像力的奇麗。荷馬、但丁、莎士比亞、歌德都打破了天上人間之隔。這些大作家大詩人創造的作品，外在形式不斷變換，但內在形式即內在大視野則是一致的，這就是不斷地突破想像的極限。

屈原的《天問》是先秦時代最有想像力的詩歌，在寫作上抵達了兩項時代制高點：（一）叩問終極真實；（二）開放自由心靈。屈原在當時已走得很遠，走到與古希臘的荷馬相逢。屈原之詩與荷馬史詩的相同點是想像力，但屈原的重心是抒情，是心靈的直接吟唱；荷馬的重心是敘事，是歷史場面的書寫。而《紅樓夢》則兼備屈原與荷馬，其抒情、敘事、想像力都幾乎到達人類才華的極限。

287 袁枚曾說，「大觀園，即余之隨園。」然而，隨園是現實世界中的「有」，而大觀園的本質卻是「無」。《紅樓夢》第十七回描寫賈寶玉隨同父親初見大觀園時的感覺：「寶玉見了這個所在，心中忽有所動，尋思起來，倒像在哪裏見過的一般，卻一時想不起哪年哪日的事了。賈政又命他題詠，寶玉只顧細思前景，全無心於此了。」可見，大觀園是夢境，是虛境幻境，是曹雪芹的烏托邦，也是他的詩意棲居的澄明之境，而袁枚的隨園則是個體棲居的「人境」，這是實境、俗境、常境，兩者有質的不同。隨園建構得再富麗堂皇，再迷人耀目，也只能形似（大觀園），不可能神似。《紅樓夢》裏的大觀園，其境界不是山石草木所構築的，而是詩和詩情生命所構築，它是一個詩化的世界。今天的《紅樓夢》研究者，可以尋找大觀園的堂址屋跡，但是永遠找不到大觀園的神意詩跡，那種早已化入永恆的奇彩夢痕。

288 賀德林提出「詩意棲居」的理想，曹雪芹做的也是「詩意棲居」的大夢，兩者不約而同。而曹雪芹還提供了「詩意棲居」的具體形式，這就是大觀園形式。大觀園是地獄中的天堂，他鄉中的故鄉，色世中的空界，瞬間中的永恆，是

「黑暗王國裏的一線光明」。人類的「世俗棲居」形式千種萬種，每天都有新的設計、新的廣告、新的時尚品牌，熙熙攘攘，目不暇給。但詩意棲居的形式卻很稀少，它是嚮往，並非現實。大觀園呈現的詩意棲居形式是詩人合眾國，青春生命共和國，國度主體全是詩意生命。《紅樓夢》的悲劇是詩國的瓦解，詩稿的焚燒，詩意生命的毀滅，最後只剩下詩的灰燼與廢墟。《紅樓夢》的荒誕劇意義，則是「詩意棲居」被視為「癡人說夢」、愚人犯傻，做夢者全是無知的蠢物與孽障，而聰明人則全都去追逐黃金的好世界，最後剩下的只是灰燼與廢墟，骷髏與「土饅頭」。

289

中國小說經歷了三個歷史階段，即故事—話本—敘事藝術等三段。《山海經》已有故事，雖簡單，但有力度。話本到了宋明才發達起來，可惜發達後就媚俗、媚眾，而且媚的是舊道德之俗，所以還不是成熟的小說。到了明代，出現了短篇「三言二拍」，長篇《三國》、《水滸》，小說才成為敘事藝術。故事之外，有結構，有人物刻畫，有語言技巧。而到了《紅樓夢》，藝術才走向巔峰。小說中的詩是真詩，不是打油詩；人是真實人，不是臉譜人。到了曹雪芹，文學的三大要素——心靈、想像力、審美形式才告齊全，並形成藝術大圓融的整體。

290

中國的散文出現過多次高潮：先秦諸子散文，唐宋八大家散文，明末散文等。唐宋八大家散文技巧極為成熟，文采斐然。但是，除了蘇東坡之外，其他散文都沒有先秦散文的那種「元氣」。所謂「元氣」，就是天地混沌之氣，太初草創之氣。先秦諸子各家，都有自己的一套原創的大思路蘊含於文字之中。到了唐宋八大家，雖有文采，卻太多腔調，沒有先秦時的大氣勢，也沒有孔、孟、莊、老的大境界。明末散文雖有性情，但多數失之太輕，也無元氣。《紅樓夢》雖是小說，但其筆觸，恰恰揚棄一切腔調，深含宇宙底韻，既有連接《山海經》的混沌之力，又有俯仰人間世界的天地血脈。

291 中國的詩歌文體到了唐代才完全成熟。杜甫是唐詩的第一文體家，其律詩、絕句均寫到了天衣無縫的完美地步。他雖有關懷民瘼的同情心，但也有很強的功名心。從精神內涵上說，他的詩是典型的儒家詩，所以總有「致君堯舜上」的儒味。其「朝扣富兒門，暮隨肥馬塵」的酸楚更是儒者在人生面前的不瀟灑，折射到詩中，便是脫不了家國境界。《紅樓夢》中的詩，沒有儒味，卻有道味。這裏說的道味，不是道家味，而是形而上之味。寶玉嘲諷文死諫、武死戰的儒統道統，而杜甫的「致君堯舜上」，正是儒者的諫味。《紅樓夢》的詩雖沒有杜甫那種「沉鬱」，卻有杜甫所闕如的超拔與空靈。

292 政客聽不懂詩人的聲音。有政客心態就不可能真正懂得《紅樓夢》，正如宋太宗就讀不懂李煜詞。李後主博大的人間關懷之聲被他聽成「怨氣」，聽成亡國復仇之音，最後他把李煜毒死了。宋代皇帝消滅一個小朝廷（後唐）沒有罪，但殺害一個偉大詩人，卻是千古大罪。一個偉大的詩生命，其重量、份量往往超過一個朝廷。屈原的生命重量超過楚王朝，蘇東坡的生命重量超過宋王朝，莎士比亞的生命重量遠不是伊麗莎伯王朝可比。可以斷定，如果人性底層連一點詩心詩意也沒有，就永遠無法進入《紅樓夢》那一片神意的深海。

293

知其所止，這是中國的道德律令。《大學》第三章，確定做人應「止於至善」：為人君，止於仁；為人臣，止於敬；為人子，止於孝；為人父，止於慈；與國人交，止於信。老子另有「止」的內涵，並說「知足不辱，知止不殆」。

知其所止，也是《紅樓夢》哲學思考的主題之一。但它不是儒家「止於至善」的直接告誡，而是對生命止處的連綿叩問。它不說止於何處，只說必有一止，並要「知止」。秦可卿告訴王熙鳳「盛筵必散」，也是「止」的提示。縱有千好萬好，總有一「了」。好了歌，是荒誕歌，又是觀止歌。「好」是觀，「了」是「止」。閱盡人間諸色，應當知止，應當放下。那麼，應當止於何處？有小止處，有大止處。激流勇退，說的是小止處；「大造本無方，雲何是應住？既從空中來，應向空中去」（惜春之偈語），說的是大止處。來自空，止於空；始於癡，止於悟。知止，便是自明自覺，便是自救。

294

賈母最疼愛的是賈寶玉與林黛玉，但對於寶玉的婚姻，她選擇了寶釵，而不選擇黛玉。賈母不是沒有理由，她的尺度是「生存」尺度，不是「存在」尺度。她雖然通脫，但家族的命運、家族的生存與發展畢竟是她的天職。她雖愛黛玉，但賈府的興亡更加要緊。而寶玉自始至終熱戀着黛玉，在林、薛這一情感天秤上，他的心一直放在黛玉這邊。其選擇的原因卻不是生存原因，而是存在原因。即只有在黛玉面前，寶玉「此在」的意義才能充分敞開。存在的原因便是靈魂的原因，便是心靈從相逢、相知到相融相契的原因。賈母雖聰明，但太重家族的興衰，忽略個體心靈的歸宿。她看不到寶玉與寶釵的靈魂之間有一段無法拉近的距離，面對寶釵，她心愛的孫子無法打開生命的深層世界。

295

最深的感悟往往無法表達。靈魂所抵達的神意深淵和愛意深淵很難描述。再高明的作家寫出來的文字也比不上大智者悟到的精神頂點和深淵底部。許多作家不滿自己已寫出的文字，以至像卡夫卡臨終時囑託朋友燒掉他的稿子，林黛玉死前燒掉詩稿，除了情愛的幻滅之外，還可能有這個原因。「人向廣寒奔」，「冷月葬花魂」，已經夠精彩了，但在林黛玉眼裏，這與她心靈中的萬千感受相差太遠，浩茫的心事豈是語言所能表達？托爾斯泰最後的大著作是他的出走，沒有文字，但這是用生命本身的行為寫下的大著作。那個瞬間，他對於宇宙人生最深的感悟已無法用小說、詩歌、散文表達。

296

「五四」新文化運動的理由是青春的理由，也是女子與孩子的理由。它選擇孔子作為靶子，不是說孔子一無是處，而是因為孔子的學說是老人化的學說，不是青春的學說。婦女與兒童在他的學說中沒有地位。中國幾千年歷史中，男人欠女人欠兒童的債太多，五四是個討債運動。《紅樓夢》是五四的先驅，它的理由也是青春的理由，也是女子與兒童的理由，也是對老人化的反動與反思。《紅樓夢》給少女青春作了一次驚天動地的請命，也給中國山河大地帶來一股青春氣息。中國要成為擁有靈魂活力的「少年中國」（梁啟超語）、「青春中國」最需要的是《紅樓夢》和「五四」新文化，而不是孔夫子和儒學老道統。但孔夫子確實是聖人，他的思想也是多層面的。賈寶玉討厭儒家的「無人」文化——無個體生命獨立主權的文化，討厭它表層的典章制度與意識形態，拒絕充當治國平天下的工具，但心內又接受儒家深層的「有人」文化——重親情、重人際溫馨的文化。寶玉既是逆子，又是孝子。他和賈府中的孔夫子（父親賈政）既衝突又懷有敬意，但這個孔夫子畢竟是個喜歡擺姿態、戴面具、壓制青春的老古董。

297

五四新文化運動高舉「文學革命」大旗，除了攻擊貴族文學、山林文學之外，還攻擊古典文學。可惜沒有分清古典文學的精華與糟粕，也沒有分清中國古代文化的精華與糟粕。如果那時不是選擇孔夫子為主攻對象（雖然有充分理由，其批判內容至今也沒有過時），而是選擇《三國演義》和《水滸傳》等兩部危害中國人心最巨的作品為主攻對象，並把《紅樓夢》作為精神座標，那就會更準確更有力地高舉人的旗幟，從而變成一場最基本的啟蒙，一場關於生命尊嚴與詩意棲居的啟蒙，一場純化生命、提升生命的啟蒙，也是一場關於拒絕暴力與拒絕權術的啟蒙。「少不看《水滸》，老不看《三國》」，是中國老百姓自救的至理明言。一個老人，如果不知「復歸嬰兒」，而是繼續積澱《三國》權術心術，就會變成老妖老狐狸。中華民族太古老，心思本就太複雜，更不該老品《三國》，老是熱衷於權力遊戲。《紅樓夢》所提示的大觀大止，就文化上說，可以說是提醒應當終「了」，終止「三國」式的慾望、權謀與爭奪。

298

深邃的思想贏得質樸的表述，顯得很美。「千里搭長棚，沒有不散的宴席」就很美。文章不怕拙，指的便是真理無須裝飾，思想一旦刻意做出學問姿態，也是媚俗。愈急於把思想說得完備，愈想說得頭頭是道，就愈是畫蛇添足，愈是可疑。許多賣弄學問的人，最後顯出思想的貧困也與此有關。曹雪芹的學問大得不得了，其筆下的寶釵是個博古通今的「通人」，而黛玉、寶玉這些癡人，也都是滿腹詩書，史、識、詩三者皆備。但整部《紅樓夢》沒有任何一點賣弄，完全沒有作家相與學者相，更沒有文人腔與名人腔。大輝煌與大質樸和諧到如此地步，真是舉世無雙。

299

賈政與王夫人都想控制寶玉，但方式不同。賈政直接訴諸棍棒，怨恨只放在兒子身上；而王夫人卻遷怒他人，以為兒子的「問題」來自晴雯、金釧兒等「狐狸精」、「尤物」，因此不惜剝奪她們的生存權利。相比之下，賈政沒有王夫人那種陰柔的毒手。曹雪芹時代，權力與財富已控制思想，甚至還控制身體和愛戀。《紅樓夢》自由筆觸所表現的力度之一，是揭露權力控制下的人性困境。這種控制除了造成暴力（如賈政痛打寶玉）、造成苦難（如金釧兒之死）之外，還會造成詩化自由心靈的毀滅（如黛玉之死）。難怪俄國流亡詩人布洛斯基要說，詩本能地與權力帝國對立。寶玉最後逃離家園，乃是逃離權力對其心靈的控制，這一行為，與其說是反叛，不如說是自救。

300

一打開《紅樓夢》，就會見到全書的哲學綱領，也是全書的哲學難點，這就是空空道人所負載的十六字訣：「因空見色，由色生情，傳情入色，自色悟空。」如果說色空是佛教哲學，那麼，它卻不是《紅樓夢》的全部哲學，因為在色與空之間還有一個巨大的中介物，這就是「情」，由色生情和傳情入色之後才能自色悟空。在十六字的循環中，情既是中介，也是本體。如果說，「空」是終極存在，那麼，情則是通向終極存在而並非虛幻的唯一真實。《金瓶梅》最後加了一個色空尾巴，可惜全書沒有類似十六字訣的精神歷程——形而下與形而上的轉換提升過程。它的色太重，情太輕，空更說不上。十六字訣中的四段哲學環節，它一個也沒有。

301 賈寶玉和林黛玉在《紅樓夢》中的特殊性是兩人都具有自由意志。所謂自由意志並不是薛蟠式的自由濫情，而是對生命當下存在路向的選擇與把握。薛蟠的吃喝嫖賭，無須選擇，與是否具有自由意志無關。寶玉和黛玉的生活則充滿選擇，從讀書、寫詩、談禪和人生道路的確立都需要選擇，徘徊、徬徨、苦惱、迷惘、憂傷，也都在選擇的過程中，正因為需要選擇，才有傳統父權意志和自由意志的衝突，才有自由意志的光輝。薛寶釵雖然美麗，但缺少這種光輝。

二十世紀著名思想家以賽亞·柏林把自由分為積極自由與消極自由。前者是指奮鬥、挑戰、抗爭的自由，後者則是拒絕、迴避、有所不為的自由。賈寶玉與林黛玉的自由意志屬於消極自由範疇中的意志。這兩位小說主人公爭取的只是逍遙的自由、戀愛的自由、吟詩的自由、閱讀《西廂記》的自由、拒絕科舉的自由，迴避權力追逐和功名追逐的自由。但是，道統正統的代表（賈政等）不給他們這種自由。連消極自由都不給，更不用說積極自由。把寶玉黛玉解說成反封建的爭取積極自由戰士，未免過於拔高。

302 《紅樓夢》貴族女子的復歸之路有兩種路向：一是林黛玉似的向「天」回歸；一是巧姐兒式的向「地」（即向「土」）回歸。前者「人向廣寒奔」的暗示，便是向天宇回歸的暗示。也許奔向明月，也許奔向太虛幻境，也許奔向曾與神瑛侍者相繼過的靈河岸邊。後者則無須暗示，巧姐兒經劉姥姥的因緣，最後嫁給周氏莊稼人家，從貴族豪門走向庶民土門，真正是「舊時王謝堂前燕，飛入尋常百姓家」，巧姐兒生於七月七日，最後也有一個與「牛郎」相逢的結局。果然回歸於土。《易經》說，「安土敦乎仁，故能愛」，有土才能安寧，才能敦篤，也才有人性的真實與溫馨。林黛玉式的回歸是夢想的，巧姐兒的回歸是現實的，但兩者都不悖「質本潔來還潔去」。倘若用佛教語言解說，林黛玉乃是回歸於空，而巧姐兒則是回歸於「有」。前者是真諦，後者是俗諦，但兩者都是「諦」，都帶真理性。俄國十二月黨人的貴族理念，正是巧姐兒式的向土回歸的民粹理念。

303

曹雪芹的價值邏輯鏈，可作四段表述：（一）生命價值為最高價值，不承認有比生命價值更高的神聖價值，所以只有「女兒」偶像，沒有「元始天尊」、釋迦等神聖偶像。（二）最高價值系統中的核心價值是少女青春生命。美即青春生命。《紅樓夢》是對青春生命進行審美的大書。書中唯一的牽掛便是青春生命。《聖經·新約》中的基督十二門徒全是男性。作為「文學聖經」的《紅樓夢》，其天國——太虛幻境中的使者金陵十二釵，則是清一色的女性。青春天國是曹雪芹的絕對價值與終極真實。（三）生命的毀滅是悲劇，青春生命的毀滅則是最深的悲劇。因此，至真至美的輓歌只屬於林黛玉，晴雯，而不屬賈母等；（四）所謂荒誕，便是價值顛倒。一切把外在價值，虛幻價值（如權力、財富、功名）放在青春生命、內在心情之上的編排都屬價值顛倒，都屬《好了歌》抨擊的荒誕現象。《紅樓夢》既呈現價值極限，又呈現價值顛倒，因此，既是悲劇又是荒誕劇。

304

就人文環境而言，先秦戰國時期、漢唐時期、明末時期，是中國知識人相對比較自由的年代，到了清朝的乾隆王朝，則是絕對的黑暗期，其文字獄也是最為猖獗的年代。魯迅的〈買《小學大全》記〉、〈病後雜談〉、〈病後雜談之餘〉等文章就揭露了這個血腥帝國與血腥歲月。可是中華民族最偉大的文學作品《紅樓夢》恰恰在此時產生。曹雪芹這位天才在大黑暗悄悄下沉，沉得很深，如同沉入海底，但他不是沉淪，而是沉浸——在沉浸狀態中面壁寫作，最後推出中國的第一文學經典。曹雪芹的成功，不是時代的成功，更不是清王朝的成功，而是個案的成功。《紅樓夢》的大放光彩，不是時代的閃光，而是個體心靈的閃光。文學事業是天才的事業，是偶然的事業，它不是時代所決定，而是作家自身所決定。文學既是時代的產物，又是反時代的產物——反潮流、反風氣的產物。若說文學是時代的鏡子，那麼，這一鏡子往往是面反光鏡。

紅樓哲學筆記三百則

01 無相哲學

曹雪芹是文學天才，又是哲學家，但他沒有哲人相、玄學相，所有深邃的形上思索都蘊藏在意象性的表述之中。其對宇宙人生的柏拉圖式的洞察與把握，全含蓄在《紅樓夢》的情節與人物裏。賈雨村關於「正」、「邪」二氣與中道之性的界說；賈寶玉關於「女兒水作、男人泥作」的怪論；史湘雲關於「陰陽一體」的妙語；林黛玉關於「無立足境，是方乾淨」的感悟；秦可卿關於「盛筵必散」、「否極泰來」的警告；妙玉關於「縱有千年鐵門檻，終須一個土饅頭」的提示等等直接的哲理表述尚可捕捉，而融會貫通於整部文本中的大觀視角、自然（石頭）人化、本真歸屬、故鄉定義、澄明之境，兼美情懷、青春理想國、女兒人極圖、「檻外人」異端意識、「大荒山」荒誕存在暗示，以及有無、色空、真假、聚散、好了、觀止等不二法門哲學大思路、大礦藏則不容易充分發現。開掘這些大思路，也許正是曹雪芹後世知音的樂趣，倘若更為有心，把這一開掘作為「評紅」的一種使命，那就更好。

02 石頭記：自然的人化

從哲學上說，《石頭記》是一部自然人化的大書，即石頭化為人的大書。從石到人，這是外自然的人化；從慾到情，從情到靈，這是內自然的人化。寶玉原是一塊石頭，一塊女媧補天時淘汰的石頭，黛玉原是一株草，一株需要澆灌的「絳珠仙草」。兩者都是大自然的一顆粒、一符號。用宇宙的大觀眼睛看地球，便會知道人類的世界原是洪荒的石頭世界，人的生命也是從洪荒的大自然中逐漸形成。人從自然界走入人界後，身上還帶着自然的特性。石為五色石。石是有色的，人之所以為人，也天生帶有色慾。王國維說，玉即慾的暗示，慾乃是悲劇之源，這道破了部分真理；但是，賈寶玉的人生過程恰恰是由慾昇華為情、為靈的過程，他開始喜歡吃女人的胭脂，喜歡寶釵肉感的胸脯，後來則愈來愈向林黛玉的深邃情感靠近，在林黛玉的導引下不斷向靈世界提升。這個過程是寶玉的內自然（包括感官、情感、心理）人化、精緻化的過程，也就是「因空見色，由色生情，傳情入色，自色悟空」的過程，即慾逐步減少，情逐步加深，最後達到情的純粹化和精神境界上的天人大圓融。

03 紅樓夢：情壓抑而生大夢

賈寶玉神遊太虛幻境時，警幻仙子命十二舞女演唱《紅樓夢》十二支曲，第一支《紅樓夢引子》云：「開闢鴻蒙，誰為情種？都只為風月情濃。」（第五回）

這個總問題可分為文學問題與哲學問題。

文學問題是感性問題。誰為情種？《聖經》的答案是創世記的亞當與夏娃。而《紅樓夢》則是神瑛侍者與絳珠仙草。第一，情種神瑛侍者通靈入世之後，吃的第一顆禁果是名叫「兼美」的禁果，第二顆禁果是名叫「襲人」的禁果。前者導引情種向上神遊，後者推動情種向下追求；前者導向夢與審美世界，後者導向功名與世俗世界。

哲學問題是理性問題。誰為情種？答案應是「石頭」。《石頭記》既可解為自然的人化與石頭的情化，也可解為風月情濃即性壓抑情壓抑而產生的大夢。

04 叩問人生究竟

《紅樓夢》對於世界人生，除了文學把握之外，還有一個哲學把握。文學把握通過意象、夢境、語言等手段，展示的是特殊性——個性現象，哲學把握的則是心靈與思想的同時切入，它叩問的普遍性問題是：如同石頭通靈幻化入世後的寶玉，人降生於人間究竟是為了什麼？存在的目的和意義是什麼？這個星球上的萬物萬有萬相，最該嚮往、最該追求、最該憧憬、最該珍惜的是什麼？這不是如何寫好一首詩、如何治好一個家、如何建設一個國的問題，而是一個如何生、如何死、如何觀、如何止、如何好、如何了的形上問題。《紅樓夢》通過文學展示一個以寶玉和諸女子為主人公的無比精彩的感性世界，又通過哲學思索所有人都無法迴避的生存困境與心靈困境。

05 色透空也透

《紅樓夢》哲學是色空哲學，這是人們熟知的，但徐訏先生說：

> 一句「色即是空，空即是色」的話雖可以包括。可是他所感受所表現的色，則是入世最深的色，他所感受所表現的空，則是出世最徹底的空。[1]

寶玉的入世，是對情最深的投入，以至被警幻仙子稱為「天下古今第一淫人」。（第五回）不像賈赦、賈璉、薛蟠等，根本不知情為何物。因為投入得最深，體驗得最真最切，經受的磨難也最重，所以最後也徹悟得最徹底，贏得的是最徹底的空。

《紅樓夢》貴在色透空也透。徐先生點破這部巨著文本策略是把色推向極致，把空也推向極致。色之美，美到極限；空之美，也美到極限。極致的文本策略背後是哲

---

1 徐訏：〈紅樓夢的藝術價值與小說裏的對話〉，載王國維、太愚、林語堂等：《紅樓夢藝術論》（台北：里仁書局，1984），頁76。

學的徹底性。財富之極，達至「賈不假，白玉為堂金作馬」、「東海缺少白玉床，龍王請來金陵王」；權力之極，達至皇妃寶座；功名之極，達至貴爵一品將軍。能把這些巨色絕色全看破全放下，便是大空真空。賈寶玉的出家不是告別常人之家，而是逃離人世間個個羨慕的最高的榮華富貴。這位主人公的心靈力度，就在告別、放下與逃離中。

06 立人之道曰情與愛

《易經》的〈說卦傳〉云：「立天之道曰陰與陽，立地之道曰柔與剛，立人之道曰仁與義。」這就是天地人三極三才之道，也是儒家人文精神的哲學基點。把人提到與天地並行三極中的一極，從而提高了人的宇宙地位，這是儒家的功勞。《紅樓夢》作為異端之書，它的異端性在於只承認前兩者，不承認第三者。《周易》所界定的三極之道（天、地、人三極），《紅樓夢》只認兩極。對於立人之道，曹雪芹強調的不是「仁與義」，而是「情與愛」。以情為人間世界立極立心，這是《紅樓夢》的大思路，也是哲學大思想。而最深地負載情、體現情的是青春少女，因此，兒女又是人之極，小說中的林黛玉、薛寶釵、史湘雲、妙玉、晴雯、鴛鴦、尤三姐等，都是人之極品，也是天地極品。天地之大美，上有星辰，下有「女兒」。《紅樓夢》正是一部重構立人之道的大書，呈現的是一部舉世無雙的青春人極圖。

07 意象心學

《紅樓夢》哲學可稱為心靈學。王陽明的心學，其基本哲學語言是概念，《紅樓夢》的心靈學，其基本哲學語言是意象，因此，《紅樓夢》首先是石頭的心靈史，然後才是由心靈史提升的心靈學。賈寶玉的生命歷程，第一步是由石化為玉——通靈而幻化入世；第二步是由玉化為心。賈寶玉離家出走之前對寶釵、襲人說我已經有了心了，玉還有何用？聲明的是玉向心轉化的完成。《紅樓夢》的開端是降落——石的降落；而結局是升起——心的升起。石與心的中介是玉。女兒情的眼淚不僅洗淨玉，而且柔化玉，使玉變成心靈。贏得大心靈，夢落幕，太陽便升起了。

明瞭心靈才是世界的本體，便是覺。

《紅樓夢》的心靈學提示的真理是心靈為最後實在、最後光明的真理。此悟與其稱之為唯心論，不如稱為明心論。

08 棄表存深

《紅樓夢》集中了中國諸種大文化的精華，儒、道、釋三大家之外，還有法家文化、名士文化等。曹雪芹對待各家的態度是揚棄表層的淺薄舊套，吸收深層的哲學智慧和精神寶藏。對於儒，他讓主人公表達了對於道統（文死諫、武死戰），以及聖賢面具的深惡痛絕，但又接受其「親親」的親情哲學。對於道，他嘲弄了賈敬的煉丹與吞砂，卻酷愛《莊子》並實踐莊子的「齊物論」與「逍遙遊」，兼收平等與自由的思想制高點。對於佛，他一面解除迷信，把女兒二字放在阿彌陀佛之上，近乎釋家異端，一面則在主人公身上注入大慈悲精神，並讓他在佛的啟迪下破一切執，離一切相。蔑視各派的「術」，尊崇各派蘊含智慧的道，入乎其中，出乎其外，進入儒、道、釋，又超越儒、道、釋，自成輝煌一大家。

09 破一切舊套

與其說《紅樓夢》反封建，不如說它反妄、反執、反分別，即借助佛教之光破一切妄念，破一切執迷，破一切等級，破一切舊套。它是偉大的文學作品，不是佛學理念的形象轉述，因此，它又必須「入化」：破得入化，了無痕跡。所有的破除，都不訴諸說教，只訴諸筆下人物的悲歡歌哭。賈寶玉因色生情，傳情入色，但又不執於色，最後也不執於情。它破一切舊套，既破儒套，也破道套、佛套，既破「才子佳人」套，也破「狀元宰相」套。妙玉自稱檻外人，寶玉、黛玉才是真正的檻外人。檻外人，也可稱為「套外人」。寶玉、黛玉這兩個主角的挑戰性，不是充當戰士，而是拒絕作賈政似的「套中人」。他們是破一切色相和一切舊套的異端。《紅樓夢》前無古人，正是它呈現並謳歌了異端美。

10 悟中自度自佛

西方哲學（如康德）講超越，是外在超越，因為有上帝的條件。有上帝，有神，才能實現對經驗世界的超越。禪宗因為有佛的條件，雖無神，但有神秘體驗，因此也可借佛超越。禪從大乘佛教演化而來，確認佛就在每個人的自性中，只是自己往往不知道。任何大宗教、大哲學都具徹底性的特點，禪的徹底性表現在佛我一體，佛我一元，實際上暗示佛即我，我即佛。只是這個我，必須是覺之我、悟之我。迷則眾，悟則佛。以覺代神，以悟代佛，在悟中覺中自明白度自救自佛。《紅樓夢》哲學，正是由禪宗的這種佛我同一的大思路推導出來的自我內部超越的哲學。賈寶玉的佛性——大慈悲、大愛精神，並非外部人格神（如上帝）所賜予，而是自身天性的開掘與提升。

11 女性本身就是道

斯賓格勒在《西方的沒落》中如此談論男人與女人的區別，好像在總結《紅樓夢》中的兩性。他說，女性本身即是命運，即是時間，即是生成過程，而男性則只是已生成的事物。他還說，男性在製造歷史，而女性本身就是歷史。還有，男性熱衷於求道，而女性本身就是道。道不是因果，不是機械邏輯，女性天然地反對機械邏輯。[2]

斯賓格勒的論斷，在《紅樓夢》女主人公林黛玉身上得到許多證明。也在秦可卿、晴雯、芳官這些女子身上得到證明。她們天生地體現「率性之謂道」。率性正是反對世俗世界的機械邏輯。在貴族府中，賈敬、賈政都在求道，而林黛玉本身則是真之道、美之道。賈敬、賈政的生命沒有歷史，人生是既定的常人遵循的程序。而林黛玉的生成過程即構成時間、命運和生命的史詩。薛寶釵的悲劇是無意識地順從男人的機械邏輯，以為男人熱衷的功名事業是一種道，而自己的美麗生命不是道。

12 托爾斯泰型貴族

曹雪芹如果生活在十九世紀下半葉，甚至跨過二十世紀初，即大致與托爾斯泰、杜斯托也夫斯基、尼采同時代。那麼，他可能會選擇托爾斯泰為心靈相通的最好朋友，選擇杜斯托也夫斯基作為有爭論的朋友，但肯定會拒絕尼采。他作為主張持守尊卑不二哲學的貴族詩人，完全無法接受尼采那種偏激的貴族主義；他具有天生的貴族氣質卻又有天生的平民情懷，更無法接受尼采那種向下等人宣戰的強者哲

2 參見《西方的沒落》（台北：桂冠圖書公司，1975），頁 460–461。

學；他以青春女子為價值塔頂，對於尼采那種蔑視婦女的傲慢，尤其難以容忍。尼采高舉意志哲學（權力意志），曹雪芹崇尚自然哲學，沒有共同語言。而托爾斯泰雖是貴族，卻滿心大慈悲，他擁抱大地，擁抱在地上耕作的下層人民。別爾佳耶夫曾如此評說：

> 在自己創作道路的高峰階段，俄羅斯的天才尖銳地感到自己的孤獨，意識到與土壤的脫離，意識到自己的罪孽，並投身於下層，想貼近土地，貼近人民。托爾斯泰、陀思妥耶夫斯基就是這樣。在這重關係上，托爾斯泰和尼采有很大的區別：民粹主義的世界觀具有大地的特徵，它依附於土地。[3]

曹雪芹寫劉姥姥，就是把「土地」帶入貴族府第，以讓賈氏貴族侯門最後一個青春女子——生於七月七日的「織女」巧姐兒復歸於土，重新投身下層，貼近大地上的「牛郎」們。《紅樓夢》不僅給林黛玉安排了返回天上之路，又給巧姐兒安排了地上之路，兩者都屬「質本潔來還潔去」。

---

3 尼・亞・別爾佳耶夫，邱運華、吳學金譯：《俄羅斯思想的宗教闡釋》（北京：東方出版社，1998），頁58。

13 旁觀冷眼人

《紅樓夢》一開頭就安排一個觀察賈府興衰浮沉的「冷眼人」，這個冷眼人叫做「冷子興」。第二回「賈夫人仙逝揚州城　冷子興演說榮國府」一開篇就有詩云：「一局輸贏料不真，香銷茶盡尚逡巡。欲知目下興衰兆，須問旁觀冷眼人。」

冷子興是個冷觀者，而他名字的諧音則可理解「能止興」或「能止行」。開篇詩末一句把冷子興界定為「旁觀冷眼人」，涉及到「觀」；而名字的諧音則暗示到「止」（子）。文本中說：「雨村最贊這冷子興是個有作為大本領的人。」其大本領就在於他既知觀又知止，能用觀止哲學即佛教的觀止法門觀察世界。佛教哲學的觀，就是慧，就是看破，而止則是定，則是放下。這個冷眼人對榮國府如此瞭如指掌，對它的過去、現在皆洞若觀火，原因就因為他不是用常人的肉眼、俗眼，而是用一雙觀止、慧定合二為一的佛眼，也就是「大觀園」所寄意的大觀眼睛、大觀視角。《紅樓夢》這部巨著牽涉時代的風雲變幻，豪門的大起大落，但筆調極為冷靜，這自然得益於史詩大結構的開端有一雙清明的冷眼佛眼。冷子興的位置，也可理解為曹雪芹的自我定位：作家不是造反者，不是社會批判家，而是歷史的冷觀者、見證人和藝術呈現者。

14 洞外井外之人

中國人所嘲諷的「井底之蛙」，眼睛受井底限定，從裏朝外看，只看到天空的一小片，全然不知宇宙的廣闊和天地的真實。正如柏拉圖所說的洞中囚犯，在篝火旁只看到牆壁上火光的影子，全然不知洞外世界的真實。《紅樓夢》的大觀視角，其眼睛路線與井底之蛙、洞中囚犯相反，不是由內朝外，不是立足洞穴和深井觀看天地宇宙，而是由上朝下，立足宇宙極境而觀地上萬有萬物。賈寶玉和賈政的衝突，歸根到底是眼睛路線的衝突。賈政認定的八股文章，只是洞穴牆上火光的影子。寶玉則天生是洞外之人，早已見過女媧補天的大世面，他到地球上走一遭，自然是帶着天外眼睛來看八股，看仕途經濟之路，看人間的五顏六色。

15 至貴來自何處

黛玉問寶玉：「寶玉，我問你，至貴者是『寶』，至堅者『玉』。爾有何貴？爾有何堅？」（第二十二回）寶玉一時回答不出來，但悟了一生，離家出走前，他終於作了回答，這也是全書的回答：玉丟了沒什麼，有心靈在就好。我有何貴？因為我有心。我有何堅？也因為我有心。寶玉，寶玉，至貴者、至堅者不是寶玉之名、寶玉之相，而是寶玉之心。《石頭記》的大提問，曹雪芹自敘自問自答的考卷，最後的答案是「唯心論」，唯有心最寶貴、最堅韌，唯有心是世界人生最後的實在，終極的真實。心是世界的本質，心之外的一切都不重要。

林黛玉的問題是《紅樓夢》的根本哲學問題之一。她的問題是，生命的質來自何處？是來自外，還是來自內？是來自門第、爵位、功名，還是來自生命自身的品格、性情和精神？整部《紅樓夢》都在回答這個真問題。

16 兩番生命

空空道人的十六字訣：「因空見色，由色生情，傳情入色，由色悟空」，是賈寶玉兩番生命的哲學故事。

第一番生命在天上。他是女媧補天多餘的石頭，被造物主拋棄，未能進入補天行列，未能與天合一，屬結構外之物即「檻外物」。這是他經歷的第一番「空」，有了這次空，才想到人間來見色——女媧用五色土構造的色世界。這一經歷便是「因空見色」。

第二番生命在地上。在天為多餘石頭，在地則又是多餘人。身在檻內，心在檻外，未能進入財富、權力、功名的宮廷結構之中，屬於結構外人即「檻外人」。在結構外可以觀看色世界，可以有一番情的歌哭，最後悟到人生也不過是一場悲歡離合之夢，於是在覺迷渡口止於覺而歸於空，這一番經歷便是以色與情為橋樑的「自色悟空」。

「天外書傳天外事，兩番人作一番人」（第一百一十九回），合成一個「由空到空」故事。

17 止觀哲學

佛教哲學與中國哲學都講「止」。大乘佛教創立止、觀兩大法門。「觀」是看破，「止」是放下。儒家也講止於禮，止於至善。但作為西方哲學的典型範式——浮士德的精神卻不講止。浮士德與魔鬼打賭的內容是他將永遠無休止地追求幸福，追求無限之境，如果他在塵世上感到滿足，停止追求，他的靈魂就屬於魔鬼。東方哲學告誡「知止不殆」（《道德經》），西方哲學則認定止即墮落。兩者表面上看，不可相容；事實上，知止與不知止均有充分的理由。賈寶玉始於癡，止於悟，因止而得大自在，不能說「止」不對。而覺悟後他遊於心，遊於物之初，遊於太極，正是追求無限，又是止而不止，了猶未了。不了是好，了也是好。

18 雙重荒誕

賈寶玉周歲時，賈政為了「試他將來的志向」，便將無數物件擺在他面前讓他抓取，誰知他一概不取，伸手只把那些脂粉釵環抓來。（第二回）這一細節固然是寶玉個人性格的預告，但也是人類的普遍性徵兆。人一出生，既開始走向成年，也開始走向死亡，天然地帶有悲劇性。這是以往哲學家早已意識到的。而曹雪芹通過寶玉的細節又揭示了人一出生，不僅是個悲劇性存在，而且是個荒誕性存在。連寶玉這種優秀生命，在年僅一歲、尚在搖籃中時就充滿慾望，表現出「好色」的生命走向。王國維用叔本華的哲學觀念評論《紅樓夢》，指出因為人有慾望，因此必定落入苦痛、落入悲劇。其實，無休止燃燒的慾望不僅給人帶來悲劇，而且帶來巨大的荒誕。人既是歷史的人質，又是自身慾望的人質。人的處境充滿荒誕，人自身也充滿荒誕。《紅樓夢》揭示了社會與人的雙重荒誕。

19 本體歸一

《紅樓夢》的哲學從本體論層面說是一元論哲學。宇宙是本體，生命是本體。只有人的世界，沒有神的世界。而人的生命無尊卑、等級之分。《紅樓夢》受佛教哲學影響最深，但佛不是神。佛教以「覺」代替「神」，到了禪宗，便成了我即佛，佛即我。佛就在我的心性中，在我的未被污染的真性中，無須到山林寺廟中去尋找佛，佛就在自己身上。這樣，人的本體與佛的本體就同歸於一。因此從本體論上說，《紅樓夢》講色即空，空即色，好就是了，了就是好，也是一元論。史湘雲講陰陽一體，秦可卿講「盛筵必散」也是一元論。但是《紅樓夢》又分淨水世界與泥濁世界，又有對立與衝突，因此，從方法論上說，它是二，但二又是一，黛與釵的衝突，父與子的衝突，甄與賈的衝突，探春與寶玉的衝突，只是一元世界、一元靈魂的陰陽呈現而已。陰陽原為一體，父子原為一體。方法論上的區分不能否定整體論的一元。不二法門是本體論上的不二法門，不僅是方法論上的不二法門。

20 三種表述

《紅樓夢》是具有高度敍事藝術水平的偉大文學作品，又是具有深刻哲學內涵的偉大文學作品。它的哲學思想在小說文本中有三種表述方式：（一）直接性表述。如空空道人講「好便是了，了便是好」，如賈雨村暢談「大仁」、「大惡」和仁惡之間的第三種人性，如史湘雲對翠縷講說陰陽哲學；（二）間接性表述。如賈寶玉對晴雯談論扇子的多種功能和價值轉換；（三）連接性表述。這是貫穿於作品、浸透於人物與情節、前後呼應而表現出來的意蘊，如寶玉時而至柔，時而至剛（拒絕仕途經濟之路的力量），時而執中，時而極端（狂與狷）而構成的哲學意味結構。小說中的色空哲學、止觀哲學、物我同一哲學等，都是連接性表述。

21 偉大的青春頌

中國數千年文學史上最偉大的「青春頌」，正是《紅樓夢》。在曹雪芹之前，初唐的王勃是最出色的青春歌者，他不作司馬相如似的帝國頌，也不作左思似的都市頌，也無後來李白的山河頌。但其《滕王閣序》卻是一派少年氣息與青春氣息。《紅樓夢》則大規模、大氣魄地禮讚青春。小說中有少女頌，也有少男頌，有天上青春頌，也有地上青春頌。吟頌中有青春的剛勇、青春的單純、青春的狂歡、青春的寂寞、青春的乖僻、青春的張狂、青春的癡迷、青春的智慧、青春的吶喊、青春的感傷，還有青春至真至美的質、至真至美的性、至真至美的神與貌。由於《紅樓夢》的青春共和國的出現，中華民族抹掉了許多蒼老的皺紋，對生命更有另一番想像與設計。

22 覺與迷的分野

《紅樓夢》整體（一百二十回）最後結束於一個哲學地點，叫做「急流津覺迷渡口」。這一渡口名稱不可忽略，尤其是「覺」與「迷」二字。佛教乃是無神論，它以覺代替神，所以慧能認定，悟（覺）則佛，迷則眾。小說結局，其人物或覺或迷，或佛或眾，就在「覺迷渡口」上分野。賈寶玉始於癡，止於覺，終於「走來名利無雙地，打出樊籠第一關」（第一百一十九回）大徹大悟而解脫了。而另一個本來也有穎悟之性的賈雨村卻覺不過來。第一次是甄士隱來開導他，但「雨村心中恍恍惚惚，就在這急流津覺迷渡口草庵中睡着了」。第二次是空空道人將抄錄的《石頭記》給他看，「復又使勁拉他」，他才慢慢的開眼坐起，接過來草草一看，作了交代，「說畢，仍舊睡下了」（第一百二十回）。一個醒悟了，一個睡着了。《紅樓夢》這一終結，是禪的啟示性終結，極為成功的總句號。小說的續書，有妙筆、有敗筆，而最後這一筆則可稱為神來之筆。

23 重物不重人的世界

賈寶玉到人間走一遭，體驗着人，體驗着世界。回歸青埂峰前，對人最根本的失望，也可說是絕望，就是人太重物質而不重自身。他對寶釵、襲人說：「你們這些人原來重玉不重人哪！」（第一百一十七回）這是他告別人間之前最深的感慨，也是最深的憂傷。人啊人，原來都是沒出息的人，原來都是勢利的人，原來都是被物質抓住靈魂的人，原來都是被色慾迷了心竅的人，原來都是把玉的價值放在心的價值之上的人。輕重顛倒，本末顛倒，心物顛倒，形神顛倒，可是，人人都自以為是，以為寶玉又說瘋癲話了。

24 心外無玉

第一百一十七回（「阻超凡佳人雙護玉　欣聚黨惡子獨成家」）記載賈寶玉出家之前癩頭和尚來索玉，寶玉想還玉，寶釵、襲人拼命攔阻。襲人說：「那玉就是你的命，若是他拿去了，你又要病着了。」寶玉道：「如今不再病的了，我已經有了心了，要那玉何用？」

玉是至貴之物，但畢竟是物。《紅樓夢》的大哲學問題之一是心與物的關係。是心為本體，還是物為本體，是心為第一性，還是物為第一性，是心至貴，還是玉至貴？關於這個問題，寶玉最後作了回答：「有了心了，要那玉何用？」一點也不含糊。佳人們以為他在說瘋話，其實，這是最清醒的人所表達的最清明的意識：天地萬有，具有最高價值的是人不是物，是身內之心不是身外之玉。賈寶玉經歷了一回人生，體驗了悲歡離合，一悟再悟，最後終於贏得心覺：有了心了。到地球上來一回，有了心，算是明白人，便不虛此行。

25 心的深邃

曹雪芹與王陽明都是大「心學」家，堪稱中國精神大地上兩座心學高峰。但讀王陽明的心學，只知心的重要，而讀《紅樓夢》，才知道心的深邃。曹雪芹筆下的心，是深海深淵，是無限的時空。對於王陽明，可以用學去把握，對於曹雪芹，卻只能以悟去把握，非有無盡之情難以進入其無盡之海。王陽明的心學展示在概念中，曹雪芹的心學隱藏在人物的意象中。心為世界本體，除了心之外，其他物質皆為幻象，這是兩位大心學家的共識。王陽明之心可以分析，曹雪芹之心無法分析，它只能意會，只能神通。對王陽明的哲學可以論證，對曹雪芹的哲學，則只能悟證。

26 秀美史詩

《聖經·舊約》中的耶和華，非常強悍，動不動就發怒，以致要毀滅城市。作為文學作品，《舊約》體現的是壯美風格，《新約》中的基督倒是具有女性色彩，但沒有改變女人是用男人肋骨所製成的神話，因此並沒有改變性別歧視的宗教源頭。西方女權主義批評家在《舊約》中找到男權統治的源頭，中國則在《論語》中找到源頭，於是才有「五四」批判孔夫子而為中國婦女請命的運動。曹雪芹的《紅樓夢》承繼《山海經》的文化基因，把女媧（母性）視為創世的第一動力，把女子提到形而上的神本地位。《紅樓夢》開篇講正氣、邪氣、秀氣三氣造人。賈寶玉、林黛玉及其他青春女子全是靈秀之氣所生，這一哲學基點，便決定了《紅樓夢》的總體風格是秀美，不是壯美。作為史詩，便是柔性史詩，不是《伊利亞德》式的剛性史詩。中國文化從老子開始確立的尚柔傳統，到了《紅樓夢》便發展到極致。

27 無算計思維

以撒・柏林在與拉明・亞罕拜格魯（Ramin Jahanbegloo）的對話錄中，曾引用哈曼（Hamann）的話說：「上帝不是數學家，而是藝術家。」[4]我們可以引申說，不僅上帝是藝術家，基督和釋迦牟尼也是藝術家，他們因為沒有算計性的思維，所以才有大愛和大慈悲。《紅樓夢》中的王熙鳳因為「機關算盡」，所以離上帝、基督、釋迦特別遠。我把寶玉視為未成道的準基督與準釋迦，因為他也是藝術家，完全沒有數學機能。他愛姐妹，也愛探春，但是當探春主持家政，精細地算計到「一個破荷葉、一根枯草根子，都是值錢的」（第五十六回），甚至想把蘅蕪苑和怡紅院的花草也出售賺錢時，他就受不了，並對探春很有微詞。他和探春的衝突，是藝術家與數學家的衝突，也是《卡拉馬助夫兄弟們》中那種基督思維與大法官思維的衝突。

28 人鬼之道無別

《紅樓夢》讓地獄的判官說出一條駭人聽聞的真理：陰陽並無二理，人鬼之道並無二致。這是第十六回中秦鐘魂魄請求還陽片刻，鬼判們說出的大實話。都判官

4 以撒・柏林，雷敏・亞罕拜格魯，楊孝明譯：《以撒・柏林對話錄》（台北：正中書局，1994），頁8。

聽到秦鐘說到「寶玉」二字唬慌起來，眾鬼便說：「你老人家先是那等雷霆電雹，原來見不得『寶玉』二字。依我們愚見，他是陽，我們是陰，怕他們也無益我們。」都判道：「放屁！俗語說的好，『天下官管天下事』，自古人鬼之道都是一般，陰陽並無二理。……」人世界與鬼世界沒有兩樣，陽間的官僚與陰間的都判差不多，自古皆然，從來如此。曹雪芹的哲學是陰陽一體，即史湘雲對翠縷講的「陰陽兩個字是一個字」（第三十一回）與都判官所說的並無差別，只是都判官更落實，直接破道「人鬼之道都是一般」。是一般黑還是一般白，是一般無誠實可言，還是一般無廉恥可言，他「老人家」沒講清楚。但說人之道與鬼之道是一回事，卻是真話。鬼話有時比人話還坦率。我們固然不能因人廢言，恐怕也不可因鬼廢言。

29 垂頭自審

「寶玉悶悶地垂頭自審」（第二十二回），這句話最能體現寶玉的佛性佛心。佛有喜相，也有憂相，但沒有我之執相，人之妄相，眾生之俗相，壽者之老相，凡遇矛盾衝突，不把責任推向對方總是在自己身上找原因。自審正是佛性的第一特徵。讀遍《紅樓夢》，見到數百人物，唯一能夠「垂頭自審」的人只有賈寶玉一人。幾乎所有的人都自以為是，自作聰明，自我膨脹，只有一個口銜玉石而降生的被視為呆子的人能夠反觀自己，能夠以他者為參照系而看到自己是「泥豬癩狗」、「糞窟泥溝」（第七回，寶玉見到秦鐘之後的自慚之語）。還有一個原也自以為是、但終於正視自己的致命錯誤「恥情而覺」的柳湘蓮，可惜在尤三姐灑盡碧血之前，他也自視太高。至於賈赦、賈政、賈敬這些老爺和王夫人、邢夫人這些貴婦及賈璉、賈蓉這些少爺們，除了自美、自炫、自負之外，一點也沾不上「自審」、「自恥」的邊。曹雪芹在「垂頭自審」前加上「悶悶」二字，極為妥帖。老子《道德經》上說：「俗人察察，我獨悶悶。」俗人個個都聰明絕頂，唯獨寶玉是個傻子。

30 破性別之「執」

賈寶玉是單性人，還是雙性人？或是中性人？讀者愛問他是誰。西方的《紅樓夢》研究者也喜歡提問他是何「性」人。從精神歸屬上説，他既不是大仁之人，也不是大惡之人，而是正邪組合的中道之人，即第二回賈雨村哲學分類中的「第三種人性」：超越大紅大黑的灰色地帶人。從自然人性層面看，他愛青春少女，也愛青春少男，傾心於兩棲，既是快樂王子，又是「絳洞花主」。這奧秘，是他天生一身佛性，天生沒有我執，不執着於我是誰，不執着於世俗角色，不執着我為何物何人，甚至不執着我是男性或女性。從各個層面打破執，打破隔，才有大愛與大慈悲。寶玉正是徹底打破我執法執的真情真性人。

31 重在心靈

孔子之思，側重於人際；孟子之思，側重於人格；屈原之思，側重於社稷；杜甫之思，側重於民生；陶淵明之思，側重於自然；曹雪芹之思，則側重於個體生命的心靈。《紅樓夢》主角賈寶玉從不為人師表，唯有一次開導芳官，說敬神敬人應貴在「心誠意潔」，而他自己最高的覺醒是心覺。出家前夕，他說：「我已經有了心了，要那玉何用？」寶玉說的「心」，不是胸膛中那顆肉做的心臟，而是真心。即不是本能之心，而是本真之心。真心直觀萬物又主宰自身的生命，包括統率本能。梁漱溟先生在《孔家思想史》中說一切柔情都出於真心而不是出於本能。因為本能只是手段，真心才是真正的主宰。有了這一主宰，「人」才不為「物」役，也才不為「玉」等財色所役。佛學中講的心也是真心，包括六根在內的全部生命感知系統。所謂觀，也不只是肉眼的看，而是全生命系統的通觀。中國文化系統中「心」一詞的至深至廣涵義，就蘊含在《紅樓夢》中。

32 不爭之慧

《紅樓夢》全書只有一次論辯，這是第一百一十八回寶玉與寶釵關於「人品根柢」，「赤子之心」的論辯。寶玉與黛玉多次吵嘴，但不是論辯。寶釵是賈府中的女孔子，她遠離禪，所以需要爭論。禪的明心見性，沒有思辨過程，也沒有討論過程，它不相信真理愈辯愈明，只道破真理即發現真理。莊子和惠施有關於魚之樂的論辯，那是直觀方式與邏輯方式的論辯，慧能則從未有過論辯。唯一的一次是在他人進行風動與幡動的論辯中擊點要津，道破非幡非風而是「心動」，他知道論辯是種陷阱，熱衷論辯只能讓自己活在他人預設的前提與框架中，甚至讓自己在扭打中發瘋。大智慧者不進入「請君入甕」式的圈套。《紅樓夢》的哲學方式是禪的方式，賈寶玉從不承接他者的話題與前提，不予論爭，無論是對甄寶玉的酸論和對於父親的批評。他的不爭之德使他得大自在——未得大自在之前，也得了許多小自在。

33 四維整體

筆者在《紅樓夢悟》中，把《紅樓夢》的精神世界界定為慾、情、靈、空四維空間。

慾是對個體生命自身而言，是個體對外界的需求，目的是索取。慾是悲劇之源，更是荒誕之源。人一降生就有進入荒誕的可能，如賈寶玉在周歲時就抓住脂粉釵環，進入色世界。

情重在對待他人的態度。無論是戀情、友情、親情、世情，都需要對他者付出。

靈則是對慾與情的導引。慾無序，情也往往混亂無序。情可造就純情人，也可造就濫情人，可推導出癡人，也可推導出冷人。《紅樓夢》主人公寶玉對釵黛都愛，但身心更深地投入黛玉，就因為她雖不及寶釵的「仙姿」，卻有更合寶玉生命方向的「靈竅」。這比情更內在，更深刻，更可產生靈魂的共振。

空則是慾、情、靈的形上化，或者說，是對三者的哲學把握。終極的真實是空。本體是空。慾、情、靈「在場」，空「不在場」，四者構成的「整體」，便形成海德格爾所說的澄明之境。

34 儒家生命極品

儒家文化的上面價值可能造就的最美生命是什麼樣的風貌？

儒家文化可能抵達的生命高峰是什麼樣的景觀？

放下儒家文化打造國家、打造社會的理想，它在打造個體生命的層面上可能形成怎樣的精品楷模？

三個問題是同一問題的三種表述，答案只有一個，這就是：《紅樓夢》中的薛寶釵。

《紅樓夢》中有三大賢人：賈元春、薛寶釵、襲人，以薛寶釵最賢。她不僅崇尚聖賢、讀聖賢書，而且是第一賢人。她是賢人，又是美人，更是學貫古今的通人，其德性、親情、學問、個體魅力等集於一身，都達到儒家的人格理想。她雖然世故一些，被視為冷人，但所以會「任是無情也動人」，就因為她把儒家深層的美好精神全化入生命之中了。她這個人與儒家文化一樣，是一種可質疑的存在，但又是一種推不倒的精彩存在。

35 慾望與功名的人質

如同愛因斯坦發現互相殘殺的戰場是人類墮落的深淵一樣，也如愛因斯坦為同類的墮落感到悲傷，曹雪芹更早就發現，互相爭奪的名利場是同類墮落的深淵。因此，他通過主人公賈寶玉悲傷地發現，連最美麗、最可愛的女子，如薛寶釵，也墮落為喜歡功名的物種。像寶釵這種呈現儒家美好德性的女子可以譴責各種罪惡，卻看不到功名腐蝕人性、腐蝕靈魂的罪惡。寶釵尚且如此，更何況他人。《紅樓夢》的悲觀主義是一種極清醒的意識。它意識到，人類已變成慾望的人質與功名的人質，連又賢又美又有學問的天地精英毓秀，也難以逃脫人質的命運。

36 扇子主體哲學

晴雯撕扇子，要性子，揮斥意氣。寶玉看了之後，不僅不生氣，還笑着說：「你愛打就打，這些東西原不過是借人所用。你愛這樣，我愛那樣，各自性情不同。比如那扇子原是搧的，你要撕着玩，也可以使得。只是不可生氣時拿它出氣。就如杯盤，原是盛東西的，你喜聽那一聲響，就故意的摔了也可以使得，只是別在生氣時拿它出氣。這就是愛物了。」（第三十一回）

這是賈寶玉的主體論與價值論。主體是一種尺度。事物的價值是由主體規定的。正如愛因斯坦發現時間的相對論，賈寶玉講的是器物價值的相對論。不管是杯盤還是扇子，只有當人使用它的時候，它才具有價值。物為人役，還是人為物役？物該人化，還是人該物化？這一哲學問題，賈寶玉回答得太精彩了！

37 荒誕命運

《紅樓夢》展示的女子很可愛，但展示的女子的命運卻很可悲、很可憐，甚至很可怕。高潔到極點的妙玉最後陷入盜賊骯髒的溝渠中，最懦弱的迎春嫁給最凶狠的中山狼（不是與狼共舞，而是與狼共寢），最後被狼所吞沒；「兼美」的至情至性、才貌雙全的秦可卿，其丈夫是貴族府中垮掉一代的代表，全然不知人間有「羞恥」二字的人渣賈蓉。而拒絕與狼共臥的鴛鴦則只有死路一條。這些女子的命運，都是人類的真實處境，也是永遠改造不了的生存困境。《紅樓夢》作為悲劇與荒誕劇的雙重結構，其荒誕不是貝克特、卡繆似的思辨，而是卡夫卡式的對於荒誕存在、荒誕世界的直接揭示。對於曹雪芹而言，荒誕不是哲學認知，而是現實屬性。命運難以把握，現實難以改變，人便註定是荒誕性與悲劇性的雙重生物。

38 極道與中道

端木蕻良是對《紅樓夢》哲學有真知灼見的現代作家。他說：

曹雪芹確實受到莊子思想的影響，不僅受到，而且深刻了解。也正由於深刻了解，他才跳出了莊周思想，有了自己的獨立思想。莊周主張「兩行」，也就是說，以「兩」為用。儒家主張「允執其中」，則是以「中」為用。曹雪芹不主張「中」，不主張「兩」，而主張「極」。賈寶玉的行為乖張、怪僻、無能第一、不肖無雙、似傻似狂……正說明他是作到「極」了。提到哲學的高度來說，就可以說他主張「以極為用」。表現在他內心世界中，化為情感，就成了情極之毒。……因為作到「極」，所以就去而不返。雖到懸崖，仍然撒手而去。他走到「鹿回頭」處，也不回頭，仍然向天涯海角奔去。這時，他追求的是「板」，而不是「兩行」了。在這時，他就和莊周分手了，由「兩行」

而發展到「至極」了。脂硯齋是比較能夠了解這一點的，所以居然運用了「毒」字來形容寶玉的「情極」。毒者，不治之疾也。[5]

端木先生捕住曹雪芹哲學「極」的要點，此「極」既超越莊周的「兩行」，又超越儒家的「執中」，確實如此。但是，端木先生沒有看到另一面，曹雪芹恰恰又非常「執中」，非常「兩行」。因為執中，所以小說的開始就讓賈雨村講了一大篇中道哲學，即既非「大仁」也非「大惡」而取之中道的第三人性論。賈寶玉正是處於極惡與極仁中的秀美人格。他的立身態度也幾乎是處處「兩行」而不執於一端。會做人的襲人，不會做人的晴雯；檻內人的寶釵，檻外人的妙玉；野性的芳官，憨性的香菱；男性的秦鐘，女性的秦可卿等，兩種不同的性情性別，他都傾慕，都能容納。其「無分別」，便是兩行。其實，「中」與「極」並不矛盾。孔子講中庸之道，又講狂與狷。中庸如果沒有狂與狷的支持，就可能變成德之賊——鄉愿。有「極」的支持，「中」才有信念與原則。但是狂與狷如果沒有「中」的調節，也容易走火入魔：只知「極」毒，不知解毒，狷過了頭會變成怪物，狂過了頭就變成瘋子。

5 端木蕻良：《說不完的紅樓夢》（上海：上海書店出版社，1995），頁77。

39 泥濁世界與豬的城邦

賈寶玉到人間走一回，帶着天使般的沒有任何雜質，也沒有任何先驗假設的眼睛觀看世界，結果發現有兩個世界，一個是以女兒為主體的淨水世界，一個是以男子為主體的泥濁世界。這一發現，用極端的蘇格拉底的語言表述，即一個是無價之城，一個是「豬的城邦」。無價之城裏是「女兒」無價、青春無價、詩化生命無價、天地的鍾靈毓秀無價。「豬的城邦」是人的豬化、人的濁化、人的慾望化。在寶玉看來，吃喝嫖賭，巧取豪奪，這不是人的生活，而是豬的生活。

40 最怕世故哲學

賈寶玉最怕什麼哲學？第五回作了揭示。

他隨賈母來到寧國府，秦可卿引了一簇人陪他到上房內間，見到一副對聯，寫的是：「世事洞明皆學問，人情練達即文章。」看了這兩句，他便如見狼虎，不顧室宇精美，鋪設華麗，忙說：「快出去，快出去！」見到一副對聯，竟會產生如此的恐懼感與噁心感，可見他離這種哲學多麼遠。這副對聯鼓吹的是什麼哲學？是世故哲學。是最精明又是最庸俗的哲學。可惜世人偏偏把這種滑頭主義哲學當作寶貝當作座右銘，只有賈寶玉的天真性情才能一下子就聞到它的沖天臭味。

41 完美主義導致冷漠

理想主義會讓人產生熱情，也會讓人產生絕望。完美主義會讓人產生嚮往，但也會讓人產生冷漠。薛寶釵被視為「冷人」，是刻意服食「冷香丸」的冷，自造出來和壓抑下去的冷；而林黛玉的冷，則是天然地要求人的完美與世界的完美。除了寶玉，她把其他男子幾乎都視為「臭男人」，骨子裏是冷的，心靈離世俗世界很遠。莊子文字奇麗，但骨子裏也是冷的。相比之下，寶玉更靠近「佛」，黛玉更靠近莊。儘管寶玉老是讀莊子，但骨子裏總有溫熱，與黛玉的喜「散」不同，他總是喜「聚」，熱情在聚中，也在對不完美、不完善的寬容中。

42 天才的定義

「女兒是水作的骨肉，男人是泥作的骨肉。」（第二回）這是寶玉七八歲時的哲學，屬於小孩子的大見識。童言無忌，孩子的話常常道破天機，冒出天識。識有常識、知識、見識、睿識、天識之分。寶玉這句話屬天識，因有這句話，《紅樓夢》才劃開淨水世界和泥濁世界。具有常識、知識是常人，具有見識、睿識是智人，具有天識則是奇才與天才。《紅樓夢》裏充滿天識。林黛玉的「無立足境，是方乾淨」便是天識。天才實際上是天真（赤子之心）加上天識，再加上把天識轉化為審美形式的天賦能力。

43 確認人的不完善

完善是上帝的本質，不完善是人的本質。承認上帝的完善才有敬畏，承認人的不完善才有寬容。賈寶玉身處神與人之間，他確認天地的完美，又確認人的不完美，即使對其崇尚的「女兒」，如黛玉、寶釵、晴雯，他也理解其缺點。晴雯那樣任性，那樣在他面前撕扇子，耍脾氣，但他獻給她的輓歌《芙蓉女兒誄》，給予其最高的禮讚，認為她兼有質美、性美、神美、貌美，近乎女神。

44 既講合理又講合情

西方文化講合理：合乎真理。中國文化不僅講合理，還講合情，即合情合理，通情達理。於是，便出現「理無可恕，情有可諒」的中道。賈寶玉面對賈環的加害，於理本不可恕，卻又念及兄弟之情而阻止王夫人去稟報祖母。寶玉做許多事和說許多話，如玉釧兒端的熱藥湯燙到自己的手，他反而問玉釧傷到沒有，這不符合邏輯（理），但符合情意。劉姥姥胡編一個在雪地上受難的姑娘（茗玉），他立即讓茗煙陪着到神廟裏探望，也是不合理而合情。中國文化因強調合情合理，結果增加了許多人際的溫馨，但也丟掉許多應有的原則。

45 物理與事理

賈雨村帶着甄士隱贈予的五十兩白銀，進京赴考。起程時留下一句話：「讀書人不在黃道黑道，總以事理為要。」黃道主吉，黑道主凶。賈雨村的話是向甄士隱表明，此去不管命運如何，也不在乎黑黃變易，當會超越兩端，持守「事理」，不失書生本色。可惜他未能實現自己的諾言。

中國讀書人確實以事理為要。中國哲學家朱熹等，所講的格物致知，指涉的「物」，不是西方哲學體系中的「物質」範疇，而是事理，即事與理。格物是格事，致知是明理。讀書人必須是個明白人，也就是明事理的人。西方哲學較多「物與理」的二元對立，中國哲學較多事與理的兩極思辨。《紅樓夢》的哲學基調則是心與理的多重變奏。

46 真性到哪裏去了

在第五十六回中，因江南甄府家眷到京，講起府中也有一個寶玉（甄寶玉），因此賈寶玉做了一個夢，夢中還叫着自己的名字。這個夢點破了《紅樓夢》的一個主旨：

只見榻上那個少年嘆了一聲。一個丫鬟笑問道：「寶玉，你不睡又嘆什麼？想必為你妹妹病了，你又胡愁亂恨呢。」寶玉聽說，心下也便吃驚。只見榻上少年說道：「我聽見老太太說，長安都中也有個寶玉，和我一樣的性情，我只不信。我才做了一個夢，竟夢中到了都中一個花園子裏頭，遇見幾個姐姐，都叫我臭小廝，不理我。我好容易找到他房裏頭，偏他睡覺，空有皮囊，真性不知哪裏去了。」

寶玉聽說，忙說道：「我因找寶玉來到這裏，原來你就是寶玉？」榻上的忙下來拉住，笑道：「原來你就是寶玉？這可不是夢裏了。」寶玉道：「這如何是夢？真而又真了。」

「空有皮囊，真性不知哪裏去了。」這是《紅樓夢》對「唯有金銀忘不了」的世人的總認識，不僅是對世俗中人甄寶玉一個人的認識。兩百多年前，曹雪芹就發現人已出現了大問題，功名、財富、權力已掏空了人的靈魂和人的真性，剩下一個空皮囊。只有皮囊，只有形骸，只有肥胖的身軀和裝滿身軀的錢財與名號，只能行屍走肉，只能攜着空囊四處奔波，這是人嗎？「人的真性到哪裏去了」的問題，是人是否還存在的問題，是人有沒有變成另一種生物的問題。同樣的名字、同樣的年齡、同樣的容貌，卻完全是兩種不同質的生命。兩個寶玉，哪一個是真人？哪一個是假人？哪一個才是體現人類本真本然的存在？哪一種存在才是詩意的存在？這是曹雪芹的真問題，貫穿於《紅樓夢》全書所有意象的哲學問題。

47 隨心哲學

聽了探春的牢騷，寶玉說：「誰都像三妹妹好多心？事事我常勸你，總別聽那些俗語、想那俗事，只管安富尊榮才是，比不得我們沒有這個清福，應該混鬧的。」尤氏聽完嘲諷道：「餓了吃，困了睡，再過幾年，不過還是這樣，一點後事也不慮。」寶玉回應說：「我能夠和姐妹們過一日是一日，死了就完了，什麼後事不後事。」又說：「人事莫定，知道誰死誰活。倘或我在今日明日、今年明年死了，也算是遂心一輩子了。」（第七十一回）

尤氏嘲諷的是「餓了吃，困了睡」的禪宗哲學。寶玉恰恰肯定這種「隨心」哲學，自然哲學。順乎自然，順乎心靈，不以主觀意志刻意改變世界，才能貼近生活。

寶玉在這席話裏還表明了他充分活在當下、不執於未來的哲學。《莊子·應帝王》中說「不將不迎」，也是不執於過去和不執於未來，以至達到無古今的境界。賈寶玉的當下哲學，使得他的自然心性充分發揮，也使他充分地享受生活，充分地歌哭，充分地愛戀，也充分地感悟世界與人生。

48

玩世與適世之分

袁宏道在其著《錦帆集·尺牘》中云：

> 弟觀世間學道有四種人：有玩世，有出世，有諧世，有適世。玩世者，子桑伯子、原壤、莊周、列禦寇、阮籍之徒是也。上下幾千載，數人而已，已矣，不可復得矣。出世者，達摩、馬祖、臨濟、德山之屬皆是。其人一瞻一視，皆具鋒刃，以狠毒之心，而行慈悲之事，行雖孤寂，志亦可取。諧世者，司寇以後一派措大，立定腳跟，講道德仁義者是也。學問亦切近人情，但黏帶處多，不能回脫蹊徑之外，所以用世有餘，超乘不足。獨有適世一種其人，其人甚奇，然亦甚可恨。以為禪也，戒行不足；以為儒，口不道堯、舜、周、孔之學，身不行羞、惡、辭、讓之事，於業不擅一能，於世不堪一務，最天下不緊要人。雖於世無所忤違，而賢人君子則斥之唯恐不遠矣。（《致徐漢明書》）

如果以袁宏道的人論為尺度，可發現賈政、薛寶釵屬「諧世者」，即靠近道統遵循道德仁義者。而賈寶玉（出家之前）則屬「適世者」。組織海棠詩社時，薛寶釵給他起了「富貴閒人」的筆名，他也樂意接受，因為他正是「於業不擅一能，於世不堪一務，最天下不緊要人」。袁宏道說他「最喜此一種人，以為自適之極，心竊慕之」，這也難怪，因為這種適世者，正是性情中人，你說他是佛，他卻戒行不足；你說他是儒，他卻口不道堯、舜、周、孔之學，這種人最奇，也最招人恨，他們對社會沒有傷害，但賢人君子卻最看不慣。賈寶玉出家之後當然是達摩一類的出世者，但在賈府時期，說他是莊周似的「玩世者」，牽強一些，而把他界定為「適世者」，可能最接近他的本色。

49 逃脫主體論

賈環為賭錢賭輸而哭，寶玉教訓他說：「大正月裏，哭什麼？這裏不好，你別處頑去。你天天唸書，倒唸糊塗了。比如這件東西不好，橫豎那一件好，就棄了這件取那個。難道你守着這個東西哭一會子就好了不成？你原是來取樂頑的，既不能取樂，就往別處去再尋樂頑去。哭一會子，難道算取樂頑了不成？倒招自己煩惱，不如快去為是。」（第二十回）此一道理，與對晴雯撕扇子一事所發表的思想相似。

兩件事，兩席話，講的都是人與物的關係。寶玉的意思是，人是中心，人是主體。物應當人化，為人所用，而人卻不可物化，為物所役。賭場、扇子，都是物，都是人製造出來的「東西」，人被自己製造出來的東西所主宰、所擺佈，便是異化。被異化了的人，往往忘記製造東西（物）的目的是為了人自身——為了人的快樂與幸福。製造賭場也是如此，不管是輸是贏，只要有益於主體的快樂就好，千萬不要為物而生氣而生煩惱。這種哲學，雖不算解脱，但至少可稱為通脱。

50 破我執與破法執

賈寶玉看到齡官在地上寫「薔」字，突然大雨降臨，自己被淋得像落湯雞，反而告訴齡官：「下雨了，快避雨去罷。」玉釧兒端藥湯燙了他的手，他反而問玉釧兒燙着了沒有。被父親打得頭破血流，想的不是自己而是別人。悲憫之心只投射給他者。賈寶玉的佛性，首先是破我執，無論是對待齡官、玉釧，還是對待父親，都無我忘我。除了破我執之外，他還破法執。他不喜歡八股文章，不喜歡聖賢之書，公然説除四書之外，其他書皆屬「杜撰」，表面上看是狂妄，實際上是遠離一切教條概念，破一切法執。《紅樓夢》給人的偉大思想力量，便是一破我執、二破法執的力量。人的解脱與飛升，關鍵就在於破除這兩大執着。

51 至美就在附近

當寶琴、李紋、李綺來到大觀園時，賈寶玉的感覺與眾不同，那是相當於天降天使的大事，他興嘆道：「老天！老天！你有多少精華靈秀，生出這些人上之人來！可知我井底之蛙，成日家自說現在的這幾個人是有一無二的，誰知不必遠尋，就是本地風光，一個賽似一個，如今我又長了一層學問了。」（第四十九回）

這是對美的發現，又是對美的驚嘆！這裏沒有媚俗，也沒有媚雅，更沒有功利慾求，只有純粹審美判斷。賈寶玉可說是青春美的第一欣賞者，第一知音。劉勰說知音難求，是因為人類有一共同弱點，即貴遠賤近，貴耳賤目，不知身邊美的價值。寶玉的發現，正是發現美不必遠尋，美的資源就是本地風光，就在身邊，就在附近，就在眼前。天地的精華靈秀並不是在縹緲的雲外，而是在現實的視野之內。整部《紅樓夢》正是把世人習以為常、不懂欣賞、不知珍惜的生命重新呈現於筆端。寶玉感嘆自己又長了一層學問，大約正是發現「本地風光」、美在眼前的學問。

52 寶玉的天秤

俄國宗教哲學家舍斯托夫創造了「約伯的天秤」（其代表作為《在約伯的天秤上》）。曹雪芹創造了一個前無古人的「寶玉的天秤」。在寶玉的天秤上，男子這些鬚眉濁物，可有可無，無足輕重；而女子尤其是青春女兒則比元始天尊、阿彌陀佛更尊貴、更有重量，「便為這些人死了，也是情願的」。（第三十四回）這一天秤是個歷史的槓桿，它不僅打破了「惟女子與小人為難養也」的價值偏見，而且在中國歷史上第一次把男人看得不重要，看得不淨，即破天荒第一次把男人推出歷史舞台的中心，也推出宇宙平台的中心。地上的大觀園與天上的太虛幻境這些淨土與理想國，其主體全是清一色的女性。

53 結構的人質

王國維作為一個天才，他在二十七歲所寫作的《紅樓夢評論》，借叔本華、莊子、老子、佛陀的學說與眼睛發現了人的兩項悲劇性與荒誕性本質：第一，人是慾望的「人質」。一生下來就被慾望所抓住，無可逃遁。人質是沒有自由的，它註定在痛苦中掙扎。第二，人是結構的「人質」，即關係的人質。林黛玉的悲劇不是蛇蠍之人製造的悲劇，也不是盲目命運的悲劇，而是共同關係、相關結構的悲劇。人註定生活在共犯結構之中，也無可逃遁。所謂解脫，與其說是斷輪迴，不如說是從人質變成人的自由存在。

54 秦可卿：通天的巫女

《紅樓夢》中的秦可卿，其地位相當於中國文化中的「巫」——居巫山、造雲雨、通天際的巫師巫女。

西方文化鄙視巫的角色，認定巫非神，乃是冒充神的騙子。中國文化則尊重巫。李澤厚先生更是認定中國文化從巫源起。上古的君王均為大巫師，他們是地上生民的首領，又是通天的中介。後來中國的「內聖外王」傳統也由此派生。秦可卿帶有巫的外觀：寧國府中的「淫」婦。這在世人眼中便是巫。她是警幻仙子的妹妹，半人半神地導引賈寶玉通天神遊太虛幻境的中介。她臨終前對賈府的行政王（王熙鳳）發表了一番警世聖言，與鳳姐形成一個「內聖外王」的結構。她去世時，享受人間最高的哀榮，這不是人的死亡，而是巫的飛升。

55 易信仰而非滅信仰

《紅樓夢》第一回就通過對賈寶玉童年的敍述，把「女兒」二字與元始天尊、阿彌陀佛並列，甚至把女兒淩駕於兩尊之上，透露了曹雪芹的一個重大思想資訊，這就是審美可以和宗教平行，審美可以代替宗教。《紅樓夢》中有黛玉談詩、寶釵談畫、寶玉談輓歌寫作，這是藝術觀。而曹雪芹的審美觀大於藝術觀。他的美學是一種對宇宙、對自然、對世界、對人生、對青春生命全面把握的通觀美學。這種美學觀又是世界觀、宇宙觀、人生觀，而且是立身態度。雖然審美可以與宗教平行，但曹雪芹不是把神推向美，而是把美推向神，謀求的不是滅信仰，而是易信仰（魯迅語，參見《破惡聲論》），以對美的信仰取代對神的信仰。

56 變易和不易

易即變。《易經》，便是變經。鄭玄（鄭康成）說《易經》包含三易，即簡易、變易、不易。《紅樓夢》三易皆有。《石頭記》首先就是簡易之理的實現。萬物中最簡易的石頭變成人這種最豐富、最複雜的生命，便是由簡到繁的簡易真理。石頭會變，人也會變，王夫人「原是天真爛漫之人」，後來變成一個假慈悲、真凶狠的權貴女人，就是變易。不僅是王夫人，賈府內外每個人每一天都在變，賈寶玉也是天天有所悟，天天都在變。值得注意的是，曹雪芹特別注重「不易」之理，即變中有常，人間生生滅滅中有恒古不變的哲學真理。秦可卿臨終前託夢給王熙鳳，講「盛筵必散」，講「否極泰來」，講「月滿則虧，水滿則溢」，講「登高必跌重」，就是宇宙間永恆的真理。妙玉喜歡范成大「縱有千年鐵門檻，終須一個土饅頭」，即死是一種必然，這也是不易的真理。「天變，道不變」，強調的正是宇宙間的一些基本規律是不會變的。

57 只呈現而不演繹

八十年前，認真的評紅者就說：

> 「《易》言吉凶消長之道，《書》言福善禍淫之理，《詩》以辨邪正，《禮》以別等威，《春秋》寓褒貶，經天緯地，恆絕古今。而不意《紅樓》一書，竟能包舉而無遺。」又說：「《紅樓夢》推演性理，闡發《學》、《庸》，以《周易》演消長，以《國風》正貞淫，以《莊》、《騷》寓本旨，以《春秋》示予奪，結構細密，變幻錯綜，包羅萬象，囊括無遺。」[6]

這位化名的評紅高人看到《紅樓夢》的包羅萬象，兼容各家，囊括無遺，非常對。但說《紅樓夢》推演性理、闡發《學》、《庸》卻未必貼切。因為《紅樓夢》作為文學作品，它只陳述，並不推演，只呈現《學》、《庸》，並不闡發《學》、《庸》，對於儒、道、釋各家皆如此。

《紅樓夢》的哲學是藝術家的哲學，其特點，是意象而非邏輯，直陳而非推導，感悟而非演繹，明斷而非分析。

6 境遍佛聲：《讀紅樓札記》，原載《說叢》，1917年3月；轉引自中國藝術研究院紅樓夢研究所、人民文學出版社編輯部編：《紅樓夢研究稀見資料彙編（上）》（北京：人民文学出版社，2006），頁6。

58 門庭愈高，情感愈薄

地位和情感往往不成正比，而成反比。貴族豪門的親情往往不如寒門庶族那麼單純與濃厚。賈府中賈政與他的兒子寶玉、賈環的情其實很淡，因為賈政思慮的重心是家族利益，進入不了超功利的純情。賈政與自己的女兒賈元春的情更為稀薄，那不僅是因為隔着宮廷的圍牆，而且父女之情已變質為嚴酷的君臣之禮。賈元春在宮廷牆內所感受到的各種情，包括與皇帝的所謂情，其實只是幻象與幻影。且不說皇帝隨時都可以拋棄她，就以宮廷裏嚴格的秩序與規範，就足以使她註定只能活在寂寥之中。門庭愈高，規範愈多，秩序愈重，情感便愈薄，這是規律。元春說宮廷是見不得人的去處，這是大實話，讀者可從這句話了解她與皇帝的關係：名為夫妻，實為主奴。所以，哲學上對情的把握，不僅要關注「情感」，而且要關注「情境」，不是常人所想的那種簡單的卿卿我我。

59 護扇石呆子與銜玉石呆子

《紅樓夢》說板兒（劉姥姥之孫）是個「怯人」，即膽小怕事之人。小說中的怯人還有迎春、秦鐘等。與怯人相對的便是硬漢。那個寧死也不肯出賣祖傳古扇的石呆子就是個不怯不懼的硬漢。平兒在罵賈雨村時講述了石呆子的故事：

「……今年春天，老爺不知在哪個地方看見了幾把舊扇子，回家看家裏所有收着的這些扇子都不中用了，立刻叫人各處搜求。誰知就有一個不知死的冤家，混號兒世人叫他作石呆子，窮的連飯也沒的吃，偏他就存二十把舊扇子，死也不肯拿出大門來。二爺好容易煩了多少情，見了這個人，說之再三，把二爺請到他家裏坐着，拿出這扇子略瞧了一瞧。據二爺說，原是不能再有的，全是湘妃、棕竹、麋鹿、玉竹的，皆是古人寫畫真跡，因來告訴了老爺。老爺便叫買他的，要多少銀子給他多少，偏那石呆子說：『我餓死凍死，一千兩銀子一把我也不賣。』老爺沒法子，天天罵二爺沒能為。已經許了他五百兩，先兌銀子後拿扇子。他只是不賣，只說，要扇子先要我的命，……誰知雨村那沒天理的聽見了，便設了個法子，訛他拖欠了官銀，拿他到衙門裏去，說所欠官銀，變賣家產賠補，把這扇子抄了來，作了官價送了來。那石呆子如今不知是死是活。老爺拿着扇子向二爺說：『人家怎麼弄了來？』二爺只說了一句：『為這點子小事，弄得人坑家敗業，也不算什麼能為！』……」（第四十八回）

這個不羨金錢、不畏權勢、威武不能屈的石呆子，寓意很深。

《石頭記》寫的正是石呆子的故事，只是一個是護扇的石呆子，一個是銜玉的石呆子。兩個都是傻子，都是保留天生一片混沌的不開竅的鹵人。賈寶玉這一青埂峰下被女媧遺棄的石頭，幻化入世後，仍帶着原始的渾厚，成了一個常常被人嘲笑的石呆子，他和護扇的石呆子一樣，並非造反派，但擁有力透金剛的拒絕力量，不管是硬的如父親的棍棒，還是軟的如寶釵、襲人的勸誡，都不能改變他對仕途經濟之路的拒絕。寧肯死，也不能進入國賊祿鬼之列。

60 空空境與無無境

談論《紅樓夢》哲學的最高境界，所以非談黛玉的「無立足境，是方乾淨」不可，是因為賈寶玉的「無以為證，是立足境」中的「無」，還是一個與「有」對立的概念，這仍然是一種法執。禪宗的「本來無一物」和「不立文字，明心見性」，強調的正是破法執，不僅要空諸所有，而且連空也空，換句話說，空化無化一切，應包括空本身無本身也空化無化。這便是「空空」、「無無」。莊子說無境可以抵達，無無境則是他所難以企及的。林黛玉的智慧，高出賈寶玉一籌，在此表現得最為明顯，她超越寶玉的空境與無境而抵達空空境與無無境，佔領了禪的制高點，把寶玉的無須證明之情推向連情也沒有的最純粹的理，甚至連理也要捨棄。禪發展為狂禪，正是最後連理的立足之所也沒有。曹雪芹知道這一最高境界，並讓黛玉為之表述。但他在《紅樓夢》全書中把握的是「無為有處有還無」的悖論，是在有與無之間的彷徨，不是在無與無無之間的彷徨。

61 境界：求道而不求術

王國維的《人間詞話》給思想者與藝術家最大的啟示是不可只知功夫而不知境界。任何大宗教、大文化當然也包括大文學、大藝術，追求的應是境界。《人間詞話》標誌着中國文學對於境界的自覺。而這之前，《紅樓夢》則以自己的全部意象與全部情思顯示文學創作對境界的自覺。所以王國維的《紅樓夢評論》才從境界入手，區分《紅樓夢》與《桃花扇》境界上的區別。

《紅樓夢》塑造賈敬這一形象也表明，曹雪芹嘲諷求道只知功夫不知境界的虛妄。儒、道、釋的功夫是儒術、道術、法術。儒術走向極致便是只有聖人面具而無聖者之心；道術走向極致便是賈敬似的連自己也葬身於丹砂妄火之中；佛術的表面功夫則是王夫人式的手不離佛珠，但珠子顆顆沾滿奴隸們的鮮血。寶玉和黛玉揚棄表面功夫，求索的只是境界，因此談起禪來，便一境勝過一境。生命奇觀就在禪悟覺境中。

62 心的內涵

賈寶玉離家出走之前，自豪地對襲人說：「我有心了，還要那個玉做什麼？」賈寶玉經歷了滄桑顛簸，最後什麼都丟失或放下，卻贏得天地間最重要的東西，這就是「心」。此「心」，不是人體內的那顆具有血液循環功能的心臟，不是物質機體的一部分。此心，是宇宙鍾靈毓秀凝聚成的生命質點，是慧根、善根等根性的總和。「為天地立心」，立的便是這種心。賈寶玉銜玉而降人間，讀者容易誤以為玉是天人之際的橋樑，其實，唯有此心此覺，才是天地中介，霄壤大橋。寶玉心覺之後，便成了可作逍遙遊的大鵬，甚至是連大鵬相也沒有的無相至人了。此心遊於物之初，遊於太極之初，其「至樂」只有他自己能感受。寶玉如果活在二十世紀，可能要對人類說：你們忘了「心」，所以天地萬物便要成為機器的原料了。

63 女兒視角

《紅樓夢》有大觀視角、中觀視角，還有一個獨一無二的文學視角，這就是「女兒」視角。賈寶玉的鹵人眼睛，也與此視角相通。用女兒視角看宇宙看人間，才會看透「臭男子」（黛玉語）和濁世界。女兒視角是徹底的超功名、超功利的視角，在此視角之下，黛玉認為虞姬在楚王失敗之際一劍自刎是對的，她比起韓信、彭越等勝利者最後成了劉邦的肉醬不知要高明多少倍。同樣，在女兒的視角下，東施比西施更為幸福。西子把自己的美貌變成男人爭鬥的工具，此生命意義何在？恐怕還是那個在溪邊的洗衣少女的生活更符合人性，也更符合自然。

64 生命目的論

神、上帝、元始天尊、釋迦牟尼，還有「女兒」——青春生命，哪個放在第一位？曹雪芹破天荒地宣告：不是神第一，而是人第一；不是上帝諸神第一，而是青春生命第一。絕對價值，終極目的，最後實在都在生命之中。基督以上帝為無上至尊，人為上帝而活，生命為了上帝，甚至可以為上帝犧牲，所以才有亞伯拉罕把孩子送上祭壇的情節。而曹雪芹絕對不能接受這種觀念。寶玉是孩子，黛玉、晴雯、芳官等少女也是孩子，她們的生命才是至高無上的，不可以充當神的祭品。

曹雪芹創造了另一種目的論：以生命尤其是青春生命為第一目的的偉大目的論。在此目的論之下，生命是宇宙極品，不是鬼神祭品，只能棲居於天地之間，而不能放在祭壇上。中國文化的獨特性與偉大性，就在《紅樓夢》的詩意哲學中。

65 薛寶釵的「移性」論

薛寶釵是賈府中的保守主義者，而保的守的是天生的德性，因此她兩次提醒要警惕「移性」。一次是面對寶玉禪悟而寫出的偈語，寶釵看了之後笑道：「這個人悟了。都是我的不是，都是我昨兒一支曲子惹出來的。這些道書禪機最能移性。明兒認真說起這些瘋話來，存了這個意思，都是從我這一支曲子上來，我成了個罪魁了。」（第二十二回）第二次是和黛玉談心論書時說的：「⋯⋯你我只該做些針黹紡織的事才是，偏又認得了字，既認得了字，不過揀那正經的看也罷了，最怕見了些雜書，移了性情，就不可救了。」（第四十二回）

一次說道書禪機最能移性，一次說雜書也能移性。她界定的移性，是壞事，並非好事。寶釵是個虔誠的儒者，自然是信奉「性本善」。她擔心的移性，是移了人之初的善性德性，在她看來，如果有損善性德性，還不如不讀書為好。寶釵是個德性本體論者，賈寶玉則是一個心性本體論者。寶玉以赤子之心為根本，他與寶釵的思路正相反，認為八股文章和許多所謂聖賢之書，反而會移動赤子之性。兩人的衝突就從這裏發生。最後的一場關於聖賢與赤子的辯論，與兩人不同的移性觀完全相通。

66 三毒只戒兩毒

賈璉是個色鬼，偏偏妻妾都不是癡人。王熙鳳既貪且嗔，絕非癡人。平兒則非貪非嗔非癡，屬於佛教所要求的去三毒的完人。還有一個小妾秋桐，嗔氣很重，也無癡情。從這一角度看去，倒是尤二姐真有一身癡情。賈璉對王熙鳳的積恨，最終給了一張休書（據第五回仙曲的命運預示），與尤二姐的死亡一定有關。曹雪芹的哲學思想太奇特，對佛教全力呼喚必戒的三毒，只恨貪、嗔兩毒，而對於情癡情種則充滿同情，其主人公賈寶玉、林黛玉不僅是一般的癡人，而且是奇特的癡絕。肯定癡，以癡化貪，以癡化嗔，正是《紅樓夢》與佛教哲學的大區別。

67 杏花與我為一

曹雪芹在「杏子陰假鳳泣虛凰　茜紗窗真情揆癡理」一回中寫賈寶玉對「杏子陰」進行審美活動：

寶玉……從沁芳橋一帶堤上走來。只見柳垂金線，桃吐丹霞。山石之後，一株大杏樹，花已全落，葉稠陰翠，上面已結了豆子大小的許多小杏。寶玉因想道：能病了幾天，竟把杏花辜負了！不覺倒「綠葉成蔭子滿枝」了！因此仰望杏子不捨。又想起邢岫煙已擇了夫婿一事，雖說是男女大事，不可不行，但未免又少了一個好女兒。不過兩年，便也要「綠葉成蔭子滿枝」了。再過幾日，這杏樹子落枝空；再幾年，岫煙未免烏髮如銀，紅顏似槁了。因此不免傷心，只管對杏流淚嘆息。正悲嘆時，忽有一個雀兒飛來，落於枝上亂啼，寶玉又發了呆性，心下想道：這雀兒必定是杏花正開時它曾來過，今見無花空有子葉，故也亂啼。這聲韻必是啼哭之聲，可恨公冶長不在眼前，不能問他。但不知明年再發時，這個雀兒可還記得飛到這裏來與杏花一會了？

（第五十八回）

從這段描寫中，可看到寶玉（人）與杏花（自然）完全融合為一。這是活的齊物論，是對莊子「天地與我並生，萬物與我為一」最具體的註解。寶玉作為審美主體，他不是站在物（杏）的對面去分析辨別，而是在與物相融相契、共同運化時，以整個身心去體悟。貫穿於《紅樓夢》的人生觀、世界觀，也正是認為人生在世，首先不是以感性認識或理性認識去認知和把握萬物萬相，而是以自己真實的心和真實的情去與天地神人融為一體，讓情自然化與宇宙化，而這種化解主客體分裂的整體存在，才是本真的詩意的存在。

68 方與圓的生命結構

用酸、甜、苦、辣四個字來描述王熙鳳是很有趣味的。當賈珍決定邀請她來協理寧國府時，該府總管來升便傳齊同事人並警告說：「如今請了西府裏璉二奶奶管理內事，倘或他來支取東西，或是說話，我們須要比往日小心些。每日大家早來晚散，寧可辛苦這一個月，過後再歇着，不要把老臉丟了。那是個有名的烈貨，臉酸心硬，一時惱了，不認人的。」（第十四回）來升在這裏點到「酸」字，說她臉酸心硬。其實她不僅臉酸，而且是有毒的醋瓶子。其濃酸毒酸就殺了尤二姐和鮑二的老婆。至於辣，則在《紅樓夢》的開端中，賈母已給林黛玉作了介紹，這是有名的「鳳辣子」：「你不認得他，他是我們這裏有名的一個潑皮破落戶兒，南省俗謂作

『辣子』，你只叫他『鳳辣子』就是了。」（第三回）賈母特別喜歡這個「辣」，其實是特別甜，其奉承話、獻媚話，甜到「老祖宗」的心裏去了。可惜，這個又酸又辣又甜的極端聰明人，最後結局是一個苦字：「一從二令三人木，哭向金陵事更哀」。生比他人苦辛，死比他人苦楚。

曹雪芹筆下沒有一般化的書寫，他把王熙鳳寫得酸透、辣透、甜透、苦透，性格的任何一面都有很強的力度。這是他的文本策略：把情致推向極端。其哲學基點是個「極」字。這是棱角的極，即方之極，但他並沒有把王熙鳳寫成壞人，其生命整體又屬圓形。方與圓的構造底下是哲學極與中的悖論。

69 終極來處不可言說

寶玉與黛玉的深情從哪裏來的？根在哪裏？源在哪裏？曹雪芹提供一個神瑛侍者和絳珠仙草的伊甸園似的傳說。但是，若再追問下去，侍者與仙草來自何處？根在哪裏？源在哪裏？則不可言說，難以求證。弗洛伊德追究文學源於何處？夢源於何處？追到性壓抑、戀母情結，那麼壓抑情結、戀母情結又從何處產生，也難實證。曹雪芹借佛說把起因界定為空。生命來自空，也歸於空。他對於此說，止於了解，不再追究，也不作判斷裁決，只把全部心力用於呈現。智慧用於培育花朵，而不用於追根索源，所以當妙玉問寶玉：「你從何處來？」寶玉答不出，倒是惜春為他作答：「從來處來。」《紅樓夢》破一切執，也破了來處與去處的執。曹雪芹把握了自己的使命，一切都恰到好處。這也許可以啟迪《紅樓夢》研究，讓我們明白、欣賞、了解、感悟其精神和藝術，比追尋曹氏的家譜與索隱人物的來處更為要緊。

70 悟者，千百難以得一

所謂天才，乃是善於把審美理想轉化為審美形式的巨大才能，也是善於通過悟性轉識為智（大智慧）的巨大才能。曹雪芹就是這樣的天才。劉禹錫在《大鑒禪師碑並序》中說：「……無修而修，無得而得。能使學者，還其天識。」（《全唐文》卷六一〇）而清代《名家制義六十一家》有位無名氏說：「學也者，人得而至也；才也者，十不一得焉；識也者，百不一得焉；悟也者，蓋千百而不一得焉。夫悟者，學不為力，才不為思，識不為解。積於無題之先，觸於有題之後；不以有文生，不以無文滅。故悟得而文之，能事畢矣。雖然，閱歷而悟，是謂正學；憑虛而悟，是謂異學。所爭毫厘之間耳。」（《名家制義六十一家》，清抄本，國家圖書館藏。此書共六十一冊，引語見第十三冊）說《紅樓夢》是一部悟書，並不是說它憑虛而悟，而是說它閱歷而悟，沒有曹雪芹經歷的大苦難，就沒有《紅樓夢》。說《紅樓夢》是一部天才之書，也不是說它憑空而降，而是說它是一部大於學問、大於知識、大於歷史、大於政治道德的偉大著作。

71 了別與了義

《好了歌》多重暗示中的直接之義是大乘佛教的了義。所謂了義，便是最透徹、最後的真理。禪把外三寶（佛、法、僧）轉變為內三寶（覺、正、淨），以覺代佛，覺即神，而一切佛法包括千經萬典化為正法，便是了生死、成佛道、渡眾生的方法。《好了歌》如此重要，正是它包含着內三寶的根本點，暗示人生無常，禍福相依，能深知了，才能把握好，若要完全好，就要善於了，敢於了，斷然了。佛教不講分別，只講了別。不講分別，所以好便是了，了便是好。講了別，就是要把握了義，以了作結，求得對人生有一大徹大悟。

72 父與子的衝突

范文瀾在《中國通史》中論述唐代文學，說杜甫詩呈現儒，李白詩呈現道，王維詩呈現釋。儒、道、釋三教，是精神，也是出路。《紅樓夢》則由賈政呈現儒，賈敬呈現道，賈寶玉呈現釋，也是三種道路與出路。賈敬求道太急而失敗。道的深層是老、莊，表層是煉丹術。寶玉、黛玉走的是深層之「道」，不過，對於寶玉，大乘更是他的大道。賈政選擇儒也無可非議。宋之後直到清代，社會已看不起世襲的士人與士大夫，因此，有了爵位之後還得努力爭得科場上的功名，為了家族群體的利益，非走仕途經濟之路不可，而寶玉偏偏拒絕此路，即拒絕入世建功立業。這樣，賈氏家族便將失去光榮與永恆，因此，在賈政眼裏便成「孽障」和「無知的蠢物」。父與子的衝突，首先是個體生命自由與家族群體利益的衝突。

73 人已忘記人的根本

寶玉閱盡人間的山山水水形形色色之後，準備辭家遠走。從青埂峰下幻化入世，歷經浮沉、滄桑、變故，品嘗種種大小悲歡。觀看過、沉思過、胡鬧過、熱戀過、癡迷過、自審過、執着過、憧憬過，如今一切都放下，決心出走。臨行前，他對曾經相處過的「人類」作了一次總結性評價，那是「佳人雙護玉」的時刻，他對兩位屋裏佳人說：「你們這些人，原是重玉不重人哪！」這一大感嘆，真讓石破天驚。這不僅是對寶釵、襲人的評價，而且是對人類整體的告別總評說。身處十八世紀的人類，生命重心已向物質傾斜，看重的已是玉所象徵的物色、財色、器色、姿色，而不是人之為人的驕傲與尊嚴，也不是人的真情真性真品格真智慧。玉比心強，物比人重，利比情急，身邊的妻妾，尚且如此，更莫論屋外的陌生人群了。寶玉出自肺腑的大感嘆，是何等傷感的評說，又是何等深邃的失望與絕望。但從哲學上說，他是在提示，人已忘記了人的根本是什麼。

74 異道而取中道

賈寶玉在小說的開頭，就借「假語村」之言，被界定為「大仁」與「大惡」之外的中道之人。他屬中道、中庸，卻非庸人，更非「鄉愿」，因為他有狂與狷的支撐。「無故尋愁覓恨，有時似傻似狂。」其實不僅「似狂」，還常常真狂，說古書多是杜撰，說男人都是泥作，就夠狂了。而從不進入追逐功名之列，不讀八股文章，則有所不為，是為狷。所以他遠離鄉愿，而成異端。異端而非極端，異道而取中道，獨立而又中立，温中有厲，厲中有温，且温且厲，寶玉的立身態度，正是一部有血有肉的活哲學。

75 心之外，一切可「了」

天才的特點一是極為敏銳，二是極為痛苦。曹雪芹正是這樣的天才。因為敏銳，便見到世人常人未能見到的悲劇，於是痛苦。也因為敏銳，所以能有大見識，能擊中要害。禪的「明心見性」正是擊中要害。《紅樓夢》作為天才傑作，它首先是明心，一部《紅樓夢》也可說是一部心傳、心經、心學，寫的是心事，吟的是心音，明瞭的世界本質是心靈。心之外，一切都可以「了」。《紅樓夢》為天地而立的心是淨水世界主體的少女高潔之心，真純之心。《紅樓夢》所見之性也是心性，縱承陸（象山）王（陽明），橫接釋迦牟尼，自己還強調一個來自《山海經》時代早已有之的天性，便形成了獨樹一幟的哲學。

76 中性人

《紅樓夢》的續書，最大的功勞是保留主人公的悲劇結局，而且這種悲劇不是大仁者與大惡者衝突的結果，即不是善惡鬥爭的結果。造成悲劇的不是「大惡者」（賈雨村語），不是「蛇蠍之人」（王國維語），而是一些親者、愛者、長者由於處在不同的價值層面和不同的性格而互相作用的結果。林黛玉不是被害的結果，而是被選擇的結果，每個參與選擇者都出於「善」的動機，卻造成「壞」的結果，所以最後是「共同犯罪」又共同流淚。這裏沒有因果報應，沒有道德裁決，沒有社會干預，只有參與者個體的立場、思慮與性情的合力。這種深刻的悲劇，其哲學基礎就是第一回作者借賈雨村說出的「三維人性論」：天地正氣所生的大仁者，天地邪氣所生的大惡者，清明靈秀之氣所生的中性者。《紅樓夢》的悲劇乃是中性人共同犯罪的結果。包括賈母、王夫人、賈寶玉等，全是中性人。

77 直線情感與曲線情感

賈寶玉和晴雯、芳官等的情感往來是直線的，而和黛玉的情感交匯雖也直，卻有許多曲線。因為情進入內心最深處，直線難以抵達。用詩通感，用禪暗示，用淚懷想，都屬曲線。寶玉和秦可卿的情感，更是曲線，線頭彎到天上，曲到太虛幻境。可卿一線雖曲但不複雜，唯有與黛玉的情感，既是曲線又是多線，既有外在又有內在，既有感性又有靈性，既有歡笑又有歌哭，既有爭吵又有暗示，既是身的投入又是心的投入，不僅曲曲折折，而且交交錯錯。因此，它才形成《紅樓夢》的主要情愛景觀。

78 哲學四要點

由賈雨村之口說出的《紅樓夢》人性哲學，乃是三維人性論。大惡者與大仁者可稱為黑白對立的兩色，但第三種人則不能視為黑白兩色調節出來的灰色人。如果是灰色人，就一定會徘徊在黑白兩邊而投機取巧。可是屬於第三種人的賈寶玉與林黛玉卻全然沒有投機的特性。他不是天地正氣與天地邪氣的混和，而是一種被曹雪芹稱為「清明靈秀之氣」、「聰俊靈秀之氣」所生，並形成獨立自主的一種人格。以此人格為主角的《紅樓夢》，其美學風格是秀美；其精神風格是空靈；其思想風格是清明，其人物風格是俊逸。《紅樓夢》哲學如果借用老子《道德經》「一生二，二生三」的數字表述法，它的哲學要點可表述為：（一）天人一體形成的宇宙境界；（二）不二法門形成的無善無惡、無是無非、無真無假、無貴無賤的大慈悲與大自在；（三）三維人性論所提示的靈秀美學；（四）四句十六字訣（因空見色，由色生情，轉情入色，由色入空）而形成的人生觀與宇宙觀。

79 無聲「道言」

落花、落葉引起林黛玉那麼大的傷感，也引起寶玉那麼震撼的「同情」（聽了《葬花詞》而慟倒在地）。寶玉還常獨自和星辰、魚鳥對語。連一片葉、一朵花、一隻飛鳥、一條小魚的生滅都會引起如此的心動與情動，更何況對於一個心愛之人的消失與死亡。對於晴雯的死，林黛玉的死，以及秦可卿、鴛鴦、金釧兒等人的死，在寶玉心中引起何等的震動與痛惜，這種悲情達到怎樣的深度，言語難以表達。對於晴雯，寶玉還試着用言語詠嘆，對於林黛玉，則只有行為語言了。離家出走，告別知音無法生存的世間，是唯一可以表達的語言。這一行為語言是大言，是道言，是無聲無字的詩性語言。《紅樓夢》續書，能寫出這一道言，便是功不可沒。

80 寶玉的「煩」

梁漱溟認為西方文化（以基督教文化為代表）重來世（重天堂），印度文化重前世（講因果），中國文化則重現世（重生活）。中國人認定死後（來世）沒有天堂，也不可能轉世重生，所以就認定要在現世中好好過日子，認真生活、努力生活、享受生活，盡可能生活。中國皇帝和中國民眾都很能享受生活，這與中國文化的大觀念相關。於是，如何生，如何「好」，變成了中國哲學的主題。《紅樓夢》哲學沒有從根本上改變這一主題，但它帶入強大的新意蘊，這就是如何生得有意義，「好」又如何「了」。是賈寶玉的存在方式有意義，還是甄寶玉的存在方式有意義？是父的方式（賈敬、賈政等）有意義，還是子的方式（寶玉等）有意義？聰明的寶玉看到周圍的王公少爺各個有吃有穿，享盡榮華富貴，但沒有意義。寶玉的「煩」是超越性的「煩」，是如何生得有趣有味有意義的煩。寶玉的出家，不是奔向來世，也不是否定現世，而是超越現世的困境和存在方式，去作另一種尚無結論的追求。

81 心外仍有敬畏

寶玉最後的覺悟與王陽明的「心外無物」相通，但是《紅樓夢》及其主人公是不是除了對心的敬畏之外就沒有任何外在的敬畏呢？顯然不是。《紅樓夢》一開篇就借賈雨村談哲學，開口就說「天地生人」，講天地之正氣、邪氣、秀氣如何塑造人，以天地為人的前提和依據。而全書的結構又是天人無分，天地人三才合一，主人公來自天上又回到天上，可見對天地很有敬畏。中國大文化系統沒有上帝這種人格神，但有畏天命、尊天道的思想。《紅樓夢》容納中國文化的這種情感結構，保持對冥冥之中的大明淨與大秩序的敬意。宇宙的大明淨與大秩序，是超越性與神秘性存在，是天地人的協同共在，無神論者面對此一存在，就如同面對上帝。中國講太極，講天理，也是以這種無可懷疑、無可更改、無可證偽的無限存在為靈明神明。這與禪的絕對性的「去畏求慧」不同。《紅樓夢》雖立足於禪，但並不完全等於禪，所以說它是一個哲學的大自在。

82 不是苦行僧，但有精神苦旅

在印度，無論是佛教徒還是印度教徒，苦行僧很多。但在中國，則幾乎沒有苦行僧。這也許是佛教東來後受到中國樂感文化（儒）和逍遙文化（莊）的洗禮。賈寶玉雖天生富有佛性，熱衷於禪，但也拒絕苦行，樂於充當快樂王子，盡情享受生活，深信重要的是「心誠」。心淨則土淨，淨土就在心中。他雖未作苦行，卻感受過苦打（被父親往死裏打）、苦毒（中了趙姨娘—馬道婆的魔法）、苦戀（情感的打擊），這些都是內心的煉獄，精神的苦旅。雖不是苦行，卻也是覺醒的階梯，頓悟的條件。頓教（南宗）的精神飛躍（徹悟），不是文字（讀書）的結果，卻與經歷修煉有關，也屬閱歷而悟，並非憑虛而悟。

83

直面自我的糞窟泥溝

賈寶玉見到秦鐘後的那一段自思，值得一讀再讀：

那寶玉自見了秦鐘的人品出眾，心中似有所失，癡了半日，自己心中又起了呆意，乃自思道：「天下竟有這等人物！如今看來，我竟成了泥豬癩狗了。可恨我為什麼生在這侯門公府之家，若也生在寒門薄宦之家，早得與他交結，也不枉生了一世。我雖如此比他尊貴，可知錦繡紗羅，也不過裹了我這根死木頭；美酒羊羔，也不過填了我這糞窟泥溝。『富貴』二字，不料遭我荼毒了！」（第七回）

這段話的重要性在於，一個貴族子弟對自我竟然有如此清醒的認識。賈寶玉不僅意識到自己無法「治國平天下」，而且認識到自己的身內藏着一個「糞窟泥溝」。搞不好，人就會變成另一種生物——變成泥豬癩狗。有這種「自思」，才有自明，才能從豬狗的城邦中跳出來。能跳出來，便是大智慧，佛教是喚醒智慧的宗教。《紅樓夢》的智慧，不是權術、心術，而是禪式的對世界與對自身清明的意識。賈寶玉對自身不淨的確認與意識，使小說智慧進入到前所未有的深度。

二十世紀西方第一個把哲學眼光切入自我內部的偉大學者是弗洛伊德。他揭示潛意識世界，揭示生命自我、本我、超我的內部主體性，從而開闢了認知自我的大思路。可惜弗洛伊德之後，西方哲學又走入死胡同，以語言取代心靈，心理分析被語言分析所替代。西方學者尚未發現，早在兩百年前，中國的偉大作家曹雪芹就深深觸及自我，觸及內心。

84 「自看」哲學

寶玉此時看他人，事實上是「自看」：「如今看來，我竟成了泥豬癩狗了。」以出自於寒門的他人為參照系，一個貴族子弟能看到自身的「糞窟泥溝」，這是很了不起的自省精神。能自看、自省，才能自明。富貴人未必高貴，「人貴自知之明」，能自看自明自知才真高貴。《五燈會元》卷二載有崇慧禪師對僧人解說菩提達摩，說「他家來，大似賣卜漢，見汝不會，為汝錐破卦文，才生吉凶，盡在汝分上，一切自看」。意思是說，達摩從印度來，就像一個占卜大師，只告訴你一條真理：卦文是凶是吉，其實都在你身上，全靠你自看自決。寶玉見了秦鐘後如見到一面鏡子，接着便是自看，在接着的「自思」之語，便是自己讀出的卦文；明晰、誠摯而謙卑。在偌大的賈府中，具有「自看哲學」的，只有寶玉一人。

85 非邏輯中人

世人嘲笑寶玉自己燙了手，反問別人疼不疼；自己被雨淋得水雞兒似的，反告訴別人「下雨了，快避雨去」。嘲笑的是反邏輯。寶玉常常違反世人的生活邏輯，燙了手反問別人疼不疼，反的只是小邏輯，憎惡拒絕走仕途經濟之路，反的則是「理所當然」的大邏輯。《紅樓夢》有意思的是不僅是主人公的行為反邏輯，而且全書的思維方式也反邏輯。因為它的主要方式是禪的方式，禪本身是反邏輯的，明心見性沒有邏輯過程。「悟」與「覺」的特點正是它們具有超越邏輯中介和打破邏輯的力量，這是取代神的另一種破執力量。賈母、王夫人不能選擇林黛玉做孫媳婦、兒媳婦，恐怕也是覺得林黛玉如寶玉一樣，都屬非邏輯中人，結合在一起，日子就沒法過了。

86 「意淫」只可悟證

警幻仙姑說「意淫」二字，「惟心會而不可口傳，可神通而不可語達」（第五回）。用哲學的語言來解說「意淫」，那便是性愛的想像性解決、想像性實現。它大於精神之戀，也大於肉體之愛，是一種通過自由想像而達到身與心的雙重投入。在現實生活中，尤其是在賈寶玉時代，性愛沒有自由，要找到可以全身心投入的情愛對象更難，在此環境下，對於一個情感充沛而且對於青春少女具有崇拜感與欣賞熱情的人，就只能通過自由想像來完成深廣的愛。這種想像是一種心理活動，它是自我的、無邊的、隱私的，而且不受法律制約與道德裁判的。這就是說，世上有些複雜的心理活動，語言無法抵達它的深處。如意淫，就既無法實證，也無法論證，只能悟證。意淫這種心理活動，既反邏輯，又反規範，既反道德，又反法律，它無邊無際，所以無法證實，但它又是真實的存在，是所有有血有肉的人都可能歷經的一種心靈生活。曹雪芹作為一個偉大作家，他又是一個最誠實、最無面具遮掩的人，所以他確認「意淫」，確認自己的人格化身寶玉是「天下古今第一淫人」。

87 智者了達

《好了歌》作為哲學歌，內涵很重。就「了」字而言，它包括了義、了達、了境，皆是從佛家哲學的要點。了義即真實之義，這乃是最圓滿的義諦。了境則是止境，世上的荒誕是不知止，不徹悟，即不了達。《壇經‧宣詔品》：「明與無明，凡夫是二。智者了達，其性無二。無二之性，乃是實性。」第五回說寶玉「天性所禀來的一片愚拙偏僻，視姐妹兄弟皆出一意，並無親疏遠近之別」。這種無親疏之別、無遠近之別、無內外之別，既是人性，又是佛性。既是無（無二之性），又是有（實性），而且是大有。無分別的大有，便是妙有。妙在能夠對佛性整體的把握。寶玉被人誤認為是傻子，實際上卻是「智者了達」。

88 羨而不漁

君子臨淵，羨而不漁。這是曹雪芹對筆下「閨閣中人」的態度，也是賈寶玉對眾女子的真實態度。羨而不漁，便是只欣賞而沒有佔有慾望的審美態度。所謂「意淫」，也是這種態度，只有羨慕、愛慕、傾慕，沒有結網打撈之念。寶玉對女性如此，對少年男性也是如此，他對於秦鐘、棋官（蔣玉菡）等也止於羨。與寶玉不同，賈璉、薛蟠等則只知「漁」，不知「羨」，只知濫淫，不知意淫。

89 善根與慧根的比重

妙玉的才情幾乎要壓倒黛玉與湘雲，可惜她慧根太強，善根太弱，聰明有餘，慈悲不足。如何對待賈母與劉姥姥兩個老人，檢驗的是她的善根，驗證的結果是未免勢利。賈氏兩府及大觀園的女子中，有的慧根強於善根，如黛玉；有的善根強於慧根，如香菱；多數是慧善兼有只是比重大小難分。就兩個主人公而言，黛玉的慧根強於寶玉，而善根則不如寶玉。賈寶玉是慧、善兼有，而且善根伸到無邊無沿，一直伸延到天上的星辰、地上的魚鳥，是天人合一的至善者。黛玉的慧根也伸展到無邊無際，抵達宇宙深處的「天盡頭」。

90 寶玉只宜生活在兩種自然關係中

賈寶玉和姐妹們聽戲後，王熙鳳説小旦的扮相像一個人，湘雲口無遮攔，便説像黛玉，寶玉怕惹黛玉生氣，向湘雲使了個眼色。他本是好意，卻招惹湘、黛不滿，由此，他感慨道：「如今不過這幾個人，尚不能應酬妥協，將來猶欲何為？」從而悟到還是「赤條條來去無牽掛」更好。

賈寶玉是最單純的自然生命，他天生只適合生存在兩種自然之中，一種是擁有日月星辰山水花鳥的大自然中，一種是擁有天真天籟的少女自然生命之中。可是，當他和少女一起進入人際之後，發現她們也帶上人際的複雜，因此感慨很深，悟到還是赤條條無牽掛的自然人更好。在與自然的關係中，心與心沒有隔。而在人際關係中，即使和最親近的人在一起，也要產生許多嫌隙。這種悟在寶玉的心中不斷積澱，導致他最後離家出走。

91 貴在生命之質

賈寶玉在《芙蓉女兒誄》中歌頌晴雯：「其為質則金玉不足喻其貴，其為性則冰雪不足喻其潔，其為神則星日不足喻其精，其為貌則花月不足喻其色。」在賈寶玉乃至曹雪芹眼裏，對於生命的審美理想應兼有質美、性美、神美、色美。而具有此四維美的生命，是天地之間的任何其他萬物萬有包括金玉、冰雪、星日、花月所不能比擬的。

人的生命，貴不在於量，而在於質。《金剛經》警告人不可有「壽者相」，就是只知生命的量不知生命的質。晴雯只是一個少女，卻體現出人的最高的生命質量。人的功名、財富、權力都不是生命的質，與晴雯這樣一個活生生的至美的形象相比，賈府中的老爺們個個都是靈魂的木乃伊。賈寶玉的眼睛是中國文化中對生命之質具有最高敏感的眼睛，它奠定了中華民族未來審美的最好的基石。

92 純粹唯美主義者

賈寶玉在世上的一番人生，只做三件要事，一是戀愛，二是讀書，三是寫詩。但三件事都被父親賈政視為邪路。愛戀時把愛情放在親情之上，而且還泛愛；讀書不讀聖賢之書卻讀雜書；寫詩作賦則如同聲色犬馬，並非正業。三者都不入「檻」，所以寶玉如妙玉，幾乎接近檻外人，即十足的異端。其實，寶玉的愛戀廣泛而單純，大體上屬於柏拉圖式的精神之戀；讀書時拒讀八股文章而讀《西廂記》等，尋找的是真情而不是面具；寫詩作賦更是發出內心的歌哭，寄託的是至真至善的夢。三者都證明這個銜玉而降生的賈寶玉，是個超功利的純粹唯美主義者。

93

故鄉哲學與終極歸宿

故鄉是什麼？故鄉在哪裏？故鄉是有還是無？人該追求「色還鄉」（衣錦還鄉），還是「空還鄉」（赤條條來去、質本潔來還潔去）？這都是人生的真問題，也是真難題。思想者認為知難行易，僅知故鄉就不容易。曹雪芹正是對故鄉知之太深，所以筆下人物便有思之太切。林黛玉撫琴彈奏的（寶玉、妙玉偷聽的）其實是「思鄉曲」。《紅樓夢》中的故鄉有兩義：第一義是指生於斯、長於斯的父母之府、兄弟之園，這是「我們」的歸屬、現實的歸屬。第二義是真心所存之處，真諦所寄之所。這在大宇宙的空曠中，也在自己內在的深淵中。世人的衣錦還鄉（王熙鳳做了「衣錦還鄉」夢）是以第一義為人生目的，賈寶玉和林黛玉的鄉愁，則是對第二義的思念和思索。三生石畔、靈河岸邊、大荒山、青埂峰全在他們的潛意識中，那是真心之所。他們頭一次見面就說見過、眼熟，其實，故鄉故人就在心底。《紅樓夢》的故鄉哲學是普世性哲學，它揭示人的終極歸宿不是籍貫，不是種族，而是普世的真性與真理。思之切便有行之真。賈寶玉和林黛玉的相戀苦戀，也可解釋為終極故鄉的苦苦追尋。林黛玉死後，寶玉離開寶釵和襲人到外間獨睡，期待林黛玉的魂魄能來入夢，這是他的鄉愁達到極點。

94

聚散一體

第三十一回寫道：

那黛玉天性喜散不喜聚。他想的也有個道理，他說：「人有聚就有散，聚時歡喜，到散時豈不清冷？既清冷則傷感，所以不如倒是不聚的好。比如那花開時令人愛慕，謝時則增惆悵，所以倒是不開的好。」故此，人以為喜之時，他反以為悲。那寶玉的情性只願常聚，生怕一時散了添悲；那花只願常開，生怕一時謝了沒趣；只到筵散花謝，雖有萬種悲傷，也就無可如何了。

一個喜散不喜聚，一個喜聚不喜散。歸根結底，總是林黛玉想得比賈寶玉深。寶玉立足於「常聚」的理想主義，但理想終究要被撞碎於「常散」的現實地面。而黛玉立足於「散」，反而對「散」有了心理準備，不必像寶玉那樣為「散」而長吁短嘆。曹雪芹的哲學觀是聚散一體，一聚一散如一陰一陽，一體兩面，不斷相互轉化。「盛筵必散」是無可改變的規律，寶玉的「常聚」也只是個夢。不過，寶玉喜聚，說明他熱愛生活。想在歡聚時的瞬間充分享受生活，這一點乃是比林黛玉更積極地對待人生。

常人都以為喜聚是有情，是熱情，不知喜散也是有情，而且是更深的情感。林黛玉是《紅樓夢》中內心生活走向最深層面的人，也是精神最精緻、最細緻的人，她何嘗就不喜歡聚，不喜歡相逢？但她比他人想得更深的是聚散一體，相逢與相別一體。相聚時高興，但相別時會帶來更深的孤獨感。這是一種深刻的悲劇性心理。林黛玉對花謝花落的感受比常人深，她的《葬花詞》為花朵的「散」而落淚。想到花開的情景，對於花落就有更深的悲傷。賈寶玉也會有相聚後分離的失落感，但沒有林黛玉聚散一體的深思，即未悟到聚的歡樂會給散帶來更深的憂傷。哲學感悟會深化情感，林黛玉是一個例證。

95 賈寶玉的「畏」

海德格爾在《存在與時間》中輾轉着三大範疇：煩、畏、死。《紅樓夢》中也充滿着這三種文化心理內容，甚至還有生理內容。賈寶玉的「煩」主要是牽掛——對其心上人夢中人的牽掛。其畏的內容則主要是對「散」的害怕。他不怕死，講起死來總是很輕鬆，滿不在乎；但一說起「散」，就不安、緊張，甚至痛苦。探春遠嫁時，他的一番痛哭，便是為離散而哭。襲人知道他畏的是什麼，因此就以辭家出走為名逼他答應三件事，他果然一一應允。在寶玉的畏裏，其精神之核是對情的珍惜，人生這麼短，相逢已很難，相聚就更難。相聚包含着多少因緣、多少機緣、多少偶然，寶玉雖說不出道理，但明白：一旦與心愛的人離散，到地球來一回就失去意義。黛玉表面上與寶玉相反，喜散不喜聚，但骨子裏也是害怕離散，她認為人相聚後再離散，心裏更難受。還不如不聚（參見第三十一回）。這不是不愛聚，而是害怕聚的暫時性，歸根結底也是畏。

96

相信「死而不亡」嗎？

聚散往往只是在世俗人生的層面上說，至於靈魂層面，那就更複雜一些。北宋哲學家張橫渠講個體形成就是聚，個體消解就是散，但散不是消滅，而是歸於氣化的大流之中，也就是說形散而神並不真散。在這個大循環中，散即聚，聚即散，聚散不二。莊子也是這樣理解聚散，所以才會有「生死同狀」的思想，把妻子的死視為只是形的消失，而神則匯入宇宙陰陽大邏輯鏈中。王船山在解釋張橫渠的聚散觀時說，這是靈魂的「大來大往」。曹雪芹作為一個懷疑主義者，似乎半信半疑，他讓主人公期待黛玉能來入夢，但又讓他的期待落空，「悠悠生死別經年，魂魄不曾來入夢」，神聚神交的夢想終歸破滅。張橫渠相信「死而不亡」，曹雪芹相信嗎？倘若相信，怎麼會有「十年辛酸淚」。看來，他只是在世俗層面上相信聚散同一的哲學，並不相信生死無分的神話。

97 敬是情感，不是虛名

寶玉對芳官說，無論對神還是對已逝的親人，重要的是「敬」，而不是虛名。這也是理解《紅樓夢》的鑰匙之一。真正的信仰是出自內心景仰，這就是「敬」。敬實際上是一種情感，而不是服從。真誠的信徒對上帝對佛教是傾注真情，是敬不是恐懼。《紅樓夢》中最深的情，都有「敬」的前提。寶玉對寶釵、黛玉、襲人、晴雯都有情，但對黛玉、晴雯的情更深，是因為有敬的情感在前。最為難能可貴的是，寶玉作為一個貴族公子，他對屬於「下人」階層的晴雯、芳官等，居然也有一種敬意，不僅只是戀情而已。如果沒有敬意，怎麼會有《芙蓉女兒誄》中那種絕對性的讚美。連日月都不足喻其貴，這是何等的敬意，何等的情感。

98 習性易變，天性難變

賈寶玉降臨人間，身上所佩戴的玉石只是心性的象徵，不是使命的象徵。他有基督的大愛大慈悲，但沒有基督的使命。基督來到人間，帶有救世的天職，而賈寶玉則完全沒有。他只是到人間走一回，看看人間，享受感受人間。他有關懷之情，卻無拯救之力，也無拯救之思。基督具有偉大的理念，教徒們也從理念出發去行動。而賈寶玉則沒有先驗理念，只是與生俱來就覺得人應該擁有尊嚴、自由和人格平等。他無師自通，一切全出自天性。

因為是天性，是內在生命的本然，所以就不會變。基督的偉大天性也不會變，但其教徒，立足於教義，不是出自天性，便容易變。

賈寶玉的品性在幼年時期就充分表現出來。周歲時，他的父親「要試他將來的志向，便將那世上所有之物擺了無數，與他抓取。誰知他一概不取，伸手只把些脂粉釵環抓來。」政老便大怒了，說：「將來酒色之徒耳。」他第一次見到黛玉，只有七八歲光景，就口出妄言：「除四書之外，杜撰的太多。」他先天帶來口銜的玉石，也先天具有至真至善至美的品格，其善根慧根都是固有的。孟子說：「仁義禮智，非由外鑠我也，我固有之也。」（《孟子‧告子上》）寶玉的善根慧根也是天生固有的，不帶外鑠性，所以一以貫之，無法動搖。其餘的棍棒打不掉，送到學校教育也無效。他日後遁入空門，也是天性的自然結果。與惜春、紫娟的因外鑠而入空門不同。所以，王國維才說他們兩人的解脫之道，其境界不如寶玉。如果唸經能唸到改變心性，從根本上發生變化，那就真了不起，但這種人十分稀少。

99 良知的鄉愁

林黛玉、晴雯去世後，寶玉只有刻骨的思念，第一百零九回「候芳魂五兒承錯愛」寫寶玉獨自在外間睡一宿，希望黛玉能入夢與他相會，起初睡不着，以後把心一靜，便睡去了。寶玉醒來，拭眼坐起來想了一回，並無有夢。第二天睡前又想起晴雯，還移情於五兒，瘋瘋傻傻起來，竟把五兒的手一拉，讓五兒急得紅了臉，心裏亂跳。

這兩個細節，寫的是寶玉良知的鄉愁。他到人間後，把黛玉、晴雯作為存在之家。如今，黛玉、晴雯回到「無」何有之鄉，他只有刻骨的鄉愁了。到人間走一回，真的情感受盡摧殘，寶玉愛她們卻沒有力量保護她們，此時沉重的負疚之感只剩下這一點點鄉愁，能安慰這點鄉愁的，也只有對夢的期待，可是，連夢都等不到，只能「消愁愁更愁」了。魯迅説人生最大的痛苦是夢醒了無路可走，而賈寶玉是醒了之後還尋找夢，兩者都找不到存在之家。

100 轉識成智非易事

佛教的「轉識成智」，講的是把第八識化為智慧。這一命題，我們可以把它延伸為「只有把知識轉化為智慧才是精神的飛躍」這一點，兩個主角（寶玉、黛玉）做到了，但寶釵沒有做到。她是《紅樓夢》人物中最有知識的「通人」，而且還有關於繪畫的專業知識，堪稱繪畫學者。但是，她始終沒有賈寶玉、林黛玉的大徹大悟，觀止兩大法門均沒有掌握。觀是看破，但她始終看不破仕途功名的虛妄，也看不破正統教條的局限。她的詩比林黛玉略輸一籌，乃是境界之別，終究是大智慧之別。能轉識為智的除了寶玉和黛玉之外，還有妙玉、秦可卿。秦臨終前託夢給王熙鳳，並說出一套「盛筵必散」、「否極泰來」的哲學，說明她有智慧，只是深藏不露而已。妙玉對黛玉撫琴的評論，以及對史湘雲、林黛玉賽詩的評論，也說明她非一般知識者可比，但她的分別相，又說明其智慧不如賈寶玉。

101 摔玉的暗示

寶玉第一次見到黛玉時問「可也有玉沒有？」當他知道黛玉「無」的時候，便從自己胸前摘下那塊玉石，狠命摔掉。歷來讀者都解說為這是情的真純，是向黛玉表明自己寧可不要玉石也要林妹妹，即暗示「若為林妹妹，寶玉也可拋」。這樣解釋並沒有錯。但從哲學上，則可以解說為寶玉天生具有「不二法門」的思維，天然地拒絕「分別」相。佛教以放下妄念、分別、偏執三者為最重要的觀止內容，賈寶玉無師自通，一墜地就拒絕分別，拒絕尊卑之分、貴賤之別。社會地位不同，世俗的角色不同，但心靈、人格則應是平等，「身為下賤，心比天高」，丫鬟的心靈水平不僅可以等同於貴族，而且可以高於貴族，寶玉摔玉，此一行為宣告他不僅與林黛玉無分別心，而且對待他人也無分別心。

102 本心與習心之別

熊十力先生一生研究佛學心學，把心分為本心與習心。本心為本來本真之心，係永恆本體；而習心則是後起後積之心，即已被物化了的可作為心理學解剖研究對象的情感意慾。禪宗的明心見性，所明所見的是「本來無一物」的本心，而不是已物化了的和概念化了的習心。《紅樓夢》中的林黛玉與賈寶玉的戀情，是本心之戀，彼此說的話都是發乎本心的語言，而薛寶釵的許多話，特別是勸誡寶玉走仕途經濟之路的話，則是出乎習心。甄寶玉、秦鐘勸寶玉浪子回頭的話也是習心之語。他們的話已無自性，不過是搬用他人的本（物）而已。因此，本心與習心之別，也就是自性與他性之別。

103 無事忙與無事惱

賈寶玉是賈府裏的「快樂王子」，過着最富有、最榮耀的生活。他所以被稱為「無事忙」，是因為他熱愛生活，喜歡奔走於生活之中。但是，他和賈璉、薛蟠這些兄弟哥們兒不同，他不能安於世俗的快樂，在他的潛意識裏，吃喝玩樂不過是高級動物的生活，人確實有類似動物的一面，但人可以跳出這一面，即可以跳出物質的牽制，甚至可以跳出金銀、妻妾、功名的誘惑與限制，儘管常常跳得不遠或者跳出之後又回到原來的點上，但有跳出的意識才有別於動物，才有另一種質的生活。賈寶玉既快樂又苦惱。他那苦惱的一面是想跳出「豬的城邦」，卻又總是被阻擾。

104 寶玉的「易」與「不易」

用「易」到「不易」的視角看賈寶玉，可看到他有易的一面：開始喜歡女人的胭脂，喜歡肉感的胸脯，後來逐步昇華，把慾化為情，最後又化為純情。而不易的一面，則是他的基本性格、他的童心、他的赤子情懷，始終不變。易與不易的內涵都精彩。易，心性不斷提升，很難得；不易，美好天性的守持，更為難得，人是會變的，賈寶玉最寶貴的地方，是本真狀態始終沒有變。他是個永遠的孩子，永遠的頑童。他胸前的通靈寶玉失靈過，跛足道人說是因為他在脂粉中變了，但他又及時治癒。孟子所說的「富貴不能淫」，是富貴之後依然不變其質樸之心。人性脆弱，一有地位、權力、財富、功名，人就變了。

105 「玉人」自判為「濁人」

黛玉死後，寶玉思念太切，希望她能來入夢。等候落空之後，他自言自語道：「或者他已經成仙，所以不肯來見我這種濁人也是有的；不然就是我的性兒太急了，也未可知。」（第一百〇九回）在寶釵、襲人聽來，這是寶玉又犯糊塗。其實，能把自己界定為「濁人」，最為清醒。他從小就說，女兒水作男人泥作，把人間分為淨水世界與泥濁世界。在他眼裏，黛玉是淨水世界第一人，他本想向她靠攏，卻落入泥溝暗渠之中，此時做夢，已涇渭分明，一是玉人，一是濁人。《紅樓夢》沒有好人壞人、惡人善人的道德法庭，但仍有審美法庭，這個法庭只作美醜之別、清濁之別的審美判斷。寶玉此時說自己是濁人，便是審美性的自我判斷。

106 崇神聖與崇正直的衝突

別爾佳耶夫在分析俄羅斯的國民靈魂時說，俄羅斯崇尚神聖，卻未能崇尚正直。這一點，中國與俄羅斯相似，只是俄羅斯崇尚的是東正教教義之下的神之聖，而中國崇尚的則是孔夫子所設計的人之聖，中國士人士大夫崇尚的人格目標是聖人聖賢，而不是崇尚真理與正直品格。中國和俄國一樣，沒有騎士傳統，缺少正直的文化資源。

賈政與賈寶玉這對父子的矛盾內涵十分豐富，其中一項矛盾便是崇尚聖賢與崇尚赤子（正直）的矛盾。（寶玉與寶釵關於赤子的爭論也是如此）賈政想當聖賢，處處擺一副聖賢面孔，難免有點裝模作樣。五四運動批判孔家店時，揭露舊道德就因為舊道德要求人們當聖賢，道德標準太高太玄，做不到，只好戴面具偽裝，結果就落入虛偽。而虛偽又最能腐蝕人性。賈寶玉不喜歡讀聖賢之書，而喜歡讀有真情真性的詩詞戲曲，卻始終保持一份赤子心腸，處處能直面事實真相，一點面具也沒有。賈政背地裏還「走私」，賈寶玉則絕對光明磊落，更接近古代聖賢。正直，是一種本體性美德，是所有品德中最根本的美德。《紅樓夢》通過對寶玉的塑造，便具有一種映照天地的正直美。

107 大觀「四念」

「大觀園」的第一主體是賈寶玉，這不僅是「園中所有亭台軒館皆係寶玉所題」（賈政向元春的彙報語），實際上的「絳洞花主」，更重要的是他真正具有一雙大觀眼睛（大觀視角）。能站在比常人更高的地方觀世界也觀自在。佛家所講的觀，就是慧。大觀園也可稱為大慧根，最美的詩篇和最有詩意的生活都在這裏發生。但只有寶玉一人，不僅是園的主體，而且是觀的主體。只有他，具備觀的四念：「觀身不淨」、「觀心無常」、「觀受是苦」、「觀法無我」（佛教所講的四念處，觀是起點）。大觀園裏裏外外沒有第二個人（包括林黛玉）能有四觀，特別是第一觀（觀身不淨），更是無人具備。寶玉見到秦鐘後發現自己「竟成了泥豬癩狗了」，這就是「觀身不淨」。貴族府中，貴族府外，還有哪一個老爺少爺、夫人小姐能如此正視自身內部的污濁？人自身充滿妄念（心無常）、充滿苦痛（受是苦），他都一一用慧根感知感悟。前三觀是人生觀，第四觀則是宇宙觀，「觀法無我」即觀至萬法皆空，看穿萬相非實相。他最後離家出走，「止」於大徹大悟，正是大觀的結果。

108 閒適方生妙語

賈寶玉樂於接受薛寶釵給他起的別號：「富貴閒人」，除了這一別號準確地描述了他的外部生命形態之外，寶玉可能還朦朧地意識到，富貴中只有物質，閒散中才有精神。或者說，閒才能擺脫物的奴役，也才有沉思的可能。別爾佳耶夫曾說，生命之質不在物質之中，而在精神之中。我們也可延伸說，心靈之質不在富貴中，而在閒適中。尤其是語言，其原創性、獨創性的語言都在閒散從容的狀態中產生。人一浮躁，語言也一定簡單、粗糙、沒有幽默和情趣。閒適中的清淡，才能產生妙語，也才有語言的快樂。

109 不打誑語為第一義

林黛玉與賈寶玉以禪說愛時，黛玉試探寶玉的情感，寶玉回答說：「弱水三千，只取一瓢飲」，表明了愛的純一。從哲學上說，這便是禪所說的「定」。有了定根，才不會有心的輕浮善變，才能開花結果。情如此，學也如此。學須一門深入，長時薰修，以定致慧。禪宗六祖慧能所強調的不二法門，首先講的便是定慧不二，定慧一體。定則靜，靜則慧，缺少定力的浮躁者，只能站立於智慧的門外，也只能站在真性的門外。這次對話中，寶玉說了「禪心已作沾泥絮，莫使東風舞鷓鴣」的詩句，黛玉立即警告說：「禪者以不打誑語為第一義。」《紅樓夢》以真為魂魄。「真」者在語言層面上必須是《金剛經》所說的「真語者、實語者、如語者、不誑語者、不異語者」。如語即佛語，不異語即不兩舌。一旦有誑語、異語，即不真。黛玉是不許寶玉有任何一點賣弄和言語中摻進任何一點虛假與敷衍的。

110 敬在誠心，不在虛名

曹雪芹通過賈寶玉表達了對唸佛拜佛的一種根本態度，他對芳官如此說：「愚人原不知，無論神佛死人，必要分出等例，各式各例的。殊不知只一『誠心』二字為主。即值倉皇流離之日，雖連香亦無，隨便有土有草，只以潔淨，便可為祭，不獨死者享祭，便是神鬼也來享的。你瞧瞧我那案上，只設一爐，不論日期，時常焚香。他們皆不知原故，我心裏卻各有所因。隨便有清茶便供一鍾茶，有新水就供一盞水，或有鮮花，或有鮮果，甚至葷羹腥菜，只要心誠意潔，便是佛也都可來享。所以說，只在敬不在虛名。以後快命他不可再燒紙。」

這是不可忽略的一段話、一種思想、一種態度。事實上仍是對待信仰的態度。在賈寶玉看來，無論是敬仰還是信仰，也無論是緬懷還是懷念，關鍵是心的抵達，心的皈依，明心見性即可，不在於外部的各種虛名世相，包括文字相、語言相、符號相、紙錢相等。這正是慧能的「無念為宗，無相為體，無住為本」。對人「以心傳心」，才有對人的真誠，對神對佛「以心傳心」，才有對神對佛的真誠。這個心，不是生理意義上的心臟，而是精神意義上的全靈魂、全性情。賈寶玉如此深得禪宗要領，排除敬仰的一切世間法，並非讀書的結果，而是天生的悟性。千萬年來，中國唸佛拜佛有三法：一是正法，即心法，以心傳心，印證本心；二是相法，即借助外部的寺廟、衣鉢、範疇、概念、紙錢、香火等作祭奠的方法；三是末法，即以拜佛而求功名物利之法，即魯迅所說的把「教」當作敲門磚的方法。可惜中國多數人走的是末法，名為信教，實為「吃教」。賈寶玉開導芳官的要義是要她放棄相法，進入心法。寶玉內心沒有說出的言語應是，即使是獻上大千世界的萬千寶塔，也不如心中那至真至誠的一場情感。

111 多心與素心

從身與心的視角看寶玉、黛玉、寶釵三個主人公的悲劇，似可作如下解說：黛玉是心的悲劇。她在《紅樓夢》中她被人視為多心人，連寶玉也曾說：「林妹妹是個多心的人。」（第二十二回）她自己也在寶釵面前承認：「我最是個多心的人。」（第四十五回）但在獨自撫琴發出心聲時，卻是「素心何如天上月」。唯有知音者才明白她是一個素心人。多心是智，素心是情。對於寶玉，她的專情素如明月，潔如明月。可惜最終此心無處可以存放。

寶釵是身的悲劇。身美貌美到被寶玉稱作「仙姿」，但是，她得到寶玉之身卻得不到寶玉之心，獻身於寶玉卻得不到寶玉的真愛。賈寶玉的悲劇則是始終得不到一個身心可以一起投入的對象，始終處於身心分離之中。黛玉是他的夢中人，卻不是他的屋中人。寶釵是他的屋內人，卻是他的心外人。因此，與寶釵最終成眷屬，卻留下人生的大遺憾：「嘆人間，美中不足今方信：縱然是舉案齊眉，到底意難平！」

112 伊甸園、桃花源、舍衛城

端木蕻良先生所著的《曹雪芹》，寫到賈寶玉少年時到過「桃花源」——圓明園裏的「武陵春色」，這是否真實且不論，但他把「伊甸園」、「桃花源」、「舍衛城」三大意象帶入《紅樓夢》的思索，則很有意思。他說：「我覺得，甚至可以這樣去着眼，『伊甸園』是人類嬰兒時代、少年時代的樂園，桃花源是人類成年、中年時代的樂園，舍衛城是人類經過了人世全過程後的老年時代的樂園。世界上還沒有聽說有哪一個國家仿造伊甸園的呢。中國當然更不會有。但造過桃花源和舍衛城，而且都在圓明園內。我認為這兩個寄託東方人理想的地方，曹雪芹是熟悉的，這兩塊地方才是人間的乾淨土，才是真如世界，才是筆胥夢境。」[7]

7 端木蕻良：《說不完的紅樓夢》（上海：上海書店，1995），頁121。

端木先生因着眼於曹雪芹的生平，講得太實，我們不妨虛一些，揚棄圓明園，作另一種解說：

三生石畔、靈河岸邊是伊甸園，即是創世記神瑛侍者與絳珠仙草（如同亞當與夏娃）相戀的地方。這是寶玉、黛玉「混沌」時代的樂園。

大觀園是桃花源，是寶玉、黛玉和姐妹們少年時代的樂園。園中的詩社是超越功利世界的審美共和國，曹雪芹的夢中花園。

舍衞城則是《紅樓夢》最後部分的「急流律覺迷渡口」。《金剛經》開篇講的舍衞城，是釋迦牟尼走出宮廷而成道的地方。而覺迷渡口則是賈雨村睡着而賈寶玉大徹大悟大覺的地方。這裏雖然不是老年的樂園，卻是走向「至樂」、走向「逍遙遊」的出發點。

113 權貴無明

自我是一個極為神秘的內宇宙。《紅樓夢》揭示，自我可以無限擴充、無限膨脹，以致發展到如王熙鳳的不怕任何「陰司報應」，即不怕神、不怕鬼，不怕任何懲罰的極端狂妄，也可發展為「寧教我負天下人，休教天下人負我」的極端自私。

王熙鳳雖妄，但說的做的有跡可尋。而像賈赦這種「世襲一等將軍」，其內心如何黑暗、冷漠、陰毒則無法猜度。《紅樓夢》具有「破我執」意識的只有賈寶玉一人，其他人都自以為是，尤其像賈赦這些達宮貴人更是自以為是。他們的心靈不曾有自審自省的瞬間。而王熙鳳雖極端「聰明」，卻又是極端「無明」，因為她始終未能自看自明。有靈魂才能自明，才能自救。《紅樓夢》人物，多數無明。即如《好了歌》所嘲諷的世人，只知功名、金銀、姣妻、兒孫，而不明何為人生根本。

114 愛與悔

梁漱溟先生用「愛」與「悔」二字概說宗教的核心精神。他解釋道：「悔」是對自己的不容，「愛」是無外。此恰是與功利的「有對」或「有外」相反。[8]其實，「愛」與「悔」二字也是《紅樓夢》的精神支撐點。它既是一部大愛之書，又是一部偉大的懺悔錄，其主人公賈寶玉首先是「愛」的載體，他去「有對」，即沒有爭奪對手，沒有敵人；又去「有外」，即沒有排斥的異己，沒有另眼相看的「外人」，無內外之別，無尊卑之分。其次，寶玉又是「悔」的載體，他常「垂頭自審」（第二十二回），有自審意識，敢於正視自己的污濁和承擔罪責。他的人生過程是始於癡，止於悟，其大徹大悟乃是對癡所造成的罪責的體認（諸女子因他而死）。因為有

8　李淵庭、閻秉華編：《梁漱溟先生講孔孟》（桂林：廣西師範大學出版社，2003），頁143。

愛與悔支撐，所以《紅樓夢》全書充滿宗教情懷。但它又不同於宗教，無論是愛是悔，都不是通向神靈，而是通向天地人三者共和與真善美三者相契的人類本真心靈。

115 靈魂在悲歡歌哭之中

基督教的「上帝」在中國的大文化中被他物他念所取代。孔子以天代替上帝，老子莊子以自然取代上帝，朱熹以太極取代上帝，王陽明以「靈明」（心）取代上帝，佛教以無和空取代上帝，而到了慧能則以「覺」取代上帝。慧能其實是「自佛」、「自上帝」。《紅樓夢》受禪影響極深，也重自性、樹自佛，以「女兒」為至尊。其女兒崇拜，説到底，是以青春少女取代上帝。如果把女兒視為真善美的一體化，則是以三位一體的協同存在取代上帝。不過，曹雪芹找到的女兒是肉身，並非純精神理念，因此，書中展示的靈魂並不是超越肉身的靈魂。其靈魂全寓於人的悲歡歌哭之中，不屬於超驗範疇，這與西方（基督教）的上帝內涵大不相同。

116 寶玉無須「克己」

基督徒做善事時，是聽從基督、聽從《聖經》的教導，因此行為之前有理解、思考、選擇，甚至有自我説服、自我克服的過程。儒者做善事與此相似，也有一個「克己復禮」的過程。但賈寶玉做善事，都出於本心本真本然，出於內心發出的命令，沒有「克己」過程，沒有焦慮過程，沒有思辨過程。他的負疚也沒有這個過程，因此，他的懺悔是無相懺悔，即無須概念理念參與的懺悔，負疚感出於自然，出於內心需求，不是自我作戲，也不求他人與社會的肯定。

因為是天性，是內在生命的本然，所以不會變。基督不會變，但其教徒聽從教義不是出自天性，反而會變，會為教義的不同解說而爭奪，從而產生惡。

117 石頭人化後的兩種前景

從宇宙的極境之眼看，不僅寶玉是石頭變來的，薛蟠也是石頭變來的。石頭帶有泥濁性，它可以化為泥，也可以變成玉。

石頭人化後還帶有石頭原來的泥濁性，這就是物慾、食慾、性慾等，這些慾望愈是人化，就離動物愈遠，也離石頭的泥濁性愈遠。《紅樓夢》呈現石頭（自然）人化後的兩種前景，一種是賈寶玉的高級人化，即高級情感化、靈魂化，也就是石頭化為玉始終保持玉之高潔，進而化為心之高潔的前景；一種是薛蟠的前景，他是慾望化身，在完成外部自然人化之後無法進一步完成內部自然的人化，其感官、其情慾、其心理都仍然停留在原始慾望的階段中，身心全都佈滿泥濁性。他的母親薛姨媽在他入獄之後悲傷地稱他為廢人，用哲學語言說，便是他沒有完成內部自然的人化，徒有人形而已。賈蓉、賈璉在不同程度上都沒有完成內自然的人化。王熙鳳形容賈環的眼睛像「凍貓子」之眼，這也可以理解為未完成人化的動物的眼睛。

118 淨性與染性

大乘佛教「唯識宗」講八識，第八識——阿賴耶識中，有染淨兩種種子：染法種子，自能生染法；淨法種子，自能生淨法。淨性在真心中，染性在妄心中。按曹雪芹的看法，世界分為淨水世界與泥濁世界，少女是淨水世界的主體，代表人間淨性；男子是泥濁世界的主體，代表人間染性。少女所以乾淨，是她們體現淨性，未被污染。寶玉說少女嫁出後就會變成「死珠」、「魚眼睛」，具有多種意思。其中一義便是嫁出後則進入男人的泥濁世界，由淨入染，發生變質。男子之染來自他們的迷妄之心，迷妄的主要內容是《好了歌》所揭示的功名、女色、財富等。男子世界所以會變成不乾淨的泥濁世界，全因他們放不下對於功名、權力、財富的執着。曹雪芹所設置地上樂園（大觀園）和人間淨土，全然排除男子所象徵的內容。

119 真人無須「文妙」

寶玉出家遠走，算是止。始於癡，止於悟。全書能作這一結局，算是成功之筆。可是，走之前，卻有聖恩浩蕩，賞賜給賈寶玉一個「文妙真人」的道號。這就成了畫蛇添足，多一處敗筆。

得多。《紅樓夢》受莊禪影響很深。在整個思想框架中，道之真人比儒之聖人地位高。真人與聖人的區別是，聖人謀求世俗大角色，而真人則是世俗角色的空化。因此，既然是真人，就無須「文妙」；若要「文妙」，便非真人。何況賈寶玉在林黛玉「無立足境」的禪思導引下，由莊入禪，已走上更高的「無」境，更無須欽定的道號。莊與禪最大的區別是莊子還樹立真人、至人等理想人格；而禪則打破一切權威偶像，只求神秘性的心靈體驗，從而更加內心化、靈魂化，也更加遠離宮廷體系與世俗榮耀。

120 來兮止兮

賈寶玉在《芙蓉女兒誄》的結尾，朝天呼喚：「來兮止兮。」止的哲學與觀的哲學是《紅樓夢》的基本哲學。大乘佛教的觀止哲學浸透《紅樓夢》全書。《好了歌》也可解說為觀止歌。觀是看破，止是放下。大觀之後最終是大幻滅，大癡之後最終是放下——止於悟，止於覺。《紅樓夢》不是宗教，沒有人格神。但與禪相通，以悟代佛，以覺代神。寶玉最後的結局是大止即大解脱。在大觀園中冷眼觀看塵世百態，人生百相之後走向大止之路，這是《紅樓夢》的情感之路，也是哲學之路。

121 無所歸屬，是方乾淨

世上各大主流宗教和主流哲學，都有其徹底性的特點。愛一切人，包括愛敵人，這是基督教；愛一切生命，包括愛獅虎螞蟻，這是佛教。經過老莊的洗禮，佛教化為中國的禪宗，其徹底性是把龐大的教義簡化為「我即佛」這麼一個公式：佛就在我身上，就在自性中，就在生命深層本有的真心中。這一本真之性便是佛的立足之境，便是存在之家。此外，別無立足之境，別無歸屬。企圖立足於外部世界的其他境地，便不乾淨。佛即人格的高峰，精神的尖頂，生命的靈山，這種山頂與巔峰，就在自己生命的無底深淵中，求佛就是在生命深淵中發現那點不滅的光明，就是自明與自救。林黛玉的「無立足境，是方乾淨」，核心意思是拒絕求諸外境，打破一切外部歸屬。

122 文化重心的轉折

美國名著《無比敵》（梅爾維爾著，又譯《白鯨記》）呈現的舊約精神，其主人公亞哈船長身上的血液是耶和華的血液而不是耶穌的血液。而白鯨莫比·迪克的性格也是耶和華的性格。馬丁·路德的宗教改革，其關鍵點是把基督教的重心從舊約轉向新約，從耶和華轉向基督，從聖父轉向聖子，從嚴厲轉向慈悲。中國「五四」新文化運動也是一個人文化重心從「父」向「子」的歷史性轉變，魯迅在〈我們現在怎麼做父親〉的文章中說，過去是以長者為本位，現在應是以幼者為本位。而在這之前，《紅樓夢》早已完成了一個馬丁·路德式的轉變和「五四」式的轉變，即精神本位與哲學基點從父轉向子，從賈政轉向賈寶玉，從孔夫子轉向慧能，從大男子轉向小女子，從王夫人轉向林黛玉，從李紈轉向晴雯等狐媚子。中國近現代的文藝復興，《紅樓夢》是偉大的起點。

123 精神底蘊之差

秦鐘與賈寶玉都長得很清脫很漂亮，寶玉第一次見到秦鐘時便為其美貌而傾倒，並成為摯友。但兩人畢竟有一巨大差別，就是精神底蘊的差別。精神底蘊不足，再機靈的生命也會往世俗的低窪處滑落。秦鐘在生命彌留之際，撐不住原先的理念，魂魄返回陽間規勸寶玉放棄本真信念而迎合時尚，便是底蘊不足的暴露。個體生命如此，民族整體生命也是如此，所以各個民族都要開掘自己的文化本源和守護文化寶藏。難怪英國要說出「寧可失去印度，也不可失去莎士比亞」的「絕話」。如果沒有莎士比亞，英國的精神底蘊就不會那麼足；同樣，如果沒有康德和歌德，德國的精神底蘊也不會那麼足。美國雖強大，但總讓人覺得文化底蘊不足。而中國，幸而遠有先秦諸子，近有《紅樓夢》，所以才感到有生命的底蘊在，尚可面對現代的世界文化。

124 襲人的誤解

襲人用返家威脅寶玉從而提出三條要求，其中有一條是不可「毀僧謗佛」。其實，寶玉只是嘲弄僧、佛的表面功夫，內心卻接受佛的光明。佛既看大千，又觀自我，既熱愛眾生，又不膨脹自己。尤其是慧能闡釋的佛，更是放下所有的執着與妄念，留下唯一的「有」，便是覺，便是悟。所謂成佛，也並不是成為救世主，只是內心平和、質樸、純粹、安靜慈悲而已。慧能不信佛全知全能，更不信自己全知全能，只是在日常生活中一點一滴地感悟與提升，一步一步從癡迷中解脫。如果承認這些道理正是佛理，那麼，寶玉離佛最近，身上最有佛性，可惜襲人雖然愛他卻不了解他，以為他是儒的異端，也是佛的異端。

125 貴族文學三個案

中國的氏族貴族傳統過早中斷，但也產生貴族文學的三個偉大個案。一是屈原，二是李煜，三是曹雪芹。屈原「天問」之後找不到精神歸宿，最後只能投江而亡，以「無」否定現實的「有」。而李煜和曹雪芹，皆走向大慈悲，把個人的憂傷化作對一切生命的大愛。用王國維評價李煜的語言，是「擔荷人間罪惡」，走向釋迦牟尼和他們不知其名的基督，靈魂終究與釋迦牟尼、基督的偉大靈魂相逢。但他們都不是救世主，而是自救的心靈的天才，都在審美中得到某種解脫。如果曹雪芹出生在十九世紀與二十世紀之交，他也不會走向尼采而追逐超人，而仍然會走向基督和慧能，從真我進入無我。

126 黛玉真冷，寶釵假冷

林黛玉只愛寶玉一人，對社會對他人有一種天生的冷漠，所以她喜散不喜聚。寶玉卻滿身熱情，所以才喜歡聚。《紅樓夢》文本說出寶釵是冷人，她固然是冷人，但黛玉也是冷人。相比之下，黛玉是真冷，寶釵則是假冷，她內裏很熱，所以才需要冷香丸化解熱、壓制熱。

寶釵外冷內熱，黛玉外熱內冷。熱與冷的對峙、聚與散的對峙、俗與雅的對峙、剛與柔的對峙、鹵與乖的對峙、呆與巧的對峙、通與專的對峙、博與約的對峙、誠與偽的對峙等，佈滿《紅樓夢》小說文本。這是雙重結構的敘事藝術。支持藝術的哲學基點是有與無、真與假、色與空、好與了、觀與止、陽與陰、覺與迷的相反相成，即一體二用的轉化運動。「假作真時真亦假，無為有處有還無。」無論是有還是無，也無論是熱還是冷，都在變易中，轉換中，相互浸透中。

127 中華文化的存在合理性

人類史上一些大文化系統如古印度文化、瑪雅文化、巴比倫文化、埃及法老文化等都滅亡了。但中華文化卻一直健在。它可以消化掉別種文化，別種文化卻消化不了它。其根本原因就因為它有存在的合理性。黑格爾說「凡存在的都是合理的」，我們可以補充說，凡數千年一直存在的，更是合理的。即具有更巨大的合理性。《紅樓夢》就充分展示這一合理性。從小說文本中可以看到，中華文化乃是儒、道、釋、法、名等多種文化共生的多元結構文化。有無可以互通，儒道可以互補，儒法可以互用，儒釋可以互相調節。共生結構中有重秩序重倫理的理由，也有重自由重自然的理由，有賈政、薛寶釵的世界原則，也有賈寶玉、林黛玉的宇宙原則。文化整體既能導致慾望，也能破除慾望，靈與肉都有其存在的權利與義務。《紅樓夢》不是一種社會形態的百科全書，而是中華文化、包括中華哲學文化的百科全書。

128 寶玉無「隔」

《葬花詞》與《芙蓉女兒誄》是《紅樓夢》中的長詩，又是最精彩的代表作。《芙蓉女兒誄》近賦，有些句子還有「隔」，而《葬花詞》則類似詠嘆調，全然不「隔」。王國維把「隔」與「不隔」作為重要尺度評價詩詞，獨創一說。但他只以此說評詞，從未以此說評人。如果讓他以此評論《紅樓夢》人物，一定會發現賈寶玉和宇宙沒有「隔」，與大自然沒有「隔」，與萬物萬有沒有「隔」，所以他才會「時常沒人在跟前，就自哭自笑的。看見燕子，就和燕子說話；河裏看見了魚，就和魚兒說話。見了星星月亮，他不是長吁短嘆的，就是咕咕噥噥的。……」（第三十五回）對於寶玉，山川大地，日月星辰，千花萬卉，飛鳥鳴禽，不僅是朋友，而且就是他自己——全是他自己靈魂的一角，所以他不僅是詩人，而且是人詩，「天地與我同根，萬物與我一體」——無言大美與我同心共在的人詩。

129 詩人的雙重文本

林黛玉的《葬花詞》之所以異常動人，而且肯定能夠感動千秋萬代的後世知音，是因為不僅詩寫得好，而且有詩人本身一生的悲劇行為語言作註，特別是葬花之後的詩人之死，和死前的葬詩（焚詩）行為語言、葬花時注入的是淚，葬詩時注入的則是血。大詩人總是提供雙重文本：書寫語言的文本和行為語言的文本。屈原因為有自沉汨羅江的行為文本，才使他的書寫文本中關於生死的形上思索大放光彩；王維在安祿山政權中擔任偽職的行為則給他的禪詩蒙上陰影。大觀園裏的詩人，個個又是人詩，寶玉也是人詩，於是，詩人的書寫語言給人詩作註，人詩的行為語言又給詩人之詩說解。

130 知覺與心覺

晴雯和襲人性情不同。晴雯的性情包含着自身對個體生命權利朦朧的知覺，這種知覺無師自通，因此也可能是天生的心覺。襲人則沒有這種知覺或心覺。在王夫人眼中，小女子的知覺度愈低愈好，知覺度愈高愈危險。晴雯臨終前對寶玉說：「早知如此，我當日也另有個道理」，她要寶玉把自己的話宣示以人，不可畏縮。這是對寶玉的呼喚。賈寶玉最後看破紅塵，是大心覺。而他的啟蒙者，除了林黛玉之外，就是晴雯、鴛鴦等小丫鬟。

131 三種永生之路

賈政、賈敬、賈寶玉三者都在尋找人生的永恆之路，賈政的儒之路，通過建功立業以求不朽；賈敬的道之路，通過煉丹吞砂以求不死；賈寶玉的佛之路，則通過大徹大悟以不執「不住」：應無所住而生其心，讓心靈在無立足境中得大逍遙。他在最後日子品讀《秋水》，擺脫了河伯原先的狹小眼界，進入永恆時空。

132

寶玉無我相

賈寶玉被父親打得皮破血流後，沒有向賈母申冤、訴苦、告狀，沒有痛哭，不思報復，完全沒有人相、眾生相。養傷時，玉釧兒送藥湯燙到他的手，他反而問玉釧兒燙到了沒有，傷痛時還想到別人，完全沒有「我相」。在眾人面前被打，大失面子，受了侮辱，但他不僅忍辱，連忍辱相也沒有。這一表現與《金剛經》中釋迦牟尼的前身被歌利王砍下耳朵、手腳而離諸相一樣。他真正做到「應無所住而生其心」。高尚、單純的內心，沒有任何對怨恨的執着。佛在哪裏？佛就在這種開闊的、沒有仇恨、沒有報仇之念的心靈中。

133

黛玉曾有我相

林黛玉是《紅樓夢》人物中悟性最好，破「執」最徹底的詩人，但有時也有所執，放不下。元春省親時，她想好好展露一下自己的詩才，固然有率性，但也是放不下「我相」。與人爭辯時，咄咄逼人，愛說刻薄話，動不動撕破人家的臉皮，固然也率性，但也是沒有全放下。一個最有悟性的人，並不就是一個能夠一悟到底，一次完成徹悟的人。悟是一個生命的內在歷程，有時悟，有時不悟，有時此處悟，他處不悟。寶玉從情癡到情悟到最後大徹大悟也是如此，他的徹悟不是一次完成，而是一生的實現。

134 心靈的接生婆

對話是一種思想與心靈的接生。對話的方式是西方哲人所說的接生婆方式。美好深邃的情思心思匿藏於心底的深淵中，通過對話把它開掘出來，如同接抱初生的嬰兒。賈寶玉和林黛玉談禪，是深邃的對話，彼此互為接生婆。禪宗的棒喝是接生，寶玉和黛玉的對話也是接生，詩社中的賽詩也是接生，接下來的思與詩，正像春蠶的縷縷絲。寶玉與黛玉的禪語對話，是悟的碰撞，是智慧的聯歡，是佛的相逢與相迎。寶玉說：「禪心已作沾泥絮，莫向東風舞鷓鴣。」黛玉立即警告：「禪門第一戒是不打誑語的。」（第九十一回）悟的碰撞，佛的相逢，要緊的是真到底，一點敷衍都不可。

135 內心的禪悅

寶玉和黛玉最高興的時候是禪心相逢、禪機相遇之時，那是沒有語言障礙的心靈相會，即使猜不出禪偈，也有大快樂。第二十二回，寶玉、寶釵、黛玉三人鬥禪，黛玉笑問：「寶玉，我問你，至貴者是『寶』，至堅者是『玉』，爾有何貴？爾有何堅？」寶玉竟不能答。三人（包括襲人）拍手笑道：「這樣鈍愚，還參禪呢。」寶玉的三個情侶竟一起拍手笑談，寶玉自然也是樂在其中，這種樂，便是心無任何掛礙的禪悅。大觀園裏的詩社比詩，不僅有詩興，還有禪悅。陶淵明生前，禪宗尚未進入中國，但他自明自悟自得，無師自通，竟然也有禪悅，那是羈鳥飛出籠子回到舊林的解脫感，是池魚重入廣闊淵海的大自在感和回歸故鄉感。可惜王維、孟浩然，雖也談禪，卻缺少發自內心的禪悅，於是境界迥然不同。

136 時間性珍惜

賈寶玉「想到《莊子》上的話，虛無縹緲，人生在世，難免風流雲散，不禁大哭起來。」寶玉平素就喜聚不喜散，此時，不僅是聚會小散，而且是戀人姐妹遠離家園的風流雲散，這才是真的孤獨，真的傷感，需要大哭。在意識或潛意識裏，寶玉是最明白人生是短暫的、剎那的存在，正如李白「秉燭夜遊」，也是意識到人生的短暫。因為有此感，他才珍惜此時此刻，珍惜當下。他從不說也不想過去與未來。不將不迎是他的天性，既不被過去所束縛，也不被未來所蒙蔽，只在當下充分生活。喜與人聚，是因為熱愛生活。曾經是一塊被拋到宇宙邊緣的石頭，來到人間，最懂得時間性的珍惜。

137 去遮蔽即空無

《紅樓夢》講「無」、講「空」、講「了」，讓人看破看透。奇怪的是，讀了《紅樓夢》更有精神。這原因大概是書中講空無，固然有否定，但不是全部否定、一概否定，它只否定那些遮蔽生命本真、生命根本的各種「色」，只拒絕被功名、財富、權力所役，與此同時，它卻以最充分的理由和最大的力度肯定生命，肯定真善美，肯定慈悲與智慧。於是，「空」與「無」便化為否定與肯定、拒絕與響應互動的力量，這是無須神助、無須上帝肩膀而擁有的力量，是哲學產生的偉大力量。這種力量不是來自外，而是來自內，它也支撐着人類的生命去奮鬥、去創造、去犧牲。這種哲學將不會滅亡，因為它只把生命的遮蔽層化作虛無，並不把生命本身化作虛無，這是一種永恆的合理性。

138

大敍述與大關懷

「禪心已作沾泥絮」，這是寶玉獻給黛玉的誓言，深情不改的表白。如果借用這一禪語來說明《紅樓夢》的寫作，那是曹雪芹把大關懷緊貼於文本的敍述中，大敍述與大關懷合二為一，水乳交融。一切文采，都如沾泥之絮，緊貼着作品的大心靈。這與當代時髦的結構主義者、語言本體主義者不同，這些主義把《聖經》和其他文學經典中的大關懷剝離出文本，只作形式上的闡釋。把本來不可分裂的文心與文體加以分裂，把大關懷從文本中剝離，進行所謂純文本分析，這是當代文學批評的致命傷。

139 異端卻又合目的性

古埃及文明（法老文明）滅絕了，巴比倫文明滅絕了，瑪雅文明滅絕了，印度古文明滅絕了……。但中國的古文明沒有滅絕，一直延續到今天。中國大文化大文明為什麼不會滅亡？眾多學者論述眾多理由，但從哲學上說，其最根本的理由是合目的性這一理由——合人類生存、溫飽、發展的大目的。合目的性並不是沒有問題與缺陷，只是儘管有缺陷，但它卻相對合理又合情。說《紅樓夢》將經久不衰，永遠不會滅亡，也是因為它既寫出中國文化特別是儒家文化表層的問題與缺陷，但又呈現出它的合情與合理。主人公們（寶玉、黛玉等）作為異端，對正統文化提出許多叩問與質疑，但在自身的生命中，又浸透着正統文化的合理部分，例如充滿親情，充滿對父母的孝敬和對兄弟姐妹的溫馨。賈寶玉確有反叛性，但不是造反派，把他描繪成反封建的激進革命者，既遠離寶玉的性格真實，也遠離寶玉身心所投射的豐富的多面的中國文化內涵。這個形象啟迪我們反省故國文化，但並不引導我們去打倒故國文化。

140 戀情大於親情

基督講救贖，只講天父不講家父，親情往往被忽略。孔子則尊家父重親情，並推父及君，推孝及忠，又重世情。《紅樓夢》中儒、道、佛皆在，世情、戀情、親情都有。但它的劃時代意義是把個體生命的戀情放在第一位，愛情大於親情，也大於世情。鴛鴦與賈母同時死，寶玉大哭，為鴛鴦並非為祖母，鴛鴦重於親奶奶。寶玉周歲時別的不顧，只抓脂粉釵環，賈政說他是好色之徒，他真的是把個體的情感放在親情、世情之上。

141 時代與時間

說《紅樓夢》是宇宙的，是說它實現了最大的超越，即超越社會形態。賈寶玉、林黛玉既是社會中人，又是宇宙中人，他們的生命不僅在有限的「時代」中，而且在無限的「時間」中，其故鄉也不是在有限的家園中，而是在無限的空間中。曹雪芹不能給寶玉、黛玉任何頭銜、任何世俗角色，例如「進士」、「廷尉」、「子爵」等頭銜身份，這種轉眼即碎、過眼煙雲的招牌桂冠都會錯置人物的位置。寫過《風蕭蕭》的徐訏畢竟是作家，他對《紅樓夢》有一真見解，說：「《紅樓夢》的人物是個個有充實的個性與人性的表現的人物，這些人物正像賈府這個家庭一樣，他們並不是在時代中淘汰，而是在時間中消滅。《紅樓夢》所表現的不滿，不光是對於一個社會一個時代不滿，而是對整個人生的現實不滿。在文藝永恆的題材上，作者對於時代可以說是不放在眼裏的，時代在永恆的時代裏算得了什麼？」[9]

142 愛的無邊與有限

賈寶玉的泛愛，包括廣義上對一切眾生的尊重與狹義上對不同女子的傾慕與戀情。說他是尚未成道的釋迦牟尼，是他還未達到大乘佛教那種「普渡眾生」的情懷。他的泛愛還是有選擇性。他不喜歡老媽子而喜歡小姑娘，這裏還有老、少之別，抵達不了釋迦牟尼的高度。《紅樓夢》是文學作品，不是宗教經典，寶玉既有愛的無邊，又有愛的局限，所以他才是人，而不是神。

143 止於莊嚴的女子

大乘佛教講觀止二法並倡導止於莊嚴。《紅樓夢》人物止於莊嚴的並非王侯貴胄，反而是小人物。尤三姐、鴛鴦毅然而死，其莊嚴無人可比。晴雯雖止於淒涼，但淒涼中也有莊嚴。她毅然剝下指甲，告訴寶玉「早知如此，何必當初」，並要寶

9　徐訏：〈紅樓夢的藝術價值與小說裏的對白〉，《紅樓夢藝術論》（台北：里仁書局，1984），頁76。

玉把自己的話宣示出去，這也是莊嚴。至於鴛鴦拒絕賈赦的那一番話，更可視為莊嚴的人格宣言。主角林黛玉雖止於悲憤，但也有莊嚴。其焚燒詩稿的行為語言也是莊嚴之詩。一把火焰，燃燒的是人的尊嚴與驕傲，可歌可泣。而賈寶玉雖不能說止於莊嚴，但可以說止於空寂。黛玉穿過莊嚴最後也是止於空寂。「冷月葬詩魂」就抵達了空寂之境。空寂是最高境界，不僅是空，而且是空空，連空相都沒有。不僅是無，而且是無無，連無相也沒有。白茫茫一片真乾淨，那是寂寥，也是離一切相的莊嚴與明淨。

144 始於潔，止於潔

「質本潔來還潔去」，其外部意義是大來大往，來自潔天潔地，又回到潔天潔地，始於潔，止於潔。老子《道德經》的復歸於太極，也是指涉這一外部意義。而其內部意義則是指生命的自我回歸，即回到生命原初的本真之中，類似老子的「復歸於嬰兒」。禪宗認定人自性的處女地是一片至潔的淨土，入世後才被世俗的塵埃所遮蔽，因此，回歸淨土，開掘自性中的「佛」，便是人的使命。但是，這還是俗諦說的自性，而真諦（佛）說的自性則是空。空與無，才是自性的第一義。林黛玉回歸的潔處，第一站是自性中的淨土，第二站則是產生第一義的無何有之鄉，即「無立足境」之境。兩者都是最後的寓所與家園，也是真正的故鄉。在這個故鄉裏，無世俗世界裏所營造的角色、歸屬、事業，甚至無所謂主體。回歸到「無歸屬」之中，才是大解脫。

145 清潔人僅屬少女

寶玉得知自己的姐妹迎春即將嫁給孫紹祖，又聽說有四個丫頭陪過去，便跌足自嘆道：「從今後這世上又少了五個清潔人了。」（第七十九回）寶玉把少女視為淨水世界的「清潔人」，一嫁出去，便入濁泥世界，不算清潔人了。這之前，他就說過，嫁出的女子是死珠、魚眼睛，這回進了一步，變成濁人濁物了。《紅樓夢》之夢是止於潔的夢，女兒不要出嫁的夢。如果說，這是烏托邦，卻還是至清至潔的烏托邦，不是妻妾成群，要什麼有什麼的烏托邦。兩百年後的魯迅筆下的阿Q也有烏托邦，那是「要什麼有什麼，要誰就是誰」的皇帝夢。世間的夢都是「有」的夢，曹雪芹的夢則是「無」的夢，「清潔人」之夢也是「無為有處有還無」。

146 「情不情」與「真不真」

說賈寶玉「情不情」（脂硯齋透露的情榜類型），實際上是把情推及不情者。寶玉與天地同體，心胸如同天地廣闊，所以他能推情及物，推情及天，推情及地，推情及不情人，推情及不情物，推情及下等人，推情及邊緣人，推情及戲子，推情及奴隸，推情及掛在牆上的畫中人等。最後他還把情推到劉姥姥胡謅編造的在雪地上受苦受難的姑娘——根本就不存在的廟中女。基督與釋迦牟尼的慈悲，是推情於全人間。基督的徹底是推情及敵人；釋迦牟尼的徹底是推情及獅虎飛鳥等一切生物。寶玉之徹底是把真推向不真——推向他人編造的故事。因此，他不僅是「情不情」，而且還「真不真」，甚至還「善不善」。

147 空感的不同質

同樣面對軒閣瓊苑，卻產生兩種不同質的空感。一是覺得它不屬於自己，於是惆悵、失落。「一生幾許傷心事，不向空門何處銷？」這是王維的空感。另一種則是賈寶玉，父母府邸的瓊樓玉宇，都屬於他，但他沒有感覺，更沒有佔有的慾望。這些身外豔色，進入不了他的眼睛，更進入不了他的心靈。面對剛剛落成的大觀園，他只產生一縷幻覺，這是潛意識中的空覺。王維雖然說禪，卻未能悟到空的真諦，所以至死也放不下往昔輝煌的記憶。所作的禪詩也有「為賦新詩強說禪」的味道，而賈寶玉則不同，他與黛玉說禪，句句出自內心，所悟所吟，不將不迎，完全沒有對於過去「繁華」的執着。

148

人焚詩還是詩焚人

葬花與焚詩是林黛玉的兩大行為語言。這一語言暗示，在這位天才少女的心目中，人與花無分，人與詩無分。人便是花，花便是人；人即詩，詩即人，全是真生命。是人葬花，還是花葬人？是人焚詩，還是詩焚人？也分不清，正如是莊周夢蝴蝶，還是蝴蝶夢莊周分不清一樣。物我同一，天人同一，在世人腦中可能只是理念，但在黛玉身上，則是心靈。黛玉作為大觀園的首席詩人，不僅詩寫得最好，而且她的生命最奇特：淚詩化了，情詩化了，花詩化了，天地詩化了，生死詩化了。她的生命具有詩化的純粹性，所以最美。

149

簡化與深化

黛玉生命的跨度沒有邊界，「天盡頭，何處是香丘？」「人向廣寒奔」等詩句，都說明她的內生命抵達了天宇的盡頭，那個被稱為「無」的難以言明的至深處。但她的外生命——她的所謂身軀卻處於最狹窄的圈子，其人際關係的外延小到除了一個朝思暮想的寶玉之外，就是周邊的幾個小女子。因為外延小，心靈內涵便往深處擴展，她想得比誰都深，想像力比誰都高，人際關係簡化到接近零，而心靈卻深化到接近無限。

150 寶玉沒有表率相

「那寶玉是不要人怕他的」，也不覺得「須要為子弟之表率」。（第二十回）這是《紅樓夢》作者對主人公的評介性描述。賈環為賭輸錢而哭，正好寶玉走來，人們都期待作為兄長的哥哥能教訓一下弟弟，但寶玉不作訓誡，不作價值判斷，既沒有兄長相，也沒有表率（榜樣）相。他不要人怕他，當然也就不會通過種種生存技巧和人生策略來樹立自己的權威。中國帝王講究「深居簡出」，就是要讓人覺得高深莫測而怕他。賈寶玉揚棄一切人生策略，絕不刻意建構自己的「光輝形象」，也沒有改造他人的企圖，只尊重生命自然，既尊重自己的自然，也尊重他者的自然。因此，與其說寶玉是個真人，不如說他是個自然人或大化中人。

151 紅樓感悟場

《紅樓夢》不僅是部悟書，而且是一部「神悟」之書。所謂神悟，不是指悟的主體是神，而是指悟的主體的神秘體驗。其神秘不是老子的「道可道，非常道」那種不可言說，也不是上帝存在那種不可知的面貌，而是有限個體對無限宇宙深淵的永恆叩問和對話，是對不在場的故鄉、對缺席的家園和對看不見的太虛幻境的猜想與眷戀。生而口銜寶玉是神秘，玉石忽靈忽不靈是神秘，誰賦予寶玉靈魂是神秘，寶玉從哪裏來到哪裏去是神秘。《紅樓夢》的哲學貢獻，是創造了一個讓有限人生感悟無限時空的大感悟場。進入《紅樓夢》不僅進入情意場（戀情、親情場），還可進入大哲學場。

152

紅樓立道言

賈寶玉嘲笑甄寶玉「立功立德立言」的酸論，指涉的言，乃是八股文章一類的言，這種言其實是小言、人言、概念性與功利性語言。曹雪芹寫作《紅樓夢》，何嘗不是立言，但他立的是大言、道言、太初之言、詩性語言。八股文章是語言的異化，文學的變質，但它卻是進入宦門的敲門磚。道本無言。但這不是說大道不言，而是說，道只能通過太初語言和詩性語言去抵達概念性語言無法抵達的境界。無論是寶玉與黛玉借禪語而作心靈交流，還是黛玉作《葬花詞》，都是和萬物相通相融的道言。寶玉獨自面對天空大地嘟嘟囔囔，長吁短嘆，也許是一時找不到詩性語言表述心中的感受，也許是悟了道的深層而無法言說的道言。

153

發乎情，止於心

儒者說：「發乎情，止於禮。」儒有兩面，情在內，禮在外。但把禮作為情的歸宿點，賈寶玉不接受。《紅樓夢》是部大「情」書，它的公式，是「發乎情，止於悟」，即始於癡，止於悟。悟是看破外部諸相並非真實，也看清世俗的「止於禮」

的種種情感儀式並非真實，唯一真實的，包括情的真實，只在內心的深淵中。原名《情僧傳》的主角，應是發乎情，止於心，最後帶着一點情遠走高飛。他破了塵緣，並未破了心中的情緣，所以才在對「空」的大悟之後還有對周圍女子的緬懷，也才有《紅樓夢》。

154 寶玉沒有精神奴役的創傷

不應要求自己和他人為完美的人，這種苛求只能導致虛偽，但可以要求自己也希望他人為完整人。所謂完整人便是「大制無割」（《道德經》語）的人，靈魂不破碎、不分裂的人，完全不戴面具的人。佛教反對的「兩舌」人，當代所蔑視的「兩面派」，都是完整人的對立項。《紅樓夢》中的林黛玉並非是毫無缺陷的完美人，但可以說她是天生只有一舌、一心、一身、一副完整人格的完整人。她的可愛在於她的率性，這種率性的特徵便是沒有任何虛偽、虛假的痕跡，靈魂沒有任何裂縫，精神上沒有被奴役的創傷。

賈寶玉也是完整人。他有樂感、有傷感、有悲感，但沒有恐懼，也沒有仇恨。他說出男人泥作，女人水作一類的驚人之語，固然是童言無忌，但也是沒有被概念所奴役的創傷。

155 《芙蓉女兒誄》的多重指向

寶玉祭奠晴雯的《芙蓉女兒誄》，意象密集，辭采鋪張，文體上近似漢賦。但漢賦雖把宮廷氣象呈現到了極致，卻只有外部景觀，沒有個體生命情感，也無精神指向，屬中國文學中非個人化的文學典型。而《芙蓉女兒誄》則不僅充滿生命的悲情與激情，而且具有哲學指向。這是關於理想人格的指向，關於正直高於神聖的指向，關於人的生命比星辰、日月、花草更美的指向，關於生命之美必須擁有質性、神、貌四維結構的指向。此外，還包含着破尊卑之執、貴賤之執等一切舊套的指向。讀漢賦始終只能站在情感與哲學的門外，讀《芙蓉女兒誄》則進入情感與哲學的深淵。文學眼睛不能只看辭采，其理由從司馬相如的「賦」與曹雪芹的「誄」的對比中則可充分證明。

156 悲憫、寬容、幽默兼有

個體生命老是憤怒，老是燃燒復仇之念，是極大的不幸。可是中國小說中卻太多憤怒，太多嘲諷，太多復仇火焰。相應地，則缺少悲憫，缺少寬容，也缺少幽默。《水滸傳》、《三國演義》集中了這種文化弱點。而《紅樓夢》則「怨而不怒」（俞平伯先生語），它揚棄憤怒與復仇之心，卻投入最深邃的悲憫與同情，對人也呈現最大的寬厚。即使對於邪惡現象，也多用幽默取代人身攻擊，並不溢惡。魯迅與曹雪芹相比，雖也有悲憫，但憤怒與復仇理念顯得太多。

157 悟是方法，又是本體

《紅樓夢》以「急流津覺迷渡口」為故事終點，哲學上以覺和迷為歸結。覺迷二義不僅是終點，而且也是起點。第五回，賈寶玉神遊太虛幻境時，警幻仙子已預告寶玉的精神歷程與精神目標是能否從「迷人圈子」走出而贏得一悟。她說：

……適從寧府所過，偶遇寧、榮二公之靈，囑吾云：「吾家自國朝定鼎以來，功名奕世，富貴傳流，雖歷百年，奈運終數盡，不可挽回者。故遺之子孫雖多，竟無可以繼業。其中惟嫡孫寶玉一人，禀性乖張，生情詭譎，雖聰明靈慧，略可望成，無奈吾家運數合終，恐無人規引入正。幸仙姑偶來，萬望先以情慾聲色等事，警其癡頑，或能使彼跳出迷人圈子，然後入於正路，亦吾弟兄之幸矣。」如此囑吾，故發慈心，引彼至此。先以彼家上、中、下三等女子之終身冊籍，令彼熟玩，尚未覺悟；故引彼再至此處，令其再歷飲饌聲色之幻，或冀將來一悟，亦未可知也。

《紅樓夢》作為文學，其發端處是大荒山、無稽崖，作為哲學，其發端處是迷與覺的玄思幻境。可見，這部巨著是部悟書，而且是浸透禪宗「迷則眾，悟則佛」哲學的大書。在大書中，悟不僅是方法，而且是本體，即悟不僅是抵達佛的階梯，而且是佛本身。只是這佛不是泥塑偶像，而是無上精神境界。

158

陰陽一字哲學

在《紅樓夢》第三十一回中，曹雪芹通過史湘雲對中國的陰陽哲學作了一次認真的、具體的表述。這是《紅樓夢》哲學非常重要的一頁，不得不花些篇幅，全文引述於下：

> 湘雲聽了，由不得一笑，說道：「我說你不用說話，你偏好說。這叫人怎麼好回答？天地間都賦陰陽二氣所生，或正或邪，或奇或怪，千變萬化，都是陰陽順逆。多少一生出來，人罕見的就奇，究竟理還是一樣。」翠縷道：「這麼說起來，從古至今，開天闢地，都是陰陽了？」湘雲笑道：「糊塗東西，越說越放屁。什麼『都是些陰陽』！難道還有個陰陽不成！『陰』『陽』兩個字還只是一字，陽盡了就成陰，陰盡了就成陽，不是陰盡了又有個陽生出來，陽盡了又有個陰生出來。」翠縷道：「這糊塗死了我！什麼是個陰陽，沒影沒形的。我只問姑娘，這陰陽是怎麼個樣兒？」湘雲道：「陰陽可有什麼

樣兒，不過是個氣，器物賦了成形。比如天是陽，地就是陰；水是陰，火就是陽；日是陽，月就是陰。」翠縷聽了，笑道：「是了，是了，我今兒可明白了。怪道人都管着日頭叫『太陽』呢，算命的管着月亮叫什麼『太陰星』，就是這個理了。」湘雲笑道：「阿彌陀佛！剛剛的明白了。」翠縷道：「這些大東西有陰陽也罷了，難道那些蚊子，蛇蚤，蠓蟲兒，花兒，草兒，瓦片兒，磚頭兒也有陰陽不成？」湘雲道：「怎麼有沒陰陽的呢？比如那一個樹葉兒，還分陰陽呢：那邊向上朝陽的便是陽，這邊背陰覆下的便是陰。」翠縷聽了，點頭笑道：「原來這樣，我可明白了。只是咱們這手裏的扇子，怎麼是陽，怎麼是陰呢？」湘雲道：「這邊正面就是陽，那邊反面就為陰。」翠縷又點頭笑了，還要拿幾件東西問，因想不起個什麼來，猛低頭就看見湘雲宮縧上繫的金麒麟，便提起來問道：「姑娘，這個難道也有陰陽？」湘雲道：「走獸飛禽，雄為陽，雌為陰；牝為陰，牡為陽。怎麼沒有呢！」翠縷道：「這是公的，還是母的呢？」湘雲道：「這連我也不知道。」翠縷道：「這也罷了，怎麼東西都有陰陽，咱們人倒沒有陰陽呢？」湘雲照臉啐了一口道「下流東西，好生走罷！越問越問出好的來了！」翠縷笑道：「這有什麼不告訴我的呢？我也知道了，不用難我。」湘雲笑道：「你知道什麼？」翠縷道：「姑娘是陽，我就是陰。」說着，湘雲拿手帕子捂着嘴，呵呵的笑起來。翠縷道：

「說是了，就笑的這樣了。」湘雲道：「很是，很是。」翠縷道：「人規矩主子為陽，奴才為陰。我連這個大道理也不懂得？」湘雲笑道：「你很懂得。」

史湘雲所講的陰陽哲學，有兩個要點：一個是陰陽一體（「陰」、「陽」兩個字只是一個字）；二是陰陽只是氣，不是道。言下之意是一陰一陽互動互補、相反相成才是道。史湘雲這番哲學議論，倒是與程（伊川）朱（朱熹）的說法相通。程伊川說，陰陽是氣，「所以陰陽」才是道。「所以陰陽」，有「因為……所以」，有邏輯，有相互依存、相互補充、相互轉化，這才成道。史湘雲說連那一片樹葉兒都分陰陽，那邊向上朝陽的便是陽，這邊背陰覆下便是陰；一把扇子，這邊正面為陽，那邊反面就是陰，這是物，還不是道。一陰一陽，陰了又陽，陽了又陰，有前提，有結果，變化不停，體現這陰陽變化的緣故、規律才是道。《紅樓夢》講聚散哲學也與陰陽哲學相通，聚與散是現象，不是本體，「所以聚散」即聚散的緣由根據、規律才是道。陰、陽、聚、散都是中國的古老哲學語言，《紅樓夢》自創的哲學語言是「好」和「了」。《好了歌》講好和了不二分，好便是了，了便是好，好和了都是現象，把握如何好、如何了，才是道。

曹雪芹是一元論者，確認世界本體本源為一。第三十一回史湘雲與翠縷講陰陽哲學，要點便是陰陽一體，「『陰』『陽』兩個字還只是一字，陽盡了就成陰，陰盡了就成陽，不是陰盡了又有個陽生出來，陽盡了又有個陰生出來。」所謂陰陽，並非陰陽二體，乃是陰陽一體二氣。所以史湘雲又說：「天地間都賦陰陽二氣所生，或正或邪，或奇或怪，千變萬化，都是陰陽順逆。」現象為多（千變萬化），本體為一，史湘雲講的是一而二、二而多的哲學。

說陰陽，還是前人已有的哲學語言。曹雪芹在《紅樓夢》中使用的是另一套自身創造的哲學意識語言。一體兩面，一體多樣，在小說文本中便是《好了歌》的好就是了，了就是好，便是《風月寶鑒》的色就是空，空就是色，美人即骷髏，骷髏即美人，也便是瞬間盛筵，散即聚，聚即散，寶玉喜聚不喜散，黛玉喜散不喜聚，實則也是兩向一如。我說，《紅樓夢》是一部無真無假、無是無非、無善無惡、無因無果的藝術大自在，乃是從哲學上說它把聚散、好了、色空、是非、善惡、有無、生死、榮辱、得失、成敗、正邪、凶吉、動靜等，視為一體之變。

159 內外相對論

賈璉的乳母趙嬤嬤為自己的兩個兒子向王熙鳳討點工做，王熙鳳答應說：「媽媽你放心，兩個奶哥哥都交給我。你從小兒奶的兒子，你還有什麼不知他那脾氣的？拿着皮肉倒往那不相干的外人身上貼。可是現放着奶哥哥，那一個不比人強？你疼顧照看他們，誰敢說個『不』字兒？沒的白便宜了外人。——我這話也說錯了，我們看着是『外人』，你卻看着『內人』一樣呢。」（第十六回）錢鍾書先生在論說「順」與「逆」可以互讀與位置互換時說：「顧後則於既往亦得曰『逆』，瞻前則於將來亦得曰『順』，直所從言之異路耳。故『前』、『後』、『往』、『來』等字，每可互訓。」[10]講的也是從不同角度看，前後、往來也如內外一樣可互相轉化。

先放下王熙鳳對趙嬤嬤說這番話的真實意思，僅就她外人、內人而言，倒是說出了曹雪芹「不內外」的思想。正如史湘雲說「陰陽兩個字是一個字」，王熙鳳說的也是內與外為一體兩面，難以分別，在一個參照系之下是「外」，在另一個參照系之下則是「內」。前輩研究者張畢來先生在談小說中的「雅」、「俗」相分時曾說：「……把賈雨村、賈寶玉、妙玉三人叫來排個隊，讓賈寶玉居中，以便作比較的考察。排好隊，從賈寶玉說來，他向右看是賈雨村，二人之間是不當官與當官的不同，賈雨村俗而寶玉雅；向左看妙玉，二人之間是在家與出家的不同，妙玉雅而寶玉俗。所以，有一天賈雨村來訪的時候，史湘雲勸寶玉去與他周旋，寶玉說：『我也不敢稱雅，俗中又俗的一個俗人罷了，並不願同這些人往來。』（第二十三回）賈寶玉說的是反話。他是自以為雅而把賈雨村視為俗的。一旦掉過頭來向左看，是妙玉，賈寶玉的態度就相反了。可看第四十一回，那天賈寶玉與黛玉、寶釵等在妙玉那裏喝茶時的談論。」[11]

10 錢鍾書：《管錐編》（第一冊）（北京：中華書局，1979），頁 54。

11 張畢來：《紅樓佛影》（上海：上海文藝出版社，1975），頁 31。

張畢來先生所舉的例子和王熙鳳的內外哲學，都說明《紅樓夢》中有一個曹雪芹的「相對論」。真與假、有與無、聚與散、好與了、色與空、外與內、雅與俗，和陰與陽一樣，是相反相成的統一體，只是在不同層面、不同視角下才看出它的分別。因此，在注視分別相時又不可遺忘把握整體相。

160 《風月寶鑒》的哲學暗示

《風月寶鑒》具有雙重結構。表層結構是美人，是色；深層結構是骷髏，是空。哪一層是最後的真實，這是《紅樓夢》的哲學問題。寶鑒暗示的，是人須把握真實、悟透本體才能自救。道人叮囑賈瑞須緊緊盯住骷髏這一面，便是終極真實的一面。

但《風月寶鑒》又是一種比喻與隱喻。錢鍾書先生說比喻具有「二柄」與「多邊」的性能。「同此事物，援為比喻，或以褒，或以貶，或示喜，或示惡，詞氣迥異」，這是二柄。而「蓋事物一而已，然非止一性一能，遂不限於一功一效。取譬者用心或別，着眼因殊，指（denotatum）同而旨（significatum）則異；故一事物之象可以孑立應多，守常處變。」這是多邊。曹雪芹曾想用「風月寶鑒」作書名，可提攜全書哲學內涵。以色而言，色也有二柄與多邊，色可生慾生淫，也可生情致美，況且色有物色、器色、財色、女色等俗色，也有花色、草色、山色、水色、月色、日色等自然之色。以月而言，月有二性，時而形圓體明，時而形缺體黑，人有悲歡離合，如同月有陰晴圓缺。所以《風月寶鑒》也不僅是道德暗示，而且也是生命充滿色彩、命運充滿變幻的暗示。因此，《紅樓夢》即使改名為《風月寶鑒》，也不是一部道德說教書，而是呈現多姿多彩人性的文學書。

161 王國維未明破慾之功

王國維引入叔本華，論證慾望、痛苦、悲劇，開風氣之先，但他太執於一念。只知《紅樓夢》有慾的訴求，未知《紅樓夢》的偉大處恰恰在於破慾之執、化慾之謎、悟慾之空。一部文學巨著，把一切色相化得空空蕩蕩，這是大手筆的勝利，又是大心靈的成功。抓住《紅樓夢》破執、破慾、解慾、化慾的一面，才抓住正題。《紅樓夢》對人生的永恆啟迪是確認慾望的權利，又確認破慾的可能。它把慾提升為情，提升為靈，提升為空。

《紅樓夢》的哲學是破一切執的哲學，不僅破世俗社會的功名之執、財富之執、權力之執，而且破理念上的是非之執、善惡之執、尊卑之執、貴賤之執，甚至還破了男女性別之執。賈寶玉迷戀林黛玉、晴雯等女性，也傾慕秦鐘、蔣玉菡等美男子。這不是性的混亂，而是跨越性別之執，對人類完美形體的審美普遍性。

162 釵黛的「圓」、「方」之分

如果以「圓」和「方」來劃分人物類型。林黛玉屬第一「方」人，她只有情感生活和意境生活，不懂得世俗生活和關係生活，在狹小的關係網中只憑自己的棱角左碰右撞，說刻薄話，結果是不討人喜歡。而第一「圓人」則非寶釵莫屬，她會做人，善於處理人際關係，圓潤周全，哪怕有點棱角，也被冷香丸化掉了。屬於方型的還有晴雯、芳官、鴛鴦等，結果都碰得頭破血流；屬於圓型的襲人、平兒等倒有了出路。方使人正直，圓使人渾厚，但圓過頭就變成世故，甚至虛偽；方過頭則會變成褊狹甚至刻薄。有人特別喜歡史湘雲，大約她是不方不圓，亦方亦圓。寶玉也是如此，屬於不方不圓的中道，他和所有的人都相處極好，是徹底的圓，但他內心與泥濁世界絕不妥協，對國賊祿鬼深惡痛絕，又是徹底的方。圓透方透，又非大仁大惡，所以是奇美的生命景觀。

163 「檻外人」即異端

曹雪芹的「檻外人」（妙玉），卡繆的局外人、異鄉人，說法不同，都是「異端」。《紅樓夢》歸根結底是一部異端之書，甚至可以說，是中國文化史上最大的異端之書。異端之說並非杜撰。在第五十八回中，曹雪芹自己就使用「異端」一詞。

那是寶玉提醒芳官說的話：「……這紙錢原來後人異端，不是孔子的遺訓。」這裏透露了極為重要的思想信息：賈寶玉把異端界定為違背孔子遺訓的言行。

所謂異端，首先是儒家道統的異己；所謂檻外人，首先是走出孔門的準則與規範之檻。《紅樓夢》的異端代表人物，不是妙玉，而是賈寶玉和林黛玉。「潦倒不通世務，愚頑怕讀文章」，從小就怕讀聖賢文章的頭號異端賈寶玉，把林黛玉作為自我意識的主要投射對象，兩人情感相印，思想相通。通就通在拒絕充當正統的附庸，自立另一種心性與人格。五四運動高喊打倒「孔家店」，寶玉、黛玉無此高調，但他們卻是最早的孔家「店外人」。不過，他們只是走出「孔家店」的異端，並非「五四」型的動不動就「推翻」、「打倒」的造反派。

以往的評紅者都知道寶玉、黛玉等是儒統的「檻外人」，其實，他們有時也是道與佛的「檻外人」，說「女兒」二字比元始天尊和釋迦牟尼還尊貴，就夠異端的了。《紅樓夢》太獨特，它吸收各種文化的精華，又超越各種文化而獨樹一幟，因此，曹雪芹這種異端，完全是建設性的異端，「邪」而正，「異」而端。

164 被聲色所迷則玉石不靈

第二十五回「魘魔法姐弟逢五鬼　紅樓夢通靈遇雙真」寫寶玉和王熙鳳中邪後本可以用賈寶玉落地時口銜的那塊玉治病，因為上邊分明刻着「能除邪祟」，可是這回卻不靈驗了。幸而後來癩頭和尚和跛足道人點破了原因：「只因他如今被聲名貨利所迷，故不靈驗了。」這一節故事蘊含着佛教的最基本原理：人（寶玉）通靈降生之後，本體清淨，是種本真狀態，但是進入社會之後，卻被社會的灰塵所污染所遮蔽，為聲名貨利所堵塞，所以，本來潔淨的玉石也變混濁，本有佛性的心靈也佈滿妄念、分別，執着，有了功名障、貨利障、權力障、概念障等，因此寶玉就不靈驗了。這裏牽引出一個自救原理：人所以會中邪，並非外部邪氣的強大，乃是自身喪失了除邪的能力與機制，原因在內不在外。人具有強大的本真之心，邪氣就無法進入；人心變為妄心，邪氣則暢通無阻。玉石不靈，這是警告，玉石再次通靈，則是自救的可能。

165 人性惡無藥可治

江湖醫生王一貼（王道士）標榜自己的藥一到，「百病千災無不立效」，但賈寶玉問他能否治好女人的嫉妒病時，（「可有貼女人的妒病方子沒有？」）他胡謅一番後，不得不承認「不可能」。他先開了一貼「療妒湯」，然後說：「……這三味藥都是潤肺開胃不傷人的，甜絲絲的，又止咳嗽，又好吃。吃過一百歲，人橫豎是要死的，死了還妒什麼！那時就見效了。」胡謅一番後，講了大實話：「……實告訴你們說，連膏藥也是假的。我有真藥，我還吃了作神仙呢。有真的，跑到這裏來混？」（第八十回）

曹雪芹通過王一貼的坦白，說的是醫藥可治身體之病，但不能療治人性的弱點。最高明的醫生可以起死回生，但在人性的劣根性面前卻無能為力。正如高度發展的現代科學技術可以導致效率，但無法修復良知。曹雪芹的悲觀，是他清醒地看到人性難以改造，難以療治。人畢竟不是神仙，王一貼在真人面前不說假話，他確認沒有改造人性惡的真藥方。

166 錢鍾書的距離論

錢鍾書先生曾對王國維在《紅樓夢評論》中的「悲劇之悲劇」說提出質疑。他說：

（王國維）似於叔本華之道未盡，於其理未徹也……苟本叔本華之說，則寶黛良緣雖就，而好逑漸至寇仇，「冤家」終為怨耦，方是「悲劇之悲劇」。然《紅樓夢》現有收場，正亦切事入情，何勞削足適履。王氏附會叔本華以闡釋《紅樓夢》，不免作法自弊也。蓋自叔本華哲學言之，《紅樓夢》未能冢理教而抉道根；而自《紅樓夢》小說言之，叔本華掃空萬象，斂歸一律，嘗滴水知大海味，而不屑觀海之瀾。夫《紅樓夢》，佳著也，叔本華哲學，玄諦也。利導則兩美可相得，強合則兩賢必至相阨……

錢先生這一論說，乃是他一貫的人生悲劇的悖論，即婚姻如同圍城，未進入之前想進入，一旦進入則想「突圍」出來。圍就是牢獄，就是自由與真情感的喪失。因此，他認為《紅樓夢》寶黛這對主人公沒有婚姻的結局正好可以避免一雙美好情侶墮入怨偶與寇仇的悲劇。是免去悲劇，不是「悲劇之悲劇」。按錢先生的邏輯，薛寶釵倒是進入婚姻圈子的不幸者，她才是真正的悲劇人物。錢先生守持的是審美距離。寶釵最後失去距離，倒是黛玉永遠擁有距離，因此，她永遠被衷心緬懷和衷心讚美。王國維雖看不到這一點，但他依據叔本華學說，看到《紅樓夢》的悲劇，不是盲目命運導致的悲劇（如《伊底帕斯王》），也不是蛇蠍主人造成的悲劇（如《奧賽羅》），而是結構的悲劇，即人物共同關係的悲劇，則極有見地。人間的無可逃遁的悲劇，都是這種「幾乎無事的悲劇」，人際結構自然運作的悲劇。王國維的解釋不是附會，而是發現。錢先生的評論雖成一理，但只是假設。

167 妙玉未能潔到深處

美是超功利、超勢利。「潔」也是超功利、超勢利。超勢利之法才是心潔大法。妙玉「欲潔何曾潔」，不僅表現在結局落入不潔的泥潭，更為重要的是人生旅程中總有些勢利。同樣進入櫳翠庵，她對賈母百般奉承，一味想鑽入這位賈府至尊的心中，對寶玉也竭力討好，而對劉姥姥則全不看在眼裏，非但如此，甚至連她用過的杯子也嫌髒。這種行為語言說明妙玉只有口潔、身潔，不真知何為心潔、根潔。她雖潔生，卻未能潔死。而其潔生中，又未能把潔貫徹到深處根本處，讓人惋惜。

168 「以美育代宗教」的先驅

寶玉有信仰但不迷信，信仰有很多類型，有宗教信仰、天地信仰、道德信仰、傳統信仰、祖先信仰等。從哲學上着眼，則有形上信仰與形下信仰，中國人信仰財神、火神、土地神等，均屬形下的實用性信仰。賈寶玉的信仰是對天地精華所形成的少女生命的信仰，這是對美的絕對信任與仰慕。這種信仰是超實用、超功利、超意識形態的愛的絕對性和情的徹底性。《紅樓夢》中有信仰，但不是宗教，它以美的信仰代替神的信仰，因此，可以視為近代「以美育代宗教」的先驅。康德很了不起，他說明上帝宗教是情感，不是理性存在，因此難以用認識論把握，即難以用理性與邏輯論證其真偽。既然是一種情感，人類就可以按照自己的情感需要，設定一種宗教或類似宗教的宗教。曹雪芹的「女兒」崇拜和對美的崇仰，就是為情感而設定的類宗教（類似宗教但不是宗教），而林黛玉和警幻諸仙子也是曹雪芹情感需要而設定的類女神，不是真女神。

169 青春共和國之夢

說大觀園是少女少男的樂園，是青春共和國，是曹雪芹的夢、曹雪芹的理想國，是因為在這個國度擁有自由，人可以在這裏把自己的天賦才能發揮到最高程度；其次是這個國度擁有平等，每個成員位置不同，但在競賽面前機會與人格完全平等。這兩個特徵正是歐洲文藝復興運動的兩項偉大思想成果。曹雪芹不知歐洲這段歷史，卻與它不謀而合。大觀園的表層果實是詩，深層果實是思想。賈寶玉在詩賽中常居最後一名，但他總是為勝者鼓掌，這是為詩鼓掌，也是為詩所蘊含的自由夢與平等夢鼓掌。

170 天眼看世界

在《紅樓夢》第七十八回（「老學士閒徵姽嫿詞　癡公子杜撰芙蓉誄」）中，賈政命寶玉、賈環、賈蘭作詞，這之前，小說寫了賈政對這三人的印象，竟認為賈寶玉「不算個讀書人」。在賈政這位「老學士」看來，只有四書五經，才算書，雜書不算書，讀八股文章才算讀書，讀詩詞小說不算讀書。賈政這種看法在當時帶有普遍性。中國歷來把詩文當作正宗，把小說戲劇當作邪宗，賈政進一步把詩也視為邪宗。

百年後，梁啟超超越中國，用廣闊的普世眼睛看文化，才得出「沒有新小說就沒有新國家」的結論，小說何等重要！後又有王國維用「天眼」看詩詞，發現李後主具有基督、釋迦牟尼負荷人間罪責的偉大情懷。這之後，我們讀《紅樓夢》才明白老學士賈政原來是小觀小知。《紅樓夢》對元春省親別墅給予「大觀園」的命名提醒我們，這部巨著有一大觀眼睛所以才肯定賈寶玉這個異端，不認同賈政這個賈府孔夫子。梁啟超、王國維用的也是大觀的眼睛。兩千年前，莊子的「大鵬」從九萬里高空就用大觀的眼睛看大地，才知道「秋水」的局限，蜩與學鳩的小知，才悟到萬物平等的大道理。在長篇小說中，建立一個大觀視角，把大鵬的道眼和逍遙遊的氣魄，以及齊物論的哲學大思路，帶給中國讀書人，是曹雪芹的天才業績。

171 「才性異」與「才性同」的論辯

「才性異」或「才性同」是魏晉哲學中的兩大命題，也是當時玄學兩派論辯的主題之一。為了給政治服務，鍾會持「才性合」、傅嘏（尚書）論「才性同」，適合司馬氏需要；李豐（中書會）的「才性異」與王廣（屯騎校尉）的「才性離」，則與曹操的求才三令相呼應。曹操把人的出身與才能分開，不講血統而唯才是舉。他出身寒門（父為宦官），但才能足以平天下；而司馬氏出身貴族，以為能人皆出於貴族血統，總是瞧不起平民的曹氏。《紅樓夢》第一號「才性異」貫徹者是賈寶玉，無論出身於哪門，哪怕是最卑賤的庶民之門，只要有才氣，他都欣賞。那些男女戲子，從琪官（蔣玉菡）到芳官、藕官等，他個個鍾情，着迷於他們的歌唱，完全把性（出身）與才分開。

172 儒化與異化

賈政是個儒，又是個「正人」，可惜太儒化。過分儒化其實也是異化。自己被自己所製造所接受的概念所主宰，便是異化。他與兒子賈寶玉相比，缺少一個內在的生命，尤其是真實的感性生命。寶玉不管有多少缺點，但他是活蹦蹦的有血有肉有情的生命，而賈政卻像個戴着儒家面具的機械人，人生只跟着他人規定的準則走，完全活在他人規定的準則之中。薛寶釵也很「儒」，也遵循聖賢的準則，但她沒有完全被儒化。她是個通人，什麼書都讀，還醉心於繪畫、詩詞，不會像賈政只認「文章」，以為聖賢之書才是書。加上天生的麗質美貌，無愧是個活人。她才是新儒家的活經典。

173 「四海之內皆兄弟」的實踐者

「四海之內皆兄弟」是孔子說的。這是他的理想，可惜只是烏托邦而已，很難在制度層面上和操作層面上實現。因此，它往往成為一句空話。雖也有人用之實踐，如《水滸傳》中的宋江也打着這一旗號。但是，他並未真的實行。一百零八將之內，可以稱作兄弟，一百零八之外，則可濫殺濫屠，吃人肉也無妨。所以魯迅說賽珍珠把《水滸傳》評為「四海之內皆兄弟」是欠妥的。這一美好理念在《水滸傳》中是假的，但在《紅樓夢》中則是真的。賈寶玉就是一個真有「四海之內皆兄弟」大情懷的人。他以平等之心兄弟之心對待一切人，府內的賈環、薛蟠，府外的柳湘蓮等，皆以兄弟同懷視之。

174

異端而不極端

要說「拿來主義」（魯迅的概念），曹雪芹正是氣魄最大的拿來主義作家，他拿來佛，拿來道，拿來莊，拿來禪，拿來易。書中有佛的慈悲精神，道的「謫仙」結構，莊的齊物思想，禪的立身態度，易的陰陽哲學等，但又超越拿來的一切，獨創一格。它沒有佛的輪迴，沒有道的貶謫下界後返回原位的歡喜（只有悲情），沒有莊的「鼓盆而歌」，沒有禪後期的狂躁，沒有易的玄奧。哪怕是對於正統儒學，它也拿來其重親情的深層意蘊，只拒絕其表層的典章制度和意識形態，異端而不極端。《紅樓夢》拿來一切文化精華，又不執於一種文化理念。它破各種層面的執，也破對於各種文化的執，既把一切色相化解得空空，也把對各種文化的迷信化解得空空，所以它才得大自在，也成其藝術大自在。

175 不將迎，不內外

二十年前，佛學教授、弘一大師的弟子虞愚老先生教我進入佛哲學之門的方法，贈我「不將迎，不內外」六個字。後來我才知道這六字乃是對整體佛性的把握。「不將不迎」其實是莊子用過的概念。將是過去，迎是未來。不將不迎是時間與人生的提示。時間是個整體，不要分割，既不執於過去，也不執於未來，而應充分活在當下。對於過去，無論是成就還是苦難，都不要執着；對於未來，無論是太虛幻境還是其他烏托邦，也不要執着。永恆的意義就寓於當下之中。不內外則是不分別，它暗示，空間是個整體，生命是個整體。萬物萬有同根同源同休，有同體整體意識，才有大慈悲。賈寶玉沒有貴賤尊卑之分，「齊物」又「齊人」，正是不內外的態度。

176 只重當下存在的把握

老子的「道可道，非常道」，是說人間價值的總源頭，那個超越的本體、終極的真實是不可言說的。禪宗慧能所以「不立文字」，也是認定那個稱作「無」的終極存在是無法用概念表述的，林黛玉對寶玉「你證我證、心證意證」的八字補充，強調「無立足境，是方乾淨」，也是確認最後的真實本無一物。林黛玉臨終前焚毀詩稿，也是看透詩中的心證意證並非終極的真實。寶玉不重自己的起因與來源，不喜歡身上的「玉」，也不問玉從哪裏來。有次妙玉問他「你從何處來」，他也答不出，還是惜春提醒他答以「從來處來」即可。不重根，不重果，只重花開時節，即只重當下存在的把握與敞開，這是寶玉也是《紅樓夢》的哲學精神。與弗洛伊德那樣追究文學起因還追問哈姆雷特的戀母情結，曹雪芹完全是另一哲學方式。他以巨著表明：對生命此在的了解與同情比追究根源重要得多。

177 信仰變成面具

或依傍儒，或依傍道，或依傍佛，方向不同，畢竟都有依傍。有依傍便有心靈原則與行為原則。薛蟠、賈環、賈蓉等靈魂無依，成了廢人。人世間因為有宗教或半宗教的哲學，才有敬畏，才有憐憫，才有慈悲。仁義之心，齊物之心，慈悲之心雖然有別，但都提醒人們遠離禽獸和遠離野蠻。沒有任何靈魂的依傍，沒有信仰，不僅會產生廢人，而且會產生暴徒。廢人是零，暴徒是負數。然而，依傍不是標榜；有所依，也不等於有所立。賈雨村標榜儒，賈敬標榜道，王夫人標榜佛，卻都是假人。信仰如果只停在口裏，不進入心中，只能變成面具。

178 生命被俗流裹脅

《好了歌》描述了功名、嬌妻、兒孫、金銀裹脅着人的生命向前滾動。功名伴隨着喧囂，姣妻伴隨着背叛，金銀伴隨着血腥，但世人照樣讓他們裹脅着自己的生命往前滾動。裹脅者打着事業之旗，立功立德之旗，衣錦還鄉之旗，五顏六色，浩浩蕩蕩，滾動不止，追逐不已，「好」總是難「了」。世人要錢不要命，要名不要命，要色不要命，所以命才會被裹脅。這個命，是個體生命的自由與尊嚴。《好了歌》揭示的是俗氣大潮流。這種潮流使人類世界變成豬的城邦和心的荒原。

179 寶玉無君子小人之分

薛蟠的缺陷如此嚴重，以至他的母親說他是個廢人；賈環的缺陷如此嚴重，以至他的母親說他是個劣種；王熙鳳的缺陷如此嚴重，以至後來的評紅者稱她為「蛇」。但是，曹雪芹卻未把他們界定為壞人。賈寶玉和薛蟠、賈環、鳳姐的兄弟之情沒有因為他們的嚴重缺陷而改變，他的寬容是基督式的寬容。賈寶玉和他們相處，不是用學問和理念，而是用天性和天性包含的哲學。這是一種很高的哲學境界，是高於法律、高於道德也高於一切理念的境界，在這個境界裏沒有好人壞人之分，沒有善人惡人之分，沒有君子小人之分。這是《紅樓夢》的一種沒有直接訴諸文字的人的哲學，它超越世俗價值標準無數的層面。在《紅樓夢》中，薛蟠、賈環、王熙鳳只是大觀眼睛下的人。

180 曹雪芹的懷疑精神

《紅樓夢》中沒有神，不是宗教，但有對美的信仰。除了這種信仰之外，全書卻貫穿着深刻的懷疑精神。從開篇對中國文學慣性模式的懷疑開始，直到對人生意義的懷疑，全書懷疑不斷。而最根本的懷疑是對常人世人所確認的人生大前提、大目標的懷疑。「從來如此，便對嗎？」這是魯迅的大懷疑，而在二百年前，曹雪芹就對從來如此的價值目標：功名、財富、權力，提出懷疑，相應地，也對從來如此的仕途經濟之路，「文死諫，武死戰」之路，立功立德立言之路，治國平天下之路等提出懷疑。這些大前提、大思路的致命傷是缺少對個人生命自由和個人尊嚴的尊重。思想者天然地生活在疑問之中，並不提供答案。曹雪芹的懷疑不是消沉，而是對當下個體生命存在意義的清醒把握。

181 寶玉沒有王維式的焦慮

王維退隱後，「以禪誦為事」，在山明水秀中過着隱士般的生活。但細讀他的詩，便會覺得其詩離真禪慧能尚遠。他身雖逍遙，心卻不逍遙，所寫的「空」，只是感官之空，而內心則充塞失落感與淒清感，一點也不空。他未能抵達真正的空境，乃因身雖「止」，而心未「止」，即未能真正體會到「了」就是「好」。沒有真放下。要真「止」、真放下，需要一個修煉過程。《紅樓夢》由空見色後還要經過對色的看破和情的幻滅這一中介，然後才能「自色悟空」，得大自在。賈寶玉最後出走，是大徹大悟後的大解脱，他最後出走時沒有王維式的焦慮感，倒有慧能式的回歸故鄉的自在感。

182 放不過一個弱女子

賈赦、賈璉已有那麼多妻妾，前者還要再佔鴛鴦，後者則還要再娶尤二姐，終於導致鴛鴦、尤二姐的慘劇。但王夫人乃至賈政絕不會阻撓、勸誡或嘲諷，讀者聽不到一句微辭。而對金釧兒、晴雯，只因為與寶玉靠近，便驅逐並造成死亡。許多中國人就像王夫人，可以寬容害人生命的王公貴族，卻不放過一個談戀愛的弱女子。皇帝也如此，老百姓殺一個人需要償命，而帝王將相殺千萬人也理所當然。許多皇帝與王公貴族，其實都是大縱火犯、大殺人犯。朱元璋當了皇帝之後，僅胡惟庸和藍玉兩案就殺了四萬多人。胡藍再邪惡，也不可殺這麼多人。還有項羽，功過先不説，他憑什麼燒掉阿房宮？憑什麼毀滅那麼輝煌的大建築與大藝術？可是，中國人可以寬容這些縱火犯和殺人犯，卻無法寬容一個批評縱火與批評濫殺的異端。

183 愛的填充

人不怕痛苦，只怕痛苦的無意義。人也不是不能忍受孤獨，只是害怕孤獨的無意義。基督教徒在陷入孤獨的深淵時，需要上帝補充。《紅樓夢》的主角賈寶玉與林黛玉都害怕孤獨與孤獨的無意義，因此需要愛來填充。第九十三回，寶玉搬到外間去住，等待林黛玉的魂魄來入夢，便是等待愛的補充。離開寶釵與襲人的照顧，獨自在另一房間，自然更為孤獨，但最痛苦的不是孤獨，而是沒有另一顆相通的心和他一起支撐孤獨的靈魂。愛是一種創造性生命，它會放射出無形的生命能量，這種能量可以產生意義。

184 拒絕道統邏輯

《卡拉馬助夫兄弟們》中小弟阿廖沙，曾對他的兄長伊凡說：「愛生活吧，不要管邏輯……」伊凡是個理性主義者，他的大思路與康德相通，把道德邏輯視為最高邏輯，而阿廖沙則認為道德衝動來自人的心靈深處而非道德理性。這一點賈寶玉和阿廖沙相似，他拒絕中國道統儒統那些邏輯，因為在這些聖賢的邏輯面前，存在無法敞開。一個遵循「非禮勿言」、「非禮勿動」邏輯的人，便沒有靈魂的活力。賈寶玉嘲諷「文死諫，武死戰」，正是這些人完全活在效忠道統邏輯之中，並無自己的生活。因為寶玉拒絕千古皆然的邏輯，置身於此邏輯之外，所以他也可稱為「檻外人」即異端。

185 在愛的面前存在才充分敞開

孔夫子「割不正不食」，連吃飯細節都很正統。這一行為語言說明其「禮」的徹底性，無論是大節還是小節都必須貫徹「禮」。君臨於《紅樓夢》的，不是禮，而是愛。賈寶玉對於一切繁禮褥節都很討厭，而對愛則連細節都很在意很周到。他的「無事忙」，並非為禮而忙，而是為愛為情而忙。曹雪芹在故事描述中對繁瑣的禮儀也有微詞。第十四回寫王熙鳳協理寧國府已經夠忙了。秦可卿出殯在即，已忙得團團轉，但就在同一時刻，竟有一系列禮節需要應對。原文寫道：「裏面鳳姐見日期有限，也預先逐細分派料理，一面又派榮府中車轎人從跟王夫人送殯，又顧自己送殯去占下處。目今正值繕國公誥命亡故，王、邢二夫人又去打祭送殯；西安郡王妃華誕，送壽禮；鎮國公誥命生了長男，預備賀禮；又有胞兄王仁連家眷回南，一面寫家信禀叩父母並帶往之物……」像王熙鳳這種大俗人正可以在「禮」面前把生命充分敞開，而寶玉則毫無作為，他只有在「愛」面前生命才充分敞開。他平常時剛毅木訥，但在林黛玉、晴雯面前卻有一副伶牙俐齒，會說出許多動人的真摯語言。

186

「女兒」信仰

無論是基督教還是佛教，宗教形態與教義雖不同，但都是信仰。禪宗雖去偶像，但仍有信仰。信仰與學說最根本的區別，是信仰以情感為第一義，學說則以理念為第一義，稱上帝為天父，這是情感。《紅樓夢》不是宗教，它沒有宗教形態，沒有神的絕對權威，但有信仰，這是對美的主體——女兒的信仰，即對「女兒」注入最深最徹底的情感。因此，可說《紅樓夢》是一部以情為本體的書，一部沒有宗教形態但有宗教式情感與宗教式境界的書。魯迅在《破惡聲論》中說，十九世紀的歐洲，以對真善美的崇拜代替對神的崇拜，把真善美請入神祠，這不是「滅信仰」，而是「易信仰」。《紅樓夢》是以對情對美的信仰取代對神對道統的信仰。

187

兩條眼睛路線

常人眾人的眼睛路線是自近而遠，自低而高，所謂「立足中國，放眼世界」也是這種路線。曹雪芹的特別處是他的大觀視角，其投射方向和程序，與常人眾人相反。他是「立足宇宙，放眼中國」，立足於宇宙極境，然後觀察地球、人、賈府，以及整個人世間的生存狀態與人性困境。因此，他先確立了青埂峰、三生石畔、靈河岸邊、太虛幻境這些宇宙視點。大觀園雖然座落於人間，但詩人們的審美視角，也是自上而下，從天上看地面，以超越的天眼看待和呈現人間情感。曹雪芹的視線——眼光路線與莊子相同，以道眼俯看天地萬物，以大鵬的眼睛冷觀人間滄桑，因此其眼光便有別於斑鳩一類小鳥，更有別於井底之蛙。

188 四春皆無戀情

賈府的嫡系孫女：元春、迎春、探春、惜春，雖是貴族侯門最高貴的「女兒」，卻都沒有享受一項生命最高的幸福，這就是青春戀情。她們只有親情，只有婚嫁，儘管元春登上婚嫁的尖頂，進入宮廷，但仍然沒有戀情。迎春、探春告別家門時只有對父母兄弟姐妹的依戀，沒有情愛。林黛玉、薛寶釵等，儘管有痛苦，有悲情，但都享受過戀情的甜蜜。連妙玉也有暗戀，儘管她暗戀的「公子」是寶玉還是陳也俊還有爭議，但她有戀情的寄託對象則是可以肯定的。從這種情感幸福的意義上看，四春連丫鬟襲人、晴雯的命運都不如。

189 「圍城」哲學

賈元春進入宮廷，並得寵幸，封為鳳藻宮尚書，加封賢德妃，可謂尊到極點，貴到極點，讓一些目光羨慕到極點，其實，她很可憐，用她自己的話說，是被拋入「見不得人的去處」。回家省親時滿腹心事也只能化作幾滴眼淚。她生活在人間的寶塔尖頂，人們只看到尖頂上的金碧輝煌，卻體會不到「高處不勝寒」的滋味，能領略這種滋味的，只有嘗盡孤獨和恐懼的王妃自己。元春的處境心境與宮牆外人的處境心境，正如錢鍾書先生所講的「圍城」哲學：未進圍城的人們千方百計想進入圍城，進了圍城的圍城中人則竭力想走出圍城。人類處於不同層面的生存困境，很難相互了解。元春滿腹經綸，少女時就是寶玉的「教母」，「寶玉未入學堂之前，三四歲時，已得賈妃手引口傳，教授了幾本書，數千字於腹內了。」「情狀有如母子」。可惜皇帝恐怕只需要她的美貌與「賢德」，不需要她的經綸與才華。伴君如伴虎，這是不入圍城不會明白的。

190 寶玉的異端性

儒者有很多類型。有陋儒、腐儒、小人儒、君子儒，還有大儒。《紅樓夢》裏沒有大儒級如朱熹、王陽明、程頤、程顥這類人物。賈政「自幼酷喜讀書」（第二回），為人也算清正，稱他為君子儒，應無爭論。而賈雨村不是大仁，也不是大惡，本來也想作一番治國平天下的事業，所以一聽到馮的冤情，立即拍案而起，像是君子儒。但是為了保其烏紗帽，也只好相信「護官符」徇私瀆職。他靠賈家往上爬，靠山一倒，趕緊劃清界線，又像小人儒。至於賈瑞之輩，只能歸入陋儒、腐儒。賈政「酷喜讀書」，而寶玉則「極惡讀書」（第三回王夫人向黛玉介紹寶玉的評說），無論說「善」說「惡」都是指儒家原典的「聖賢書」。可是寶玉離儒很遠，不用說小人儒、君子儒，連大儒也不放在眼裏。他第一次見到黛玉時就說：「除『四書』外，杜撰的太多」，賈寶玉是個異端，他的異端性，主要表現就是不喜讀聖賢書，聖賢便是大儒。賈政稱他為「孽根」「禍胎」，從根本上說，是離儒太遠。

191 十六字訣的「情中介」

第一回的十六字訣「因空見色，由色生情，傳情入色，自色悟空」是《紅樓夢》的哲學總綱，是小說主角賈寶玉由石頭變成情僧的哲學路程。

因空見色和自色悟空是佛的哲學，這兩者之間加入「情」的中介，便成了人的哲學。因空見色是外自然的人化，自色生情，傳情入色，自色悟空是內自然的人化。宇宙的本體是空，而人的本體是情。空是世界的本源與終極，情則是人的最後實在與最後根據。賈寶玉到人間走一回，是由色生情、傳情入色、自色悟空的完整過程。佛教打破人與動物的分別，把大慈悲推向一切生命，但是動物只有色，沒有情，更無法悟空。只有人能實現色與情、情與空的轉化，曹雪芹把握十六字訣這條哲學鏈，呈現人總是處於「空→色→情→空」的循環之中。「輕薄人」、「濫情人」（《紅樓夢》中的概念）具有「色」的敏感，卻沒有情的真摯，他們無法實現由色生情、傳情入色的環節，更無法實現自色悟空的環節。無論名為《石頭記》還是名為《情僧錄》，都離不開此一哲學鏈呈現的心靈傳記。

192 形上性質的罪感

中國人的罪惡感太實，只知世俗罪、形下罪，如對殺人放火等；而對良知罪、心靈罪，則缺乏敏感。中國文學對壓迫者只有詛咒與報復，沒有壓迫者內心良知的掙扎。像莎士比亞的《麥克白》描寫如此掙扎的靈魂的作品，在中國找不到。《紅樓夢》了不起，是因其寫作動機乃是作者的罪感。這是良知壓抑的罪感。曹雪芹沒有世俗之罪，但在良心上欠了「閨閣中人」的債——欠了淚。林黛玉為還淚而下凡，曹雪芹為還淚而寫作。負疚感是《紅樓夢》產生的第一原動力。表面上看是「性發動」，實際上是良知發動。

193 遠離「豬的城邦」

《金瓶梅》是寫實的，作品中的男人女人都很真實。要知道中國世俗男人何等粗糙低劣，看看《金瓶梅》中的西門慶與《紅樓夢》中的薛蟠、賈蓉、賈璉就明白。《金瓶梅》通過西門慶，把中國男人怎樣生活、怎樣追逐、怎樣享受、怎樣無恥，寫得很充分。這部小說見證了中國的所謂夫妻關係，其實離動物很近。男人何等卑鄙，女人何等不幸，看這兩部小說就明白。但《紅樓夢》給我們信心，讓我們知道人類還有一些離動物很遠的詩意生命，她們離豬的城邦、猴子的城邦都很遠，在西門慶的彼岸，還有一種類似賈寶玉的精緻生命，他們遠離粗糙，也遠離卑鄙。他們是一些需要食與性的人，但又是一些能夠跳出食與性的人。

194 共存秩序與個體生命

薛寶釵與林黛玉思維的重心不同。薛考慮的是家族群體利益，即人的共存秩序；林考慮的是個體生命的自由。一個重在群體生存，一個重在個人幸福，兩者必有衝突。賈寶玉既沒有修身之念，更沒有「齊家治國」之思，其胡愁亂恨的核心也是個體生命的尊嚴與自由，所以他的心靈與林黛玉更為相通。歷史的悲劇性是為了共存秩序的完善與發展而總是要傷害個體生命的自由與幸福，智者所考慮的只能是如何減輕這種悲劇性，但無法完全避免悲劇性。

195 拒絕無人文化

五四發現中國傳統文化不僅造成僵化的群體秩序，而且以「宗法」理由消解「人」，消解個體生命，消解婦女與兒童的權利，乃是一種無「人」文化，即無具體人、個體人、活人的文化。本是發現無人文化，但為了引起震動與警醒，便說成是吃人文化，雖說得過重，但其基本發現卻沒有錯。《紅樓夢》在思想層面上也完成了這一發現，賈寶玉、林黛玉的先鋒性，正是他們拒絕無人文化而爭取人的文化。

賈政、薛寶釵並非「壞人」，但他們沒有發現傳統文化中的根本弱點。自己也只是秩序中人、宗法中人、權力結構中人。

196

續書冤枉了鳳姐

王熙鳳雖是有名的「烈貨」、「潑辣貨」，但對賈家的「正人」即嫡系親家兒女卻很親近，很有情意。她從未侵犯賈家嫡系的任何一個人（賈瑞並非嫡系）。趙姨娘無端恨她，但她從未對趙姨娘說過一句壞話。她不僅對寶玉好，視寶玉為親兄弟，對林黛玉也好，在和林黛玉開的善意的玩笑中，真把她和寶玉看成天生的一對。高鶚的續書，除了把寶玉送入科場並中舉是一大敗筆外，第二個敗筆恐怕就是讓王熙鳳出壞主意，把寶釵與黛玉掉包而湊合金玉良緣。這不符合原著的邏輯，也冤枉了這位鳳姐。

197

天上星辰，地上女兒

《紅樓夢》如此奇特，如此豐厚，如此精彩。如何說明它的第一主題確非易事。但可以借用康德這位偉大哲學家的語言來表述。康德哲學體系如此深厚、如此龐大，但他由博返約，用一個最簡約的程式來概括他的思想，這就是「天上的星辰，地上的道德律」。而曹雪芹的核心價值精神，則可表述為：天上的星辰，地上的女兒。

《紅樓夢》的理想國，是女兒青春共和國；《紅樓夢》的大夢，是女兒不嫁、青春不謝的大夢；《紅樓夢》的悲劇，是女兒毀滅的悲劇，《紅樓夢》的哲學是女兒淨水、男人泥濁、女兒把男子導向脫離塵土的哲學。

198 天然心靈原則

《聖經》裏的一個著名情節，是基督制止了信徒們對妓女扔石頭。基督對信徒們說：想想你們哪個人身上沒有缺點。基督用愛的教義教誨信徒，啟發他們去愛一切人，包括敵人，也包括妓女。賈寶玉在馮紫英家與薛蟠帶來的妓女雲兒一起飲酒聚會，還一起唱和詞曲，此時寶玉對待雲兒，是出自天性那種「人人生而平等」的胸懷，沒有理念。一切都很自然，他沒有貴賤之分，也沒有君子小人之分，也無須基督提示的那種道理。賈寶玉從天上帶來的通靈玉石讓人感到驚奇，而他從天上帶來的自然心靈原則，比玉石更奇，只是常人的眼睛往往看不見。

199 秦可卿的哲學遺言

秦可卿彌留之際，託夢給王熙鳳，說是「還有一件心願未了」，非告訴嬸子，別人未必中用。於是講了一番「盛世危言」。短短的一席告誡，竟用了五個哲學性成語：「月滿則虧」、「水滿則溢」、「否極泰來」、「盛筵必散」、「登高必跌重」。除了這些形而上警示之外，還有兩件形而下事務（祖塋、家塾）的具體關懷。虛實皆擊中要害，其意識之清明，賈氏兩府中無人可比。王熙鳳的才幹早已被發現，秦可卿的哲學才能卻一直深藏不露。

秦可卿的形上危言，講的是中國哲學（包括《易經》、《道德經》）已經道破的事物由正而反、由反而正的運動規律。陰陽哲學從物極必反、否極泰來的原則出發，總是提示世人應當「居安思危」、「知榮守辱」、「知雄守雌」、「見機而作」。秦可卿不僅是個未被發現的管理家，而且是個未被發現的哲學家。賈府中有哲學思維能力的，除了秦氏之外，還有史湘雲（談陰陽）、林黛玉、賈寶玉、薛寶釵、妙玉等。

200 從「齊物」到「齊人」

《紅樓夢》與《南華經》（莊子），都崇尚不二法門，無尊卑貴賤之隔。從表面看，都講《齊物論》，但曹與莊還是不同。莊子的齊物，以物為重心，說人與物皆物。而曹雪芹的齊物，則以人為重心，把齊物引向齊人，即人與物皆人。物也是生命，與人同一，所以寶玉才會對星星、魚兒說話。黛玉的《葬花詞》，不僅是以花喻人，而且把花視為人。辭中句句說花，也句句說人。莊子視人如物，導致情的冷漠，妻子死時鼓盆而歌，從理上（萬物萬有同源同體）說得過去，從情上說不過去。視物如人，則導致情深；物尚能愛，更何況人？樹猶如此，人何能不感傷。

201 審美與算計性思維

以蘇格拉底、柏拉圖為開端的西方理性，上端是精神性，下端是工具性。走了兩千多年的路，當下世界彷彿剩下工具理性，一切都是為了滿足快樂的生活，理性只是這種生活的算計。人類的算計腦袋愈來愈大，審美的腦袋愈來愈小。《紅樓夢》早已預示這兩種特性的衝突，賈寶玉和探春的不同，便是一個追求精神性卻完全不知工具理性（寶玉），一個是具有工具理性的頭腦卻忘了花草審美價值（探春）。要是讓美國的實用主義哲學家杜威閱讀《紅樓夢》，然後問他最喜歡哪種文化？他一定會回答，是那個曾主持榮國府家政，說過一朵花、一片蘆葦都可賣錢的探春文化。可是，工具理性可以導致效率與富裕，卻不能導致良知與赤子之心。

202 難容「臭男人」

一個民族，其民族精神的墮落，人心的黑暗，品格的沉淪，即國民性的弱點，該民族的卓越作家看得最清。二十世紀的大作家幾乎都對自己的同胞進行過不留情面的鞭撻。在中國有魯迅通過阿Q對民族劣根性的批判；在愛爾蘭，有喬伊斯對都柏林人和愛爾蘭人市儈嘴臉的揭露；在德國，有君特·格拉斯通過《鐵皮鼓》對日耳曼人無端傲慢的嘲笑；在美國，有福克納通過《聲音與憤怒》對美國垮掉一代的展示；在英國，還有奈波爾對祖國（印度）同胞們的絕望。而十八世紀中葉，曹雪芹通過《紅樓夢》早已展示一幅中國泥濁世界中的人性醜惡，那些貴族老爺太太，全是一些「嫌隙人」、「尷尬人」、「濫情人」、「輕薄人」。林黛玉見到寶玉想送她的手巾，她立即敏感到，這是哪個臭男人用過的。林黛玉敏銳地感覺到男人精神的墮落，完全無法容忍世人習以為常的臭氣。

203 大制不割與自然分際

曹雪芹與莊子的哲學語言有很大區別。莊子以寓言、重言、卮言為基本哲學語言。《莊子·寓言》曰：「寓言十九，重言十七，卮言日出，和以天倪。」重言即引用先賢先哲的言論；卮言即自然不定之言，合自然分際，不作人工分別。

曹雪芹則以詩語、小說語（假語村言）、人物語等意象語為基本哲學語言，哲學寶藏掩埋在意象語言中。《紅樓夢》除了開篇有多餘石頭（女媧補天時被淘汰的石頭）和神瑛侍者、絳珠仙草等兩則寓言之外，沒有其他寓言。《紅樓夢》因不喜歡先賢先聖之書，所以除了引證慧能「本來無一物，何處染塵埃」等個別先哲之語算是重言之外，別無重言。唯有卮言（無人工分割之言），曹莊兩位大哲相似相近。

非分別的哲學，在莊子中表現得最為充分、完整。非分別的精神導致平等精神。由於莊子，中國在兩千多年前就佔領了人類社會平等思想的制高點。《紅樓夢》

也完全放下分別哲學，把非分別法推向社會直至推向宇宙，所以物我無分、天人無分，更沒有儒家那種君子與小人的道德之分及君君臣臣、父父子子的嚴格分別。但是，它還有沿用大乘佛教的淨染二法門，把人間分為以「女兒」為主體的淨水世界和以男子為主體的泥濁世界。沒有善惡判斷，卻有審美判斷。大制不割（無分別）又有自然分際，這是《紅樓夢》的哲學玄奧。

204 質樸的雄偉

慧能了不起，他「不立文字」，人們卻感受到無言的偉大；他不事喧嘩，人們卻感受到質樸的雄偉。《紅樓夢》中凡是寶玉與黛玉借禪明心之處，我們都感到機鋒的深邃和希聲中的大音，而黛玉、寶琴的懷古吟人之詩，我們則看到最純粹的眼睛，她們用女子最單純最質樸的眼睛看歷史，淘汰了史家眼中的雜質，跳出孔夫子和司馬遷的框架，另有一種質樸的雄偉。《紅樓夢》哲學也屬「無言的偉大」，所謂無言，不是不說話，而是無「重言」，不引經據典，不拿先賢先哲作面具，只說內心感悟到的真理。孔子曾表達過「繪事後素」的期待，《紅樓夢》之素，是雖有大哲學卻無哲學家的姿態，所有的邏輯都化作深邃的直觀與精彩的藝術呈現。

205

人生下來要什麼

人生下來要什麼？這是人生觀，也是哲學觀。物色滿桌，琳琅滿目，擺在周歲的賈寶玉面前，他要的是胭脂釵環，把賈政氣得連叫「好色之徒」，其實寶玉所要的是胭脂釵環所象徵的鍾靈毓秀，是至柔至真至美之生命。寶玉是個詩人，一個詩人要什麼？這是詩人的存在本義和本題。是要真與美，還是要功名、財富與權力，二者難以兼得。詩人一旦進入權力帝國、功名世界、財富角逐場就要失去詩人的實體、本體。《紅樓夢》揭示的人生困境是魚與熊掌二者不可兼得的困境，它暗示詩人：你要寫出真詩，要守持真情真性，就不能從政、不能服從宮廷原則，也不能歸屬於世人忘不了的那個榮華富貴的黃金世界。賈政與賈寶玉要的東西太不相同，所以父與子的衝突就連綿不斷。其實，寶玉並不干預他人要什麼，也尊重他人要什麼，只是他自己不要他人之要，因此就被社會所不容。

206

智的直覺

牟宗三先生認為不只上帝有智的直覺，人也有智的直覺。李澤厚先生不贊成，並作了嚴厲批評。他認為牟宗三先生誤解了康德哲學的基本概念。康德是排斥神秘主義的。康德認為只有上帝才具有無分本體與現象的智的直覺，他講的是認識論，而牟先生把它帶入倫理學，以為可以通過「內在超越」達到智的自覺，這是把理性律令的道德與宗教、神秘經驗混為一談。[12]

兩位哲學家都未談及《紅樓夢》是不是有「智的直覺」。而我想說，《論語》沒有智的直覺，《紅樓夢》卻有智的直覺。但這不是理智直覺，而是審美直覺。《紅樓夢》沒有上帝的條件，卻有佛的條件，仰仗禪性它可實現對功利與概念的超越。禪宗把佛移向「我」的內心，佛即我，我即佛，於是「我」可借覺悟抵達許多知識和理念無法抵達的領域，既超越國家境界，也高於道德境界，而走向「無立足境」等澄明神秘之界。倘若能搭一哲學平台，讓兩位智者來討論《紅樓夢》，他們不知是否認同此一論點，即認同曹雪芹是一個出現於東方的偉大的「智的直覺」者。

207 清明意識即人生意義

自由閱讀《紅樓夢》是蒼天賜予生命的一種特權。在這顆藍色星球上居住的居民超過六十億，而擁有這種權利與幸運的只有少數曹雪芹的後世知音。進入《紅樓夢》，便可把握生命的當下存在，不管生活還會有多少波折，但已擁有一個永恆的青春共和國。

12　參見李澤厚：〈循康德、馬克思前行〉，《讀書》雜誌，2007 年第 1 期。

「會當凌絕頂，一覽眾山小」，站立於《紅樓夢》，便是站立於文學絕頂，但它不是帶給我們蔑視其他文學的傲慢，而是讓我們以博大的胸襟和大鵬似的眼光來看待剎那人生，明瞭在宇宙的大敍事中，人不過是小小的一個標點。明瞭就好。清明意識便是人生意義。

208 環境令性格變形

賈環雖然拙劣，讓人討厭，但也有可同情的一面，這就是環境對他的拋棄與冷落。雖屬貴族公子，但母親卻是不能稱為「夫人」的姨娘，小妾所生，出身就低人一等，加上母親不爭氣，沒人瞧得起，也殃及到他。賈府中人，除了寶玉之外，其他人都不把他當作公子看，甚至不當人看，只當他是一隻動物，一隻「凍貓子」。所以像妙玉這種人，是從不看他一眼的。這種環境使他的性格產生病毒。如果說，賈寶玉是性格的自然發展，那麼，賈環則是性格的變形發展。變到最後，是他見到賈家敗落而興高采烈，和王仁等一起策劃賣掉巧姐兒。賈環最恨寶玉，但只有寶玉一人了解他，給以兄弟的同情與溫情。所以不管賈環怎麼傷害他，他都不給賈環的生存環境增添寒冷。

209

大意象無相

詩的意境之美，來自感覺的新鮮，也來自意象的自然。最好的詩不僅沒有概念痕跡，也沒有意象痕跡，更沒有腔調。曹操的「對酒當歌，人生幾何……老驥伏櫪，志在千里」，抒發抱負，既有思想又有意象，卻無意象痕跡。李後主的「問君能有幾多愁？恰似一江春水向東流」，也是具有巨大思想感情含量的意象，而沒有意象的痕跡。林黛玉的《葬花詞》，通篇意象迭出，全無意象痕跡。「花謝花飛飛滿天，紅消香斷有誰憐？」、「昨宵庭外悲歌發，知是花魂與鳥魂？花魂鳥魂總難留，鳥自無語花自羞」、「天盡頭！何處有香丘？未若錦囊收豔骨，一抔淨土掩風流」等，寄情寄意極深，雖意象密集，卻了無意象痕跡。表面上看這是文學功夫，往深處看，詩的背後乃是無相哲學的支持。既無文字相，也無詩人相，更無營造者主體之相。大意象而無相，大悲歌而無腔調，非大手筆而不能如此，難怪《紅樓夢》要成為千古絕唱。

210

何為最後的真實

《紅樓夢》一開始所展示的大語境是「大荒山無稽崖」，主角賈寶玉前身「石頭」的座落處。

大荒山，無稽崖，不僅是石頭的居所，而且是人的存在狀態。爭權奪利，巧取豪奪，人們以為自己生活在大金山、大銀山之中，不知靈魂卻在大荒山、無稽崖之中。「金滿箱、銀滿箱，展眼乞丐人皆謗」，在五顏六色的背後，是精神的「荒原」，靈魂的廢墟，良心的殘骸。面對《風月寶鑒》，第一眼看到的是美色，第二眼看到的是骷髏，第三眼看到的是空無。哪一眼看到的是最後的真實？

《紅樓夢》的開場哲學提示，人從大荒山來終究要回大荒山去，把握這大來大往，才明白往來中見到的「有」和色，乃是「無」和「空」。這是存在價值的虛無化，又是存在價值的層次化。石頭沒有資格去「補天」，但它可以正視自己處於大荒山無稽崖的荒誕存在狀態和正視自己無才補天的脆弱。唯有正視，才有自知、自明、自救。《紅樓夢》不是拯救的高調文學，而是低調的逍遙文學，其原因大約正是作者有此清明冷靜的意識。

211 野性的呼喚

都知道文學上有「野性的呼喚」，美國作家傑克·倫敦乾脆把此一思想作為小說的名字。其實，哲學上也有野性的呼喚，十九世紀末的尼采便是衝破上帝原則的野性聲音。《紅樓夢》的思想大異於尼采，卻也有野性的呼喚，其中晴雯和芳官，就被王夫人等正統貴婦人視為野狐（狐狸精）。這兩個人，一個是丫鬟，一個是戲子，兩人都是寶玉的知己，又都是野性的生命。晴雯倒箱子、撕扇子是典型的野性行為語言。芳官是第二個晴雯，甚至比晴雯還野，連晴雯都用手戳在她的額上說道：「你就是個狐媚子。」她或「只穿着海棠紅的小棉襖，底下綠綢花夾褲，敞着褲腿，一頭烏黑油似的頭髮披在腦後」，或「只穿着一件玉色紅青駝絨三色緞子斗的水田小夾襖，束着一條柳綠汗巾；底下是水紅撒花夾褲，也散着褲腿。」她的頭上眉額編起一圈小辮，加上面如滿月、眼如秋水，眾人竟笑她和寶玉像是雙生的弟兄兩個。她是戲子，很敢在貴族公子寶玉面前撒嬌撒野，她是下人，卻敢與趙姨娘打成一團。所以寶玉特地給她起了個番名，叫做「耶律雄奴」。雄奴讀音，又與匈奴相通，都是犬戎名姓。這個番名不好叫，大家叫錯了音韻，竟叫出「野驢子」，也帶上一個野字。（第六十三回）把一個「狐媚子」、「狐狸精」、「尤物」塑造得如此迷人，如此可愛，正是曹雪芹對野性的肯定即對人性解放的呼喚。

212

《紅樓夢》之夢的局限

關於《紅樓夢》中的大夢、中夢、小夢，評紅者早已注意到了。道光十二年出版的《新增批評繡像紅樓夢全傳》附有王希廉（字雪薌、雪香，號護花主人）的《紅樓夢批序》、《紅樓夢問答二十三則》、《大觀園圖說》、《紅樓夢總評》、《音釋》，每回末又有評點。王對《紅樓夢》之夢特別關注，說：「《紅樓夢》……前後兩大夢，皆遊太虛幻境，而一是真夢，雖閱冊聽歌，茫然不解；一是神遊，因緣定數，了然記得。且有甄士隱夢得一半幻境，絳雲軒夢語含糊，甄寶玉一夢而頓改前非，林黛玉一夢而情癡愈錮。又有柳湘蓮夢醒出家，香菱夢裏作詩，寶玉夢與甄寶玉相合，妙玉走魔惡夢，小紅私情癡夢，尤二姐夢妹勸斬妒婦，王熙鳳夢人強奪錦匹，寶玉夢至陰司，襲人夢見寶玉、秦氏、元妃等託夢，寶玉想夢無夢等，穿插其中。」王希廉細讀文本，列出夢的單子，還與其小說中的夢作了比較，可惜他沒有看到《紅樓夢》中雖有許多夢，名為太虛，實際上卻太實。警幻仙境雖在天上，好像就在人間，其美好生活也無非是飲酒（只是酒好一些）聽歌，究竟不夠「神秘」。與莎士比亞的《仲夏夜之夢》相比顯得不夠恢弘、活潑。托爾斯泰也讓安娜·卡列尼娜做夢，她的夢似乎更神秘一些。這大約與西方的宗教背景有關，那裏多了一個上帝的彼岸世界。中國的神仙之境往往只是現實人世界的投射與伸延，曹雪芹的想像力也無法突破這一局限。

213 魂與魄的歸宿

中國文化中的「魂魄」如同「命運」，是兩個概念合成一個大概念。也如同命與運內涵具有很大差別，魂與魄也有很大差別。魂在天，魄在地。《紅樓夢》的思想框架，是魂不在場，魄在場。太虛幻境中的警幻仙姑是魂，大觀園裏的黛玉、寶釵等詩人們是魄。兩位一體——天上地上魂魄一體。全書設置了一個「巧姐兒」，沒有故事，形象單一，但在思想框架中不可缺少。她是魂，又是魄，魂魄皆歸於土。巧姐兒是魂往魄裏歸，而黛玉則是魄往魂裏回歸。

214

大空寂為最高境

向秀的《思舊賦》是中國輓歌的絕唱，淒美的極致，雖短卻千載不滅。在刻骨的思念中詩人感到嵇康這個兄長和師友的消失是整個世界的消失，從此世界空掉了，天地灰掉了，只剩下大孤獨和大空寂。林黛玉死後，賈寶玉的所感所思與向秀相似，一個人走了，一個世界消失了，天地間只剩下大空寂，能期待天地憐憫的只有使所想之人進入自己的夢中，如同向秀在幻覺中聽到淒清的笛聲。文學的深度並非時代性和社會性深度，而是個體生命靈魂與情感的深度。《紅樓夢》主角的情感之深，深到了大空寂的最高境界。

215

「在場」只是一剎那

閱讀《紅樓夢》，借助它的空眼、大觀眼，領悟石頭幻化入世又情悟出世的故事，方感到人到地球走一回，只是在一顆小星辰上出現一陣兒，一剎那，一會兒，只是露了一下臉，聚了一次會，亮了一回相，然後就煙消雲散，重新歸入大海、歸於深淵、歸入宇宙、歸於永遠說不清的太極。人生真短，「在場」（在地球）的時間真少，生命個體真渺小。有限的人，在極其有限的時間、有限的空間、有限的聚會中，該怎麼活，該怎麼活得充分，活出意義？充滿爭論。賈寶玉不追隨《好了歌》中那些「世人」，不贊成他們那種唯有金銀、功名、姣妻忘不了的活法，也不順從父親賈政和寶釵所指示和提示的活法。可是，賈府內外，真正能以有限去悟無限的，只有他和林黛玉。

216 天才的直觀

法國哲學家柏格森（Henri Bergson）獲得諾貝爾文學獎並不奇怪，他的哲學（代表作《創化論》）本身就像一首長詩。他認定哲學方式與科學方式絕對不同。科學方式是機械的，理智的，而哲學的方式是直覺的，帶有藝術意味的。他的見解用來說明中國哲學更為準確。中國的哲學家，從孔子、老子、莊子到慧能、朱熹、王陽明，都是直覺的天才。曹雪芹的方法與莊子的方法更為相似，更帶文學藝術意味。兩人都是以天才的直觀講述宇宙與人生的故事。直觀之下，天地間只有生命的衝力和創化的活動才是真實，才是本體，才是真我。而情愛、友愛、親情之愛，以及閱讀、歌哭、詩賦、琴畫、自由追求、精神創造等都是本體的衍生。一切生命與天為一，與物共生共變，因此，對於世俗眼睛下的是非、善惡、尊卑、愛恨輸贏等，均可以給予理解的同情。曹雪芹正是以天才的直觀理解人生的千姿萬態，對一切生命存在形式都給予理解的同情，這就給《紅樓夢》的大慈悲提供了哲學基石。

217 翻歷史三大案

《紅樓夢》翻了三個歷史大案：一是美麗有罪；二是情慾有罪；三是女子有才華有罪。自從把商代的妲己視為狐狸精之後，便開了美麗有罪的理念傳統，美女子便成了誤家禍國的尤物。

王夫人承繼這一傳統，也把晴雯、金釧兒、芳官等視為狐狸精。但小說讓晴雯提出抗議：「我死了也不甘心。我雖然生得比別人好些，並沒有私情勾引你，怎麼一口死咬定了我是個狐狸精。」也讓寶玉提出大質疑：「我究竟不知道晴雯犯了什麼彌天大罪？」之後又作《芙蓉女兒誄》對晴雯作出最高禮讚。如果說晴雯犯了「狐狸精」罪，那麼秦可卿則犯了所謂情慾罪，但她贏得「兼美」的名號，死時傾城厚葬又給予最高的哀榮。除了美麗、情慾之外，女子才華也被視為不祥之物，所以才有「女子無才便是德」的潛規則，但《紅樓夢》設置大觀園詩壇詩社，讓女子比賽詩才，王妃元春省親也要檢閱妹妹們的才華，眾女子中的第一德人薛寶釵則身兼詩人與「通人」（學貫古今之人），才華非凡。有《紅樓夢》為美麗請命，為情慾請命，為才華請命，中國的女性精華便開始邁向光明的時代。

218

精神之鷹

按照莊子《逍遙遊》的見解，飛翔於九萬里高空的大鵬無須與地上的蜩與學鳩對話與論辯。凡被俗物所傷大約都因飛得太低或與俗物處於同一水平線。賈寶玉的身體不得不隨俗，所以也被俗人（如賈環）所傷，但他的心靈卻一直飛得很高，所以不予計較。他被賈環的燭火燙傷之後，王夫人要到賈母那裏告狀，而寶玉立即制止。此時，他的心靈不僅飛得比賈環高，也飛得比母親高。在大貴族府邸裏，他其實是一隻精神之鷹。他寫《芙蓉女兒誄》那麼情真意切，是因為能抵達「心比天高」的晴雯高度，心靈可以和他一起在「天盡頭」飛翔的只有林黛玉。

219

「黃金」與「黃土」

在《紅樓夢》第一回中，「黃金」與「黃土」是對應的一對重要語彙。甄士隱給《好了歌》作注中寫道：「說什麼脂正濃、粉正香，如何兩鬢又成霜，昨日黃土隴頭送白骨，今宵紅燈帳裏臥鴛鴦。金滿箱，銀滿箱，轉眼乞丐人皆謗。」黃金與黃土，哪一個是最後的真實。曹雪芹以為金滿箱、銀滿箱是幻象，「黃土隴頭」才是最後的真實。「縱有千年鐵門檻，終須一個土饅頭」，別的尚未決定，但黃土、白骨、土饅頭則是已定的必然。面對黃土，估量黃金才會有清醒的意識。正如面對白骨，評價白銀才會有清醒的意識。《風月寶鑒》的意義相同：面對骷髏對於色相才會有清醒的意識。死亡是人生的結局，又是巨大的參照系。

220

「忘不了」的風氣

在清朝雍正、乾隆時代，人的生命已經物化、異化。世人個個都被身外之物所裹脅，連世人中的精英也個個被功名所挾持。《好了歌》發現人已大規模變質，變成功名的人質、金銀的人質、姣妻的人質、兒孫的人質。什麼是人？什麼是好？什麼是真價值？什麼是生命的本體？世人用他們的狂熱的行為作出的回答是什麼都忘了，唯有功名、金銀、姣妻、兒孫忘不了。這種「忘不了」是時代的風氣，歷史的潮流。個個都當風氣中人，潮流之中，而小說的主人公卻走出風氣，超越潮流，成了「檻外人」。所謂檻外人便是風氣外人，潮流外人，便是異端。《紅樓夢》是部異端大書，又是守持生命本真本然的大書，拒絕充當功名人質、財富人質、權力人質，也拒絕被風氣所裹脅的至真至善至美之書。

221

老子之「道」與韓愈之「道」

韓愈作《原道》，宣揚的「道」與老子《道德經》的「道」完全不同，甚至相去萬里。老子之道，是宇宙存在的形上大道；韓愈的道則是儒家道統，形下的生存之道。兩者有大道與小道之分，也有道言與人言之分。大道本無言，老子不得不言，被迫宣講的是道言，即大制無割、萬物一體之言，非日常概念。《紅樓夢》是文學，但它把道加以詩化，用詩性語言展示心靈大道與情感大道，也是道言，而非人言。讀了韓愈「原道」，仍舊茫茫然，生命仍然不知去向。讀了《紅樓夢》，則明白什麼才是生命的正道與大道。

222 故鄉不在常人秩序中

《聖經》中只有伊甸園，沒有大荒山，沒有無稽崖，沒有青埂峰，沒有三生石，這些實體，都是地球上陪伴人類生活的山川大地，並非神靈世界。那裏的一切原始圖景，只是人類棲居的現實世界的一個投影。基督教《聖經》中有神與人、此岸與彼岸分殊的兩個世界，《紅樓夢》只有一個「人—此岸」世界。在此世界中，曹雪芹給主人公安排一個先行於自身的存在（石頭）與故鄉，這一故鄉仍然具有此岸世界的模樣。只是這一故鄉只有自然關係，沒有人際關係——與他人「共在」的關係。《紅樓夢》的主題之一，是尋找個體生命的故鄉，即生命可以贏得自由的地方，但主人公最後發現，這一故鄉不在常人編排的秩序中，也不在父母提供的府第中，即不在與他人的共在情理結構中，而在個體的情感世界與心靈深淵中，也就是主觀宇宙中。青埂峰下、三生石畔、絳珠仙草，便是這種意義的故鄉。但是，這一故鄉的背後還有一個無法言說的「無」，那是故鄉之母，第一義的終極故鄉。《紅樓夢》的個體家園雖神秘但不是神。

223 揚棄「傷時罵世之旨」

政治不僅沒有道德可講，而且沒有道理可講。所言所思所為只有利益原則，而且是當下的利益原則。《三國演義》軍事遊戲背後是機關算盡的政治遊戲。爭鬥的三方皆不講道德、道義、道理，只知奪得地盤與權力。為了達到目標，可以使用一切最黑暗、最血腥的手段。

曹雪芹深知政治為何物，因此遠離政治，也不把《紅樓夢》寫成政治小說，「毫不干涉時世」，無「傷時罵世之旨」。但文章偶而嘲弄政治，則入木三分。薛寶釵的《螃蟹詠》如此描畫政客：「眼前道路無經緯，皮裏春秋空黑黃。」無經緯即無道理。此詩把政客說成是一種皮裏春秋、信口黑黃的橫行生物，用筆甚重。所以特讓眾口評說：「這些小題目，原要寓大意才算大才，只是諷刺世人太毒了些。」小說中的「毒筆」還不只此處，但很稀少。這兩句詩，可視為曹雪芹概括的政治哲學。

224

故鄉「不在場」

釋迦牟尼從宮廷出走之後，便從有限走向無限，如同走出湖泊而歸入大海。賈寶玉從天上走入賈府，即從無限走向有限。但他又不安於有限，不執着於常人的故鄉故園，把自己定位為檻外人、異鄉人，經常聽到無限故鄉的呼喚。《紅樓夢》破一切執，也破「故鄉」之執，從而把故鄉擴展為無邊無際，擴展為對世間歸屬的超越。有此超越，才有大自在。王熙鳳與寶玉完全不同，她只有世俗的衣錦還鄉之夢，完全執於世俗的家園，因此，賈府一旦被查抄，她立即變成一隻死貓，完全喪失原先的活力，完全不知家門檻外的無限世界。她的眼睛視線只能覆蓋在場的東西，不能覆蓋不在場的東西。

225

往來均是大氣

《紅樓夢》全書橫貫着天地大氣。《芙蓉女兒誄》的結語是「來兮止兮」的感嘆與呼喚。整部巨著中的主人公和在天上註冊的人物，都是大來大往、大觀大止的詩意生命。妙玉問寶玉「何處來」，寶玉答不出。惜春笑說，「你不會回答從來處來嗎？」不知從何處來，也不知到哪裏去？沒有具體的時空。只知來自無限空間和回歸無限空間。止也不是止於一個朝代，而是止於無限的時間中。

黛玉為「還淚」即為情而來，也因淚盡情空而去，來自無盡深淵又歸入無盡深淵。她針對寶釵說：「早知她來，我就不來」，只是來還情，並非來爭情，到人間走一回，倘若陷入爭端，那還有什麼意思。來有大道，往也有大道，所以，往來均是大氣。

226

女子是物還是人

《水滸傳》與《三國演義》中的女子，大體上都不是人，而是物。其「物」又分三類：尤物、器物、動物。潘金蓮、潘巧雲、閻婆惜等均被視為尤物；扈三娘武藝高強，又長得漂亮，但沒有性情與靈魂，前七十回未曾說過一句話，婚姻也由人擺佈，屬於器物。貂蟬則二者兼之，既是讓帝王將相傾倒的尤物，又是政治陰謀的工具即器物。此外，孫二娘、顧大嫂等則直接開人肉店和殺人如麻，屬於吃人動物，相比之下，孫權的妹妹孫夫人和貂蟬雅一些，可說是政治馬戲團裏的動物。《紅樓夢》全然改變女性的地位，賦予女人以人及人之精華的地位。當王夫人把晴雯、芳官視為「狐狸精」尤物時，作者則讓主人公進行抗議。小說的基調也是為尤物請命的大書。

227 悟空並非憑空

王國維說惜春、紫娟的出家解脫，境界不如寶玉。這是因為寶玉的出家有一個從情癡到情悟的過程，經歷了情感的磨難，贏得了刻骨銘心的體驗，所以最後的徹悟是真徹悟、大徹悟。惜春的出家則屬低檔次的皈依，她自始至終與情無涉無關，幾乎不知情的存在，談不上情癡，更說不上情悟。妙玉雖是出家的先鋒，但又太聰明，知道情的危險，所以始終未敢真正進入情的深處，所以也未有情悟。倒是紫娟在保留着黛玉的殘存之情時，看到寶玉的「無情」，從而看破情的脆弱與虛幻，真有所悟。唯有賈寶玉，投入了大情感，所以也有了大徹大悟。《紅樓夢》開篇說「因空是色，由色生情，傳情入色，自色悟空」，對空的感悟不是憑空而生，而是必須經歷一個破色執與破情執的過程。

228 雲空未必空

《紅樓夢》人物，第一個出家的女子是妙玉，然後是惜春、紫娟、芳官等，男性出家的則是甄士隱、柳湘蓮、賈寶玉。妙玉出家不成功，這不僅是她的結局遭大劫而落入黑暗泥潭，還在於這之前把僧與俗的分別絕對化，一直沒有悟到眾生皆有佛性的基本佛理。佛與道不在於表面的佛、法、僧，而在於內裏的覺、正、淨。執於相而不明於心，從而失去對劉姥姥這些「眾生」的大慈悲，這是妙玉的致命傷：空只掛在口裏，不在心裏，至死進入不了不二法門。

229
平和的異端

日本文化有兩個象徵物，一是富士山，一是櫻花。後者燦爛溫馨，前者則有潛在的爆發性。二者都不複雜，難怪日本文化有一種兒童般的簡單，它既沒有英國文化的理性，也沒有中國文化的中庸。最能反映日本文化精神的三島由紀夫，再活一千年，也不會有哈姆雷特的猶豫和賈寶玉的中性中道。賈寶玉是排斥大仁大惡兩極而行中道的兩棲人。他不喜歡孔夫子，卻近中庸，但因為他的中庸裏有「狂」（乖張）和「狷」（清高、不入仕途經濟）的支持，所以不會變成鄉愿，再加上莊禪的洗禮，便成了平和的異端，因此，既大異於三島山紀夫的爆炸性，又無儒家的道統氣息，只有一種孩子般的單純。

230
重構的大氣魄

海明威的《老人與海》，是海氏全部作品最深刻也最有形上意味的一部，可惜結尾過於匆忙，沒有造成《紅樓夢》似的哲學深淵。海明威的另一部代表作《永別了，武器》，其哲學意蘊就大不如《老人與海》，其記者的新聞味全然壓倒哲人味，精神內涵顯得更輕。海明威的長處是男人氣魄，不是兒女情長。從表層看，曹雪芹的《紅樓夢》正相反，似乎只有兒女情長，沒有男人氣魄。其實不然，《紅樓夢》雖然不喜歡男人濁氣，卻有曠古未見的男兒大氣，其對八股與仕途之路的拒絕，力透金剛。整部小說重構歷史，重構文化基石，重構價值體系，也重構哲學魂魄。其哲學意蘊之深廣也是《老人與海》所難以企及。

231 「他平他」的思辨

平兒被有些讀者讚美為完人全人，在處理人際關係中確屬一絕。曹雪芹把生活在賈璉與王熙鳳夾縫中的這個由丫鬟提升起來的小妾，命名為平兒，也許是諧音平和，但平字在中國「和而不同」的哲學中本來也有重要位置。《國語·鄭語》史伯對鄭桓公說：「夫和實生物，同則不繼。以他平他謂之和，故能豐長而物歸之；若以同裨同，盡乃棄矣……」這是史伯總結晉亡的原因而闡釋「和而不同」時說的哲學道理。錢鍾書先生在《管錐編》中非常讚賞這一道理，他說：「史不言『彼平此』、『異乎相平』，而曰『他平他』，立言深契思辨之理。」[13]他是他人與他物。自我與他人之間，他人與他人之間，這一關係屬主體間性。他平他即尊重他人的主體性，在主體之間求得平衡。這一平衡不是要他人認同，而是首先尊重他人的不同，包括尊

13 參見錢鍾書：《管錐編》（第一冊），頁237。

重王熙鳳這種可怖的不同，然後再求同。這便是真正的和。歷來的專制者只知以同裨同，誤認為和就是絕對同一或絕對統一，不知多元共生的道理。史伯告訴鄭桓公「和而不同」的道理，是和的真諦。《紅樓夢》中的平兒，以及她的名字、行為所負載的，正是「他平他」及「和而不同」的哲學。

232

不求全即快樂

第七十六回，有「事若求全何所樂」句，講對人對事不可求全責備。

對他人求全則無寬容；對自己求全則無輕鬆；對社會求全則無理解；對文章求全則無個性無棱角。賈母與賈寶玉的快樂，便是建立在對人對事均不求全責備的基點上。賈母若對人求全，就不會那麼喜歡王熙鳳，也不會從王熙鳳身上得到那麼多樂趣，她明明知道王熙鳳是個潑皮破落戶。賈寶玉是個名副其實的快樂王子，他的樂也來自寬容。他擁有許多與賈環結仇的理由，但不結仇，他擁有許多怨恨父親的理由，但不怨恨。他的泛愛與兼愛，雖也帶給黛玉一些苦痛，卻帶給他自己許多歡樂。

233 兩類「荒誕」

佛教發現「苦海無邊」，乃是發現人類生存世界的無限荒誕性，而發現「孽海無邊」，則是發現人自身的無限荒誕性。二十世紀西方的文學思想者創造了荒誕小說與荒誕戲劇，也有兩大脈絡，一是卡夫卡發現生存環境本身的荒誕性，把荒誕視為現實的屬性；二是貝克特、卡繆等，把荒誕視為人的主體混亂和無意義。前者側重於對荒誕客體的呈現，後者側重於對荒誕主體的思辨。前者認為荒誕本來就在那裏，不是哲學的認知；後者則認為人無理性可言，人性不可改造，一切努力均是悲劇性的重複。《紅樓夢》作者的荒誕意識，也是雙向的：向外正視人的真實處境，呈現泥濁世界的荒誕屬性；向內則正視「濁人」、「濫情人」、「嫌隙人」、「尷尬人」等主體的黑暗與卑劣，人生不過是「葫蘆廟判葫蘆案」的「更向荒唐演大荒」的過程。

234 自悟、自覺、自明

慧能以「本來無一物，何處染塵埃」的思想，贏得弘忍的激賞，把「無」的虛境強調到極端。但他的偉大貢獻並非把人引向虛境，而是借宗教把「解脱」引入日常生活，讓人在挑水、劈柴的實境中感悟人生的真諦，擺脱虛妄的束縛。賈寶玉正是慧能哲學的呈現者，他不求成仙，不求不死，不當救世主，不活在虛無縹緲中，倒是腳踏實地，認真生活，享受每一瞬間，領悟每一情景。他看到齡官在地上書寫「薔」字，便悟到人間各有各的情份，他不可有壟斷女性的妄念。他看到自己最心愛的林黛玉死亡而自己無能為力，更是悟到該止於何處何方。他的悟與覺，不是來自天上，而是來自地上，即悟為自悟，覺為自覺，明為自明，這正是慧能開闢的新思路。

235 賈寶玉與阿廖沙

哲學雖為玄思，但它提供視角。有了新的視角就會看到另一片生命景觀。

如果用杜斯托也夫斯基的眼睛看《紅樓夢》，一定會發現阿廖沙與百年前的賈寶玉如此相似又如此不同，相似處是均如此可愛、如此單純、如此慈悲、如此拒絕貴族社會的準則，也都是世俗泥濁世界的檻外人、局外人、異端人。他們的根源都在天上不在地上，都帶有天使的特點，都沒有世人的貪婪、嫉妒、仇恨等各種生命機能，都是半人性半神性的人，也可說是充分人性也充分神性的人。總之，是擁抱人間又超越人間的人，是用世界原則和宇宙原則等雙重原則構成的心靈原則在地上生活的真人。

阿廖沙是真人，但更像聖人——東正教教義光輝下的聖人。他把「義」（教義）放在第一位；而寶玉則把情放在第一位。前者追求神聖，後者崇尚真情。前者是聖嬰，後者是赤子。前者天生有救世的使命，希望改變世界，後者則只是到人間走一回，雖有大悲憫，卻無使命感，只是充分享受生活，無心改變生活和改造世界。因此，前者雖也與女色交往，但沒有狂熱的戀情，後者則以戀情為第一等生命，大愛與泛愛中注入認真的情愛，以致被稱作「天下第一淫人」。杜斯托也夫斯基甚至會譴責筆者把寶玉稱為準基督（未成道的基督），唯阿廖沙可稱基督的投影，而如此靠近女色，如此熱烈擁抱世俗生活的賈寶玉怎可同日而語？但我要辯護説，比喻總是有缺陷的，我只是喻指寶玉的愛一切人、寬恕一切人的大慈悲精神，而其對世俗生活的激情只是未成道的表現。賈寶玉確實不像基督與阿廖沙那樣相信背負十字架（苦難）是通向天堂的階梯，是返回上帝懷抱的必由之路，他沒有這種理念，也完全無法接受人間的種種壓迫與不平等。與阿廖沙不同，他無法忍從，無法忍受苦難，所以他最後不是撲向大地，不與大地上的苦難生命一起經歷煎熬，他沒有選擇大地，而選擇天空，他告別了走過一遭的人間，在空中向父親鞠了一躬，然後遠走高飛，回到那被稱為「無」的故鄉，那個心內與心外的永恆家園。

236 何為高貴

什麼是高貴？這是最根本的價值觀與人生觀，人間的各種哲學都想回答這一問題。就其「高貴哲學」的徹底性而言，東、西方兩極涇渭分明，西方以尼采為代表，他旗幟鮮明地自問自答：「什麼是高貴的？對等級的信仰。」[14]尼采把貴族社會的等級之分、尊卑貴賤之分視為高貴的源泉，也視為高貴哲學的基石，把高貴獻給擁有特權的「高等人」。曹雪芹正相反，他以禪宗的「不二法門」和莊子的齊物哲學完全打破尊卑貴賤之分，把高貴獻給一切詩意生命，特別是獻給等級社會中的奴隸、戲子等「下等人」。像晴雯這樣的女奴，作者讓主人公歌頌她「其為質，則金玉不足喻其貴」。曹雪芹不像尼采那樣着眼於意志，尤其是權力意志，他只着眼於心，尤其是自然純淨的本心，所以儘管在等級社會中「身為下賤」，但其心靈則可以「心比天高」，高貴不高貴全取決於心，而不是取決於等級分野和權力意志。人類社會最終會發現，東方的高貴哲學才是真理。

237 無染之情

鴛鴦自盡之後，其魂魄進入太虛幻境，並與秦可卿的靈魂相逢。小說第一百一十一回敘述道：

鴛鴦的魂魄疾忙趕上，說道：「蓉大奶奶，你等等我。」那個人道：「我並不是什麼蓉大奶奶，乃警幻之妹可卿是也。」鴛鴦道：「你明明是蓉大奶

14 參見尼采，孫周興譯：《權力意志》（上卷）（北京：商務印書館，2007），頁85。

奶，怎麼説不是呢？」那人道：「這也有個緣故，待我告訴你，你自然明白了。我在警幻宮中，原是個鍾情的首座，管的是風情月債；降臨塵世，自當為第一情人，引這些癡情怨女早早歸入情司，所以我該懸樑自盡的。因我看破凡情，超出情海，歸入情天，所以太虛幻境『癡情』一司竟自無人掌管。今警幻仙子已經將你補入，替我掌管此司，所以命我來引你前去的。」鴛鴦的魂道：「我是個最無情的，怎麼算我是個有情的人呢？」那人道：「你還不知道呢。世人都把那淫慾之事當作『情』字，所以作出傷風敗化的事來，還自謂風月多情，無關緊要。不知『情』之一字，喜怒哀樂未發之時，便是個性，喜怒哀樂已發，便是情了。至於你我這個情，正是未發之情，就如那花的含苞一樣。若待發泄出來，這情就不為真情了。」

這段話出自後四十回，與曹雪芹的少女不嫁而免於變成「死珠」的思想相符，可視為《紅樓夢》的情本體哲學。此哲學明示，未發之情最真最美。曹雪芹和高鶚把情與慾分開，也把情與淫分開，認定未沾上淫慾的情才是至美之情。美的發生是自然的人化，從慾提升為情，是內自然的人化。鴛鴦的情，是昇華了的情，她未經「傳情入色」的過程，就直接由情入空，從未被色所染，因此是最純粹的情，所以警幻仙姑讓她掌管癡情一司。曹雪芹的審美理想是多元的，鴛鴦也是其中一元，屬於最完美的不帶任何瑕疵、任何缺陷的一元。

238

賈珍也有眼淚

《水滸傳》沒有眼淚，連李逵講述返鄉尋母而母親卻被老虎吃掉的悲慘故事，英雄們也只有一陣笑聲，沒有眼淚。《三國演義》有些眼淚，但淚的真假難辨。諸葛亮在周瑜死後到吳國去弔輓，是小說中哭得最傷心的一幕，但其眼淚是假的。內心高興到極點，哭聲也響亮到極點。而《紅樓夢》卻佈滿眼淚，女主人公林黛玉本身就是個淚人，她為「還淚」而來到人間。賈寶玉在心愛之人死亡之後都有大哭泣。甚至連被一些讀者所鄙薄的賈珍，也並非就是假人，他在秦可卿死時，也哭得像「淚人」一般。在《紅樓夢》中，賈珍因為有淚，顯得與賈赦、賈蓉等不同，所以不可用「好色之徒」、「色鬼」等概念把賈珍簡單化，他是一個也有真情感的圓型人物。

239

夏金桂一旦成為帝王

《紅樓夢》敘事中，對薛蟠剛娶來的妻子夏金桂作了如此評介，說她「愛自己尊若菩薩，窺他人穢如糞土」，又說她「外具花柳之姿，內秉風雷之性」（第七十九回）。這是作者對人性的深刻洞察。

「愛自己尊若菩薩，窺他人穢如糞土」，是一種普遍人性。此種性情並非夏金桂一人所具有。人應當有自尊心，但不可唯我獨尊，更不可對自己尊如菩薩，要他人也對自己敬若菩薩，奉若神明。唯我獨尊的人，不會尊重他人的尊嚴，肯定視他人為糞土，一體兩性，歷來如此。這種「愛自己尊若菩薩」者，一旦成為「家長」，則為一家之暴君，視家人為奴隸；一旦成為帝王，則為一國之暴君，視百姓為豬狗；一旦君臨天下，則橫掃一切，視人類為草芥。

夏金桂的性格，是容不得任何人的性格。賈府上下人人敬愛的薛寶釵容不得且不說，連最單純最善良的香菱，也容不得，最後把她置於死地。香菱是人人憐愛之人，唯獨夏金桂不能憐愛。一個把自己尊如菩薩的人，恰恰離菩薩最遠，不僅沒有佛的慈悲之心，連人的不忍之心也沒有。向來都說中國男人常具專制人格，而女人也有如夏金桂者，一旦專制起來，其風雷之性，狼虎之威，蛇蠍之毒全都具備。

240

對友人說真話也難

薛蟠將娶夏金桂為正房妻室時，身為小妾的香菱竟一點也不知「醋意」為何物，不僅如此，還興高采烈地為夏氏的過門喜事而奔走，甚至對寶玉說：「我也巴不得早些過來，又添一個作詩的人了。」面對如此單純而充滿幻想的香菱，寶玉提醒道：「雖如此說，但只我聽這話不知怎麼倒替你耽心慮後呢？」香菱聽了，不覺紅了臉，正色道：「這是什麼話！素日咱們都是廝抬廝敬的，今日忽然提起這些事，是什麼意思！怪不得人人都說你是個親近不得的人。」一面說，一面轉身走了（第七十九回）。

寶玉「鹵」，香菱比寶玉還「鹵」；寶玉單純，香菱比寶玉還單純。但這一回是寶玉對了，他對香菱說了真話，還惹得香菱搶白他一陣，好心碰了一鼻子灰。此事也說明，對人世間的帝王將相說真話難，對自己的友人、親人、戀人說真話也不容易。

241

惡的無限可能性

夏金桂嫁到薛家成為薛蟠正室妻子時，才是一個十七歲的花朵似的姑娘，但是，一旦野心膨脹，風雷之性發作，竟把薛氏一家搞得天翻地覆，把薛蟠整治得時而像狗熊，時而像瘋子，把薛姨媽整治得「暗自垂淚，怨命而已」，把香菱整治得丫鬟不如，一身是病，最後還想拉薛蝌下水，企圖毒死香菱。她年紀很輕，可是機心很深，手段狠毒，什麼計謀都敢用，什麼陰謀都敢使。獅子之凶心，狐狸之狡猾，蛇蠍之陰毒，應有盡有，可謂「萬物皆備於我」。

《紅樓夢》的這一形象暗示：人性的善可以擴展到無限，人性的惡也可以膨脹到無限。即使是一個未曾經歷人世太多滄桑歲月的女子，也具有惡的無限可能性。

人需要自救，需要通過修煉、教育、法律限制惡的生長，否則只能像夏金桂這樣，要麼自掘墳墓，要麼無窮盡地危害人間。

242

詩人的純粹

讀了《紅樓夢》，自然會記得貴族府中的一群「詩人」：賈寶玉、林黛玉、薛寶釵、史湘雲、妙玉、探春、李紈、薛寶琴、香菱等，但常常會忽略這些詩人又是精彩的「人詩」。即她們不僅是作詩的人，而且其生命本身就是一首精彩的詩。包括不會寫詩的晴雯、鴛鴦、尤三姐、芳官等也是精彩的人詩。詩的性格，是真，是善，是美，人詩便是具有真善美品格的詩意生命。我們可以斷言，《紅樓夢》裏的詩人是真正的詩人。如果說「文如其人」的命題值得質疑，文與人往往不相等，那麼，《紅樓夢》中的詩人，則是詩與人相等，詩如其人，人如其詩，詩如其行，行如其詩。以最末的一個初學詩人香菱而言，她不僅有作詩的純粹性，而且有做人的純粹性。當夏金桂即將進入薛家之門，一隻即將撲向她的虎狼即將立在她的面前時，她還對她充滿熱情，以為「又添一個作詩的人」。她滿心是詩，以為世界是詩，人人都是詩。賈府中這些詩人想不到詩中的功名，詩外的功夫，更想不到兩百年後的詩人會把詩當作敲門磚，當作旗幟、炸彈與號角。

243 人與人的差別

魯迅很喜歡赫胥黎的一句話：「人與人的差別常常比人與獸的差別還要大。」《紅樓夢》主角賈寶玉和《水滸傳》的主角之一的李逵，其差別就比人與獸的差別大。不是指外形，而是指心性。李逵路過狄家莊時，聽狄公說起自己的女兒正在談戀愛，他便無端地升起仇恨，掄起大斧把這兩個相戀中男女剁成幾段，邊喝酒邊砍殺，在剁砍中得到最大的快感。而賈寶玉則把戀愛中的少男少女視為天地鍾靈毓秀，以至崇拜「女兒」二字，給青春生命以最高禮讚和最高尊重。可惜中國的世人，總是視寶玉為傻子，視李逵為英雄。

244 人人憐愛的女子

平兒、香菱、寶琴這三個女子，是人人憐愛的女子，用當代的語言說，是沒有爭議的個個都覺得可愛的人物。但三個人的命運與處境不同。寶琴除了受寵愛之外，沒有任何曲折與坎坷；香菱則是一個顛沛流離、幾乎無處可以立足的不幸者。平兒則是生活在險惡環境中能夠化險為夷的特殊生命，她能平衡各種人際關係，卻沒有世故與圓滑。她直接表明的哲學呈「得饒人處且饒人」（第五十九回）。

饒人，便是寬恕、寬容、寬厚。被人傷害之後有了「饒」字，是放下仇恨，放下報復。「饒」之難是不傷害他人卻往往帶來自傷，自己必須躲在角落裏舔平自己的傷痕。平兒就暗自舔傷過。香菱之可憐，是連饒人的機會都沒有，甚至連暗自舔傷的地方都沒有。被薛蟠無端打了一頓之後，薛姨媽想把她賣出，幸而寶釵把她留在身邊。她饒了人而他人卻不饒她。

245 「鬥」也美

《紅樓夢》中有兩類「鬥」的形態，一類是勾心鬥角的利益衝突，用的是機謀、計謀、陰謀，王熙鳳的「機關算盡」，皆屬這種鬥爭。人的智慧發生變質，也多半是因為落入這種爭鬥。另一類則是詩意的比賽競賽，這是超越功利的遊戲。如對點子、鬥詩、鬥字、鬥草、鬥猜謎等。同在六十二回中，寶玉、寶釵、湘雲等鬥的是詩與字「對點子」，而香菱、芳官、藕官、荳官等則是「鬥草」。先看看兩處遊戲的片斷：

> 底下寶玉可巧和寶釵對了點子。寶釵覆了一個「寶」字，寶玉想了一想，便知是寶釵作戲，指自己所佩通靈玉而言，便笑道：「姐姐拿我作雅謔，我卻射着了。說出來姐姐別惱，就是姐姐的諱——『釵』字就是了。」眾人道：「怎麼解？」寶玉道：「他說『寶』，底下自然是『玉』了。我射『釵』

字，舊詩曾有『敲斷玉釵紅燭冷』，豈不射着了。」湘雲說道：「這用時事卻使不得，兩個人都該罰。」香菱忙道：「不止時事，這也有出處。」湘雲道：「『寶玉』二字並無出處，不過是春聯上或有之，詩書記載並無，算不得。」香菱道：「前日我讀岑嘉州五言律，現有一句說『此鄉多寶玉』，怎麼你倒忘了？後來又讀李義山七言絕句，又有一句『寶釵無日不生塵』，我還笑說他兩個名字都原來在唐詩上呢。」眾人笑說：「這可問住了，快罰一杯。」湘雲無語，只得飲了。大家又該對點的對點，划拳的划拳。（第六十二回）

外面小螺和香菱、芳官、蕊官、藕官、荳官等四五個人，都滿園中頑了一回，大家採了些花草來兜着，坐在花草堆中鬥草。這一個說：「我有觀音柳。」那一個說：「我有羅漢松。」那一個又說：「我有君子竹。」這一個又說：「我有美人蕉。」這個又說：「我有星星翠。」那個又說：「我有月月紅。」這個又說：「我有《牡丹亭》上的牡丹花。」那個又說：「我有《琵琶記》裏的枇杷果。」荳官便說：「我有姊妹花。」眾人沒了，香菱便說：「我有夫妻蕙。」荳官說：「從沒聽見有個夫妻蕙。」香菱道：「一箭一花為蘭，一箭數花為蕙。凡蕙有兩枝，上下結花者為兄弟蕙，有並頭結花者為夫妻蕙。我這枝並頭的，怎麼不是。」荳官沒的說了，便起身笑道：「依你說，若是這兩枝一大一小，就是老子兒子蕙了。若兩枝背面開的，就是仇人蕙了。你漢

子去了大半年，你想夫妻了？便扯上蕙也有夫妻，好不害羞！」香菱聽了，紅了臉，忙要起身擰他……（第六十二回）

《紅樓夢》寄託的夢之一，是人世間只留下這種鬥詩、鬥草遊戲，這是詩意的競賽，也是詩意的棲居。人的心靈也在這種「鬥」戲中生長。夢的一面是結束「機關算盡」的你死我活的爭鬥，這種爭鬥的每一場都只能給自己和世界留下噩夢。走出王熙鳳鬥死尤二姐似的噩夢，走進君子竹與美人蕉的對應遊戲中，應是曹雪芹的一種審美理想。

246

大敘事與小標點

曹雪芹用大觀的眼睛看宇宙看世界看人生，所以《紅樓夢》是一部無限時間中的大敘事，宏觀性、宇宙性的大敘事，不是一個時代一個社會的小敘事。每一生命個體，在大敘述中只是一個小小的標點，有的是問號，有的是感嘆號，有的是句號。一個家族，一個朝代，雖然是大一些的標點，但也只是轉瞬即逝的標點而已。在宏大的大敘述中，活潑的生命用自己的方式對待上蒼，對待宇宙，理所當然。賈寶玉就是這樣的生命，所以他拒絕被規定，拒絕在天地宇宙的無盡無限圖畫中去編造沒有靈氣的八股文章。

247 揚棄一切相

賈寶玉無我相，無我執，天生破一切執。與生俱來的「玉」是他生命的一種象徵，但他動不動就想把它摔碎於地上，這也是破我執的本能行為。他與常人不同，生來就不執着於自己的世俗角色，不執着於「我是誰」的問題，甚至不執着於自己是男是女。如果他執於自己是個男性，便是「我相」、「我執」。林黛玉在元春省親時，還想表現一下自己的詩才，呈露一下我相——詩人相，而寶玉則全然沒有，他不在乎親姐姐的榮華富貴，僅以平常心對待一切，連他是王妃最親的弟弟，也絕不着「國舅相」，一着相，便是我執。打破我執，需要棒喝，但寶玉無須外力的提示，無師自通地化解一切執着。

248 世俗原則與宇宙原則

王國維在《紅樓夢評論》中除了論說小說的悲劇意義，還論說了倫理學意義。他用佛教語言表述其倫理意義在於「解脱」。這一概念本是針對輪迴而言。解脱即斷輪迴與超輪迴。這雖不是人與世界的解放，但包含着擺脱倫理束縛、爭取心性自由的真諦。儘管王國維用悲觀主義立場看待宇宙人生，懷疑「解脱」的可能，但他認定人還是必須做解脱之夢的。

王國維采用佛學語言，又超越佛學語言，他把道德分為普通道德與絕對道德兩種，這便是世俗性道德、與宗教性道德的區分，也是世界性道德與宇宙性道德的區分。他認為賈寶玉也在兩種道德中掙扎，最後婚姻上的棄黛就釵，乃是遷就世俗道德，違背個體生命自由選擇的宇宙絕對道德。王國維雖缺少體系性論述，卻天才地道破人類生存困境與心靈困境的關鍵所在。人，永遠是矛盾的生物，永遠是在世界原則（普通道德）和宇宙原則（絕對道德）的衝突中悲劇性地前行。

249 不滅不亡只是夢

「盛筵必散」，是對自然規律的哲學把握。它從哲學上預告一種滅亡的必然，提醒人們不可有「萬壽無疆」、「永遠健康」、「永垂不朽」的幻想。這不是社會性的預告，而是宇宙性的警告。即不是警告一次聚會、一個強盛家庭、一個強大朝廷的必然衰落，而是告知一切都要衰老和死亡。《紅樓夢》的意義不是告知一個貴族階級必將死亡，而是告知任何燦爛輝煌、任何滿箱金銀、任何姣妻美妾都有一個消亡的必然。無可挽回，無可逃遁。不亡不滅只是夢。《紅樓夢》做的是天地精英靈秀——青春少女不散、不滅、不死的夢。

250 面對如此巔峰

讀了《紅樓夢》，再也不敢驕傲。面對如此巔峰，如此絕頂，只能永遠高山仰止，永遠謙卑。

讀了《紅樓夢》，又贏得驕傲。面對人間同類中竟有如此美的生命，如此美的性情，怎能不驕傲？思想學問的精彩應到希臘、德國去觀賞；人的精彩，尤其是女子的精彩，還是在中國的大觀園裏欣賞。

251 什麼是不幸

閱讀《紅樓夢》之後才知道什麼叫做「不幸」。原來，不幸是追逐「好」而不知「了」，一生都為功名、財富、權力、姣妻、兒孫而殫精竭慮地爭奪奔波，日日夜夜都充當它們的人質。

252 破除覆蓋層

禪宗大師慧能知道每個人都願意追求美好的東西，他只是告訴你，別找錯方向，最美好的東西就在你自己身上，關鍵是你必須破除遮蔽層與覆蓋層。《紅樓夢》

佈滿禪思，它告訴你，這遮蔽層與覆蓋層就是你正在追求的功名、金銀、權力、概念等。

253

「破執」大啟迪

《紅樓夢》給我最大的幫助，是它以意象語言力量，幫助我破一切「執」：在破我執、法執的總題下，又破功名執、概念執、方法執，此刻我如此輕鬆地談論《紅樓夢》，也是破執的結果。

254

放下心累

愛上《紅樓夢》之後，總的感覺是人生輕鬆了很多，不是不努力的輕鬆，而是放下許多負累的輕鬆。妄念之累，分別之累，執迷之累，所有的負累都匯成心累。偉大的小說讓我放心，便是讓我放下心累。

255

開闢偉大傳統

《水滸傳》說劫富濟貧，爭的是物；《三國演義》講皇位正統，爭的是權；《金瓶梅》寫妻妾成群，爭的是色。《紅樓夢》開闢一個輕物質輕權力而重情感重精神的偉大傳統，完成了一個自色悟空、從外向內轉變的偉大人文使命。

256 人性脆弱

往往只記得王熙鳳是個女強人，忘記她又是一個容易破碎的「玻璃人」（李紈稱她為「水晶心肝玻璃人」）。賈府被查抄，第一個「氣厥」暈死過去的是她。其實，地位再高、權力再大的大人物，其人性都有極脆弱的一面。或災難，或誘惑，或威武，或貧賤，或委屈，或孤獨，任何一種都可以把他擊倒。

257 甄寶玉無「明心見性」之語

賈寶玉見了甄寶玉後很不滿意，原想引為知己，談了半天，卻是冰炭不投，還罵甄是祿蠹。寶釵問他為什麼？寶玉回答說：「他說了半天，並沒有明心見性之談，不過說些什麼文章經濟，又說什麼為忠為孝，這樣人可不是祿蠹麼！只可惜他生了這樣一個相貌。我想來，有了他，我竟要連我這個相貌都不要了。」（第一百一十五回）賈寶玉把「明心見性」作為論人的關鍵性尺度，這就是禪宗的心性本體論。談了半天，不見根本，倒是捨本逐末，可見只是同貌而不同心，太讓人失望了。其實兩人都有心臟的跳動，但佛家所要「明」的心，是真心，是本心，是本有之淨心。這個心，不是物質，不是頭腦，不是本能，不是工具，它是人的情感本體、情感源泉。賈寶玉的一切都發自內心，而甄寶玉的一套語言則發自心外的遮蔽層與覆蓋層，所謂文章經濟便是真心的覆蓋物。所以賈寶玉一聽，便知甄寶玉是無心無明之輩，和自己不是一路人。心不同，道也不同。

258 曹雪芹的價值觀

曹雪芹是一位通觀萬物、通審萬有的大美學家，他發現功名沒有美學價值，權力沒有美學價值，財富沒有美學價值。唯一有審美價值的是尚未變質、尚未衰敗的生命，尤其是青春少女的生命。

259 「無事忙」與當下哲學

海棠詩社結社之初，詩人們都起個別號，寶玉要大家替他想一個，寶釵笑道：「你的號早有了，『無事忙』三字恰當的很。」之後，又替他想了一個「富貴閒人」。兩個「筆名」都很妥帖。後者我在《紅樓人二十種解讀》裏已作注疏，而「無事忙」這一名號也有哲學意蘊，它並非人們通常所想的以為是指沒有事情可做也瞎忙乎。寶釵笑中當然也有這一層意思，但深一層的「無事忙」，則是指無事於心，不將（牽掛過去）不迎（等待未來），小計小較，如梁漱溟所言：「心裏無事便是當下。人心本不着在一物上。小孩之一片天機，他時時是現在，時時未跑開，他的心完全未想旁的事。」[15]無論是「無事忙」，還是「富貴閒人」，都是精神貴族的特點，也都是禪宗所倡導的「放得下」的人生態度。賈寶玉「赤條條來去無牽掛」，心思不着世俗的功名利祿，前無仕途經濟，後無恩仇記憶，總是小孩的一片天機。他無「當下」的概念，卻是「當下哲學」活生生的體現。

260 傾聽的意味

林黛玉吟誦《葬花詞》時，只有一個人傾聽，這是為之慟倒的賈寶玉；寶玉吟誦《芙蓉女兒誄》時，也只有一個人傾聽，這是林黛玉。知音者便是傾聽者。傾聽，才不是敷衍；傾聽，才是身心的投入；傾聽，才是沉浸；傾聽，才是真審美和真敬重。

261 聰明的誤區

聰明不一定能導致自救。王熙鳳聰明到極點，但聰明使她愈變愈壞。

15 《孔家思想史》第六篇，引自梁漱溟，李淵庭、閻秉華整理：《梁漱溟先生講孔孟》（桂林：廣西師範大學出版社，2003），頁63。

262

丟掉幻想

賈寶玉具有絕對的真，絕對的善，但仍然有人對他恨之入骨，如趙姨娘，就想借魔法把他置於死地。因此人不可以心存免受委屈、免受打擊的幻想。

263

不把玉石放在心裏

寶玉與世人不同之處，是他天生擁有玉石還嫌累贅，他只把玉石佩戴在胸前，而世人則把玉石放在心裏，整個靈魂被金玉財寶所抓住。

264

對肉體之痛無感覺

寶玉被父親打得差些丟了小命仍無怨言，少女們幾滴眼淚就足以治療他的傷痕。此種態度可解說為呆，為孝，但最貼切的解釋是這個人對肉體缺少感覺，對精神情感卻敏感到極點。讓許多世人「驚心動魄」的事件，對於寶玉卻好像什麼也沒有發生。

265

「不為物役」的徹底性永不開竅

曹雪芹通過各種意象提醒人的最終結局是一具骷髏、一個土饅頭（墳墓），全為了提醒你應當按照你的本真天性去度過一剎那的人生。

266

永遠不開竅之人

讀者喜愛賈寶玉，並不是喜愛他的聰明伶俐，也不是喜愛他的浪漫好色，而是喜歡他的「呆頭呆腦」，正如探春所說的，他是個「鹵人」。自始至終在內心中保持着「鹵」，保持着天生的一片混沌。常人都懂得仇恨、嫉妒、算計、虛榮等，但他對這一切永遠也不開竅。

267

只為美驕傲

人的最美好的特質，與動物不同的高貴品格，都集中在青春少女身上，尤三姐的自刎，鴛鴦的自絕，林黛玉、晴雯的自傷，這才是美，才值得驕傲。人不可以為自己佔有大量財富而驕傲，不可以為佔有無限的權力和名聲而驕傲，但可以為「美」而驕傲。《紅樓夢》的價值觀，永遠顛撲不破。

268

按其本性生活

賈寶玉的人間之旅顯示，人要按照自己的本性去生活是一件極其困難的事情。人類離本真之我已經很遠，竟以為活在八股與聖賢的概念之中才算正常，按本真生命去思去做反而不正常。「孽障」、「禍胎」、「蠢物」等一大串帽子，都是給寶玉似的赤子準備的。

269

眼淚只獻給一個人

林黛玉雖不斷流淚，但她的眼淚只獻給一個人、一種情、一顆心靈。寶玉的眼淚雖獻給所有無端消逝、無端被摧殘的青春生命，但他從來不為自己的所謂「失敗」、「挫折」、「損失」哭泣。

270

美好心性價值無量

對那些比自己美的人，他衷心地激賞（如對秦鐘）；對那些比自己有才華的人，他熱烈鼓掌（如海棠社賽詩時為勝利者叫好）；對那些比自己貧寒的人，他全身心關懷（如對劉姥姥胡謅的茗玉）。黛玉問他：何為至寶？他回答不出。其實，賈寶玉身上的無價之寶，就是他的徹底善良的心性。托爾斯泰曾說，我不知道，除了善良之外，還有什麼優秀品性。

271 無善無惡

把王熙鳳說成惡人，太本質化，儘管她確實常常作惡。人的生命豐富而多彩，所以不可本質化。本質化就是簡單化。說《紅樓夢》無善無惡，是說它具有一個比道德境界更高的宇宙境界，在更高的精神層面上把握善惡一體和善惡的轉化，而不是說，它不把惡視為惡。

272 人的旗幟

所有的貴族，老爺、夫人、少爺、小姐都以為自己比別人高貴乾淨，唯有一個人正視自己的「泥窩污渠」，這就是賈寶玉。他永遠是人的一面旗幟，就是他能自看、自審、自明、自度、自救。

273 佛性之美

佛眼，說到底是超勢利之眼；佛性，說到底是超勢利之性。佛的不朽是它超越一切階級、等級之分，把平等的目光投向苦海中的眾生。賈寶玉的性情之美，是兼有人性佛性之美。

274 內宇宙

心靈也是宇宙。相對於外宇宙而言，這是內宇宙。《紅樓夢》作為內宇宙，是一個燦爛的星空，這裏有名叫寶玉、黛玉、妙玉、湘雲、寶釵、晴雯的星辰，也有名為悲歡歌哭的陰陽聚散與風雲變幻，更有天際的大潔淨與大光明。心中有此星空，生活便有另一番風貌。

275 靈魂的香味

有回寶玉聞到黛玉身上有種「幽香」，便要查看她衣服藏着什麼東西。此時黛玉告訴寶玉：「實話告訴你，連我自己也不知道。」此香不是物香，也不是體香，而是黛玉靈魂的香味。也可說是絳珠仙草的味道。如此判斷，無法考證實證。但可作心證：打開《紅樓夢》，總是聞到赤子靈魂的芬芳，與名利之徒臭味完全不同。

276 不可令人噁心

人可以有缺陷，但不可以讓人噁心。《紅樓夢》中的賈蓉，舔着尤氏姐妹唾沫星子的賈蓉，就是這種惡濁人。

277 和諧中道哲學

革命的氛圍使人只關注「變易」，結果把本應不易的宇宙準則和心靈原則也變了。可是一旦拋棄了「天地之大德日生」的總原則，人類就開始走向瘋狂和自取滅亡。

278 為拆除面具而來

林黛玉到人間來，固然是來「還淚」，但也是來拆除人的面具的。她的率性，就是對面具的撕毀。她的缺點是喜戴面具的人類眼中的缺點。而在真性情的寶玉眼中，她恰恰是一個完整人和一個人間面具的拆除天使。

279 王夫人離佛最遠

王夫人手不離佛珠，可是心離佛最遠。她對晴雯、金釧兒下此毒手，不僅把兩個女子推向死亡，也把自己推向離佛十萬八千里的黑暗深淵。

280 與佛交易

一些拜佛的人對佛的利用是求取交易的最大效應，用幾碗肉、幾盤水果或幾疊紙錢就要求佛酬報她們以億萬黃金甚至一座天堂，其貪婪與苛刻總是出乎佛的想像。鑒於此，所以寶玉對芳官說，拜神拜佛，重要的是心誠，而不是虛名。

281 權力意志導致荒誕

賈迎春，一個最懦弱的「懦小姐」，偏偏在兩家權力的主宰下嫁給一個最強悍的中山狼，終於被狼吃掉。這就是人世間的荒誕。《紅樓夢》作為一部荒誕劇，其荒誕性不是哲學思辨，而是迎春與狼共臥的這類現實屬性。但蘊含在這種屬性中的內容仍然有哲學。這種哲學是對權力意志的嘲諷和抗議。尼采的哲學正相反，他把權力意志視為存在的最內在的本質，把善界定為權力意志和權力本身，而把惡界定為「一切源自虛弱的事物」（《反基督》第二節）。面對迎春走入狼穴一事，他一定要謳歌中山狼，嘲笑「懦小姐」。然而，這種謳歌將更是大荒誕。說到底，尼采的哲學是瘋人哲學，曹雪芹的哲學才是正常人也是智慧人哲學。

282

無中生有

《紅樓夢》第一回就講「無中生有」。無中生有，在哲學上是深刻的命題，在倫理學上則是不可實行的反動命題。在哲學上，無中生有，是確認「無」是萬物萬有的本源，是第一因，也是人的第一故鄉，最初與最後的真實。所有的美好的東西都從那裏獲得。在倫理學上，最高的善是誠實，騙子是倫理學的第一批判對象，這門科學嚴禁無中生有。

283

婚外戀者的地獄與天堂

潘金蓮是婚外戀者，被稱為「淫婦」，秦可卿也是婚外戀者，沒有人稱她為「淫婦」。三部中國古代小說經典，所謂淫婦也具有三種命運：在《水滸傳》中被判入地獄；在《金瓶梅》中被判入人間；在《紅樓夢》中被判入天堂。《水滸傳》中有嚴酷的道德法庭，《金瓶梅》中沒有這種法庭，《紅樓夢》更是沒有，但它有一個審美法庭，秦可卿被這一法庭判為「兼美」，因此，她逝世時，贏得最高的哀榮，最隆重的葬禮。

284 閱讀的眷戀

在雲空中靜思，才覺得不斷閱讀《紅樓夢》乃是一種緬懷、一種嚮往、一種依戀。原來，故國文化進入自己內心最深處的是《紅樓夢》，自己最傾心、最眷戀、最難遺忘的是這部偉大小說中的詩人與詩國，癡情與純情。許多經書典籍，拿起來又放下，唯有《紅樓夢》拿起來後再也放不下。走過許多山、許多水，山間曾有歡樂，水上曾有戲笑，但帶給自己動心的「至樂」的，卻只有大觀園裏的青春共和國。

285 「誠」的哲學意味

本書第一一〇則筆記，引述寶玉對芳官說，對待祭奠祭拜的對象，不在於虛名，而在於「心誠意潔」，以「誠心」二字為主（第五十八回）。強調一個「誠」字，也說明寶玉不是簡單的反儒派。因為「誠」字乃是儒家思想的內核，朱熹說他的全部學說講的也不過是「正心誠意」四個字。關於「誠」的哲學意味，賀麟先生作了如下精闢的闡釋：

> ……以誠字為例。儒家所謂仁，道德意味比較多，而所謂誠，則哲學意味比較多。《論語》多言仁，而《中庸》則多言誠。所謂誠，亦不僅是誠懇、誠實、誠信的道德意義。在儒家思想中，誠的主要意思是指真實無妄之理或

道而言。所謂誠，即是指實理、實體、實在或本體而言。《中庸》所謂「不誠無物」，孟子所謂「萬物皆備於我矣，反身而誠」，皆寓有極深的哲學意蘊。誠不僅是説話不欺，復包含有真實無妄、行健不息之意。「逝者如斯夫，不舍晝夜」，就是孔子借川流不息以指出宇宙之行健不息的誠，也就是指出道體的流行。其次，誠也是儒家思想中最富於宗教意味的字眼。誠即是宗教上的信仰。所謂至誠可以動天地泣鬼神。精誠所至，金石亦開。至誠可以通神，至誠可以前知。誠不僅可以感動人，而且可以感動物，可以祀神，乃是貫通天人物的宗教精神。就藝術方面言，思無邪或無邪思的詩教即是誠。誠亦即是誠摯純真的感情。藝術天才無他長，即能保持其誠、發揮其誠而已。藝術家之忠於藝術而不外騖亦是誠。總之，誠亦是儒家詩教、禮教、理學中的基本概念，亦可從藝術、宗教、哲學三方面加以發揮之。今後儒家思想的新開展，大抵必向此方向努力，可以斷言也。[16]

賀麟先生這段話像一首哲學詩，他把中國文化中最美的「核」描述得最清楚不過了。賈寶玉講「誠」，其實，他本身就是誠的化身。在他身上，承載着「誠」的全部意味：道德意味、哲學意味、宗教意味、藝術意味。他所以感人至深，以及

16 參賀麟：〈儒家思想的新開展〉，原載於《思想與時代》第一期，1941 年 8 月；此處轉引自賀麟：《賀麟集》（北京：北京大學出版社，2005），頁 135。

《紅樓夢》所以感人至深，就是在他的身心和小說的整部文本，全浸透着一個誠字。「誠」字是打開寶玉心靈的金鑰匙，是打開《紅樓夢》深層門窗的金鑰匙。偉大作家曹雪芹所創造的也將永遠立於中國精神大地的賈寶玉形象，他是誠的大寫的象徵，他的名字和他的心靈內容，就是中國深層文化的實理、實體、實在和本體。曹雪芹為中國立心，為世界立心，為天地立心，立的就是一個剝掉全部虛偽外殼的「誠」字。

286 「誠」與「信」的差異

賀麟先生講「誠」的意蘊之後，李澤厚又講「誠」的來源和「誠」在中西兩大文化系統中的位置。他說：基督教講「信」，因「信稱義」。中國講「誠」，「至誠如神」。前者來自《聖經》，後者來自巫史傳統。由兩者生發出來的情慾關係、情理結構、感情狀貌的相同、相似、相通和相異之處頗值仔細分疏。（參見《論語今讀》19.1）李澤厚用「信」與「誠」這兩個字把中西兩大文化之核分疏出來。以「信」為核，基督教文化派生出的基本概念或範疇是主、愛、贖罪、得救、盼望、原罪、全知全能等，而以「誠」為核，儒家文化派生出的基本概念或範疇則是仁、禮、學、孝、忠、恕、智、德，以及義、敬、哀、命等。「誠」本是巫術禮儀中的接受或出現神明時的神聖感情，以後被儒家將之不斷理性化、道德化、內在化，而成為對人的品格和感情的基本要求。賈寶玉在講「誠」時，特別提到紙錢「不是孔子的遺訓」，並說「一心誠虔，就可感格」（即誠可通神通天），顯然，他也認為孔子講誠不是表面文章，而是心誠，也承認「誠者，天之道也；誠之者，人之道也」（《中庸》），在哲學上確認「誠」為道體。可見，他雖是「檻外人」（異端），但他只是拒絕儒家的典章制度和「非禮勿視」一類意識形態的異端，並不是孔子誠之遺訓的異端。對於孔子思想深層中的「誠」，他不僅心領神會，而且貫徹到自己的全部行為和語言中。筆者把它比作基督，也深知他與西方基督在大文化上畢竟不同，西方是立足於「信」的基督，東方則是立足於「誠」的基督。

287 人沒有那麼好

王國維作為借用兩方哲學參照系審視《紅樓夢》的先驅者，他選擇的第一個參照系是德國的叔本華。這位德國哲學家的千言萬語，就告訴我們一個哲學真理：人沒有那麼好：我們作為闡釋者，可補一句：人沒有文藝復興時代的思想者所說的那麼好。因為人已被魔鬼——慾望鑽入身內心內，並且永遠無法滿足它與戰勝它。人作為魔鬼的人質與俘虜，註定要扮演悲劇角色。曹雪芹比叔本華更早發現這一哲學真理，看到男權社會的主體——男人們沒有那麼好，他們個個的肚子裏都深藏着一個忘不了功名、財富、權力的魔鬼，同樣也無法滿足它與戰勝它。但曹雪芹還發現世上也有一部分人確實好，如林黛玉等青春少女，她們是不許「臭男人」即魔鬼沾邊的。曹雪芹、叔本華和自殺的王國維都是悲觀主義者。因為悲觀，所以深刻。但曹雪芹在黑暗王國又看到「女兒」的一線光明，更為深刻。

288

看不透的人最怕死

王熙鳳被李紈稱作「玻璃人」（第四十五回）。所謂玻璃人乃是強硬其外、脆弱其中的外強中乾之人，相當於當代人所嘲諷的「紙老虎」、「泥足巨人」等。王熙鳳在聽到抄檢賈府的消息時，嚇得死厥過去。平常時，她受寵於賈母，掌權家政，頤指氣使，不可一世，但事實證明，這個外表最有力量的人，內裏卻最沒有力量，口力有餘而心力不足。這是為什麼？除了她貪贓枉法作賊心虛之外，還有一個根本原因，是因為她生來機關算盡，什麼也放不下，什麼也看不透，沒有真知識、真智慧。放不下看不透的人其實最怕死，最脆弱。在災難和鬼神面前，寶玉比鳳姐顯得有力量，滿不在乎，這除了他心實（從不做壞事）之外，還因為他早已看透權力財富這些幻相。赤條條本就來去無牽掛，即使賈府倒塌，也不過如此。

289

看破人生又眷戀人生

賈寶玉內心嚮往的「夢」，是空而無的夢？還是空而有的夢呢？其憧憬的詩意棲居是無還是有？他與黛玉不同，喜聚不喜散（黛玉則是喜散不喜聚）。他所喜的聚，有世俗狀態的聚，有詩意狀態的聚。所謂空，雖然排除世俗負累，但不可能完全排斥世俗棲居。所以賈寶玉在排除世俗負累之後仍然活在現實的地上。他的可貴是在世俗聚會時又有所超越和飛升，努力尋求讓心靈豐富與人生豐富的詩意之聚，所以才熱衷於辦詩社，抒詩情，享受獨一無二的人生，不離生存本義，又追求存在意義。他看破人生又眷戀人生，說明他夢的是空而有而不是空而無。

290

充分人化後再求人的自然化

用哲學語言表述，孔子學說的重心講的是「自然的人化」，而莊子學說的重心講的是「人的自然化」。從動物變成人，從不講倫理、只講慾望的野蠻人變成文明人——講仁、講義、講禮的人，這是自然的人化。有了這一前提，才可講人要反抗禮教、反抗束縛、反抗偽道德。《紅樓夢》中人如薛蟠、賈蓉等，其實尚未完成人的進化，即未完成人的自然化，而黛玉、寶玉則是在充分人化以至心靈精緻化之後，才反抗八股文章與虛偽道德束縛。他們的反叛是充分人化之後的反叛，是擁有高度心靈原則之後的謀求意志自由，是在實現「自然人化」大前提下的謀求生命自然。賈政掌握不了這種哲學區分，他開口閉口的「孽障」，用於罵薛蟠、賈蓉等可以，用於罵寶玉則不妥。

291 曹雪芹與海德格爾的區別

死無法把握，只可知死的必然，但不可知死於何時、何地，以及死後是否還有靈魂？因此，死比生帶有更多的神秘性。《紅樓夢》人物從秦可卿到晴雯均是活着時真實，赴死的時候更真實。她們都在臨終前的一刻，說了最真實、最想說的話。海德格爾確認人在赴死時最真實，唯有此時存在才充分敞開。曹雪芹早已如此思索，哲學的鋒芒早已射到死前的瞬間。但他與海德格爾不同，他不崇尚死亡，更不崇尚毀滅，只為生命的毀滅而悲傷，而海氏哲學則可以鼓動士兵去赴死。曹氏哲學的指向是不怕死又珍惜生命。

292 把哲學還給人

探索《紅樓夢》哲學，其無窮樂趣與無窮意義是探討一位人類的天才，一雙最真最美的眼睛，一個最有靈性悟性也最有人情人性的大作家怎樣看宇宙、看世界、看人生。通過求索，可把蘊含於精彩敍述中的哲學視角、審美視角開掘出來，以啟迪我們的眼睛，我們的耳朵，我們的「六根」。曹雪芹通過最美的形象意象，借助舉世無雙的少男少女，把哲學還給人，還給生活，讓哲學意象化，具體化，讓哲學玄而不玄，空而不空。《紅樓夢》啟示我們：哲學並非知識，並非學問，並非科學，並非認識，它是對話、是觀照、是把握、是交匯、是提高人生的智慧提綱。

293

審美秩序高於道德秩序

《西遊記》展示的宇宙秩序是政治秩序，天上的宮廷與人間的宮廷沒有兩樣。《水滸傳》暗示的宇宙秩序是道德秩序，天罡星與地煞星暗示的是善與惡，從孔夫子、董仲舒到現代新儒家描述的宇宙秩序也是道德秩序。而《紅樓夢》所呈現的宇宙秩序則是審美秩序。其天上警幻仙境的主體是美人美女子，其境遇乃是情天情海，其主體的功能是「司人間的風情月債，掌塵世之女怨男癡」，其天際宮門的對聯是：「厚地高天，堪嘆古今情不盡；癡男怨女，可憐風月債難還」。這一宇宙圖像，是以人（少女）為主體，以情為本體的審美圖像，這一圖像是對道德秩序的顛覆，警幻仙姑對人間來客賈寶玉說：我愛你是「天下古今第一淫人」，她勸寶玉「留意於孔孟之間」則是對道德秩序的反諷。但嘲諷的只是偽道德，並非真道德。《紅樓夢》的審美秩序是超道德秩序，不是反道德秩序。賈寶玉的「意淫」正是地地道道的審美。

294

看破之後更有力量

看空看透並不是消極，更不是沉淪。看空看透是如《好了歌》所暗示的把功名、財富、權力看破看穿，一旦看穿，再活下去，就無世俗重擔而活得更自由，更積極，更有力量。賈寶玉和賈政誰更有力量？是拿着棍棒痛打寶玉的父親，還是被打了之後無語無言無相的兒子？俗人佈滿天下，各個都在宮廷皇帝面前拜倒顫慄，唯寶玉有力量不在乎宮廷王妃，也唯有他敢笑「文死諫」、「武死戰」的文臣武將，有力量拒絕八股文章和僵化科場的誘惑。曹雪芹本人則在看透看破之後，產生了偉大的創作力量，建構了中國文學和人類文學的不朽經典，書中蘊含的天地元氣，乾坤大氣，空前啟後，其雷霆萬鈞之力將真會磅礴於千秋萬代。

295 哲學與思想的區別

哲學不同於思想至少有兩點：一是哲學必有視角（思想無須視角）；二是哲學總是致力於把握永恆（思想一般僅着眼於時代）。《紅樓夢》「以道觀物」（莊子語），即用道的視角觀物，便無分別，泯是非，齊善惡。嚴復說：「格物之事，以道眼觀一切物，物物平等，本無大小、久暫、貴賤、善惡之殊」[17]。所謂道高無正邪，便是用道眼看人間，人人平等，無正教邪教之分，無君子與小人之別。寶玉與薛蟠、蔣玉菡為友，在賈政看來，是走邪門歪道，但在曹雪芹眼中，卻是平常道，佛性大道。《紅樓夢》中充滿着生死、陰陽、聚散、有無、好了、色空等哲學思考，這是易經時代的問題，也是今天與未來的永恆問題。

17 嚴復，王栻編：《嚴復集》（第一冊）（北京：中華書局，1986），頁45。

296 傷感的本質

說《紅樓夢》是傷感主義的作品，沒有錯。從文學上說，僅僅林黛玉的流不盡和還不清的淚就足以說明，更不用說晴雯、鴛鴦等的死亡帶給寶玉的悲傷。但從哲學上說，其傷感的本質則是至真至美之情在時間中的暫時性與有限性。人生如此短暫，有情人共同創造的戀情癡情如此脆弱，有什麼比至親至愛之人的消失更值得哀痛？有什麼比曾經活着的詩意生命的永遠離別更值得緬懷？《紅樓夢》正是把曾經存留在時間中與記憶中的痛惜心理情感，化作歷史的本體與宇宙的本體，從而抵達永恆。所以有心人讀《紅樓夢》，總要讀出「珍惜」二字。

297 發自本心的語言

賈寶玉跟王熙鳳的口才都好，但是其語言卻有不同的質。後者雖口若懸河，但真假難辨。她對賈瑞說的話全是假話，但賈瑞信以為真，結果上了死當。她對尤二姐說的話，也全是假話，而尤二姐不知其假，也上了死當。她的巧言令色，連丈夫賈璉都分不清其真假，更何況老實懦弱的尤二姐。王熙鳳對賈母說的許多幫閒的奉承話，其中有真有假，虛虛實實，賈母是個聰明人，即使明知是假，也認假為真，能取樂就好。王熙鳳的語言，用當今的概念說，屬於外交辭令與謀生工具，而賈寶玉的語言則句句坦白率真，他發自本心，出乎真情，是生命血脈跳動流動的一部分。語言上的「復歸於樸」，不是摒棄文采與情趣，而是回到賈寶玉式的這種發自質樸內心的聲音，拒絕王熙鳳的吞雲吐霧。二十世紀語言學把語言說成是「存在之家」，雖屬誇張，但如果是指發乎本心之處的語言，倒也可以成立。出自本心的語言也是最後的一種實在。

298 叩問無上究竟

曹雪芹具有深厚的哲學思想，卻不是玄學家，他不追問什麼是「無上究竟」，老子的無極，朱熹的太極，黑格爾的絕對精神，康德的物自體，《聖經》中的上帝，都是無上究竟，而《紅樓夢》則只把「女兒」二字當作無上究竟。地上的大觀園，天上的太虛幻境，上天下地唯有女兒是至真至美的本體。西方的《聖經》以上帝為最高本體，他的兒子基督是本體的化身。而曹雪芹的「文學聖經」則以宇宙的協同共在為本體，它的鍾靈毓秀形成的女兒，是本體的化身。「女兒」象徵的是：宇宙間的無上究竟，乃是難以名狀的大美與大潔。

299 人的定義

曹雪芹如何定義人？通觀《紅樓夢》，大體上可以如此把握，他是把人視為以天為眼（視角）、以己為體（以人自身尤其是人之情感為本體）、以物為用的存在。

他不以肉眼俗眼看人，而以天眼道眼即大觀的眼睛看宇宙人生；他以女兒為至尊為根本，便是以人為根本。他在晴雯撕扇子時發表的那一番話（說扇子撕了也無妨，一物可多用，扇子既可以作搧風用，也可以作取樂用），便是以人為主體，以物為用具的哲學。莊子認為人的悲劇是只有肉眼物眼而沒有道眼，所以總是神為形所役，人為物所役，顛倒了本末。曹雪芹也做如是觀，也不斷揭示人的「情意我」被「形骸我」所役，所以總是壓抑真情真性而汲汲於功名利祿，不明白最可珍貴的一切不在物中而在心中。《紅樓夢》中唯有主人公寶黛二人真正明白己為體，物為用，因此，他們的心靈贏得了別人所沒有的自由。

300 真知、真明、真淨

寶玉離家出走後，皇帝賜予他一個「文妙真人」的稱號，讓賈政等得到許多慰藉。儘管此號並不通（因真人不是世俗角色，無所謂文妙不文妙），但寶玉倒是具有常人難以企及的「真」。他除了有真情之外，還有一種容易被疏忽的「真知」。古希臘哲學家把知人——知道你自己，視為哲學的最高問題。而寶玉便是賈府內外唯一有自知之明的人，唯一承認黛玉寶釵是比自己「先知」的人，也是唯一承認自己乃是「濁人」的人。蘇格拉底強調的「自知其無知」乃是人類哲學的第一真命題。因此我們可以說，自知其無知，是真知；自明其未明，是真明；自淨其不淨，是真淨；從這個意義上說，賈寶玉倒是名副其實的真人。

「人生悟語——劉再復新文體沉思錄」
已出版書目

卷一　三書悟語
ISBN: 978-962-937-435-8
130x210mm • 192pp

卷三　獨語天涯
ISBN: 978-962-937-437-2
130x210mm • 284pp

卷四　面壁詩思
ISBN: 978-962-937-438-9
130x210mm • 260pp

卷五　共悟人間
ISBN: 978-962-937-439-6
130x210mm • 424pp

「人生悟語——劉再復新文體沉思錄」
限量套裝（一套五卷）

卷一　三書悟語
卷二　紅樓悟語
卷三　獨語天涯
卷四　面壁詩思
卷五　共悟人間
ISBN: 978-962-937-440-2